GAELIC

This book provides a modern and lively introduction to Scottish Gaelic, a language that holds the key to a very important part of Scotland's cultural heritage. The lessons are carefully graded, and each step is accompanied by exercises and a comprehensive scheme of pronunciation. The course is suitable for use not only by the private student but also as a school textbook, since it aims to take the beginner to a point where he will be able to tackle successfully the Scottish Certificate of Education Learner's 'O' Grade examination in Gaelic. Past question papers in this examination are included.

D0048468

TEACH YOURSELF BOOKS

GAELIC

Roderick Mackinnon, M.A.

TEACH YOURSELF BOOKS

Hodder and Stoughton

First printed 1971
Eighth impression 1979

Copyright © 1971
Hodder and Stoughton Ltd

All rights reserved. No part of this publication may be reproduced or transmitted in any form or by any means, electronic or mechanical, including photocopy, recording, or any information storage and retrieval system, without permission in writing from the publisher.

This volume is published in the U.S.A. by David McKay Company Inc., 750 Third Avenue, New York, N.Y. 10017.

ISBN 0 340 15153 6

Printed in Great Britain for
Hodder & Stoughton Paperbacks,
a division of Hodder & Stoughton Ltd,
Mill Road, Dunton Green, Sevenoaks, Kent,
(Editorial Office: 47 Bedford Square,
London WC1 3DP)
by J. W. Arrowsmith Ltd., Bristol

CONTENTS

ACKNOWLEDGMENT

The author would like to thank the Scottish Certificate of Education Examination Board for granting permission to include in this book the 1970 Ordinary Grade Gaelic (Learners) question papers.

INTRODUCTION

This little volume has only one purpose—to enable you to teach yourself Scottish Gaelic. It is not a Grammar. It is a course of lessons designed to meet the needs of anyone wishing to acquire a reasonably competent knowledge of a language which holds the key to a very important part of Scotland's cultural heritage.

Gaelic, one must remember, is still a *spoken* language—which is surprising when one considers the repressive atmosphere in which it has had to survive throughout several centuries of official and semi-official neglect and discouragement. It has, in fact, survived because of its tremendous vitality and intrinsic worth.

The present upsurge of interest in Gaelic calls clearly for a "Teach Yourself" course, and it is hoped that these lessons will make a positive and useful contribution towards meeting the requirements of a growing awareness that the Gaelic language, with its distinctive and cultural background, has something of value to offer to modern society, and particularly to our own people both at home and abroad.

That Gaelic is a difficult language is largely a misconception. Certainly, like all other languages, it has its own peculiar difficulties, but it can quite fairly be claimed that Gaelic is no more difficult than any other European language and is, in fact, a good deal easier than most of them. The truth is that, very often, those who talk most about the difficulties of the Gaelic language are those who have made very little serious effort to learn it. Recent experience has shown quite conclusively that a course of some thirty to forty lessons will enable the average student to tackle successfully the Learners' "O" Grade examination. The present Course has this object in view.

The acquisition of any language requires conscientious and purposeful study, and if you are prepared to approach the study of Gaelic in this spirit this Course of thirty-five lessons will enable you to read Gaelic, understand Gaelic and—most important of all—to engage in Gaelic conversation. I say "most important of all" because in any competent knowledge of a language the first essential is to be able to speak it, not perhaps like a native speaker, but with clarity and a reasonable degree of fluency. This Course sets you quite firmly on the right road towards this objective.

Now for a few observations on the content of the Course. As Gaelic is presented in this little volume as a spoken language it is of the utmost importance that, at the very outset, the learner should make himself thoroughly familiar with the phonetic scheme of pronunciation and should refer to it at all stages throughout the Course. An accurate mastery of the phonetic symbols is a necessary prerequisite to successful learning. That is why the instruction READ ALOUD is to be found at the head of every exercise, and this means reading aloud not once, but many times.

The scheme of pronunciation is primarily intended for the genuine learner who has no access to the help of a native speaker.

The Exercises are, of course, the meat in the Course. Although it is quite possible to be able to work out the Exercises solely with the aid of the vocabulary and although the Notes are explanatory rather than directional, the learner is advised to read over the Notes carefully before doing the Exercises, and in particular to go over the Notes again after the Exercises are translated and checked against the Key. The learner must also be quite sure that each exercise is completely mastered before proceeding to the next. In this connection, the first five lessons are highly important for they provide the basis on which the subsequent language structure is built.

As a general rule, the work of teaching yourself a language should be deliberate and unhurried, always remembering that little by little (beag is beag) is a much better way of learning than the big step (an ceum mór). After reaching the end of Lesson 17, you should do a major revision. Lessons 18 to 26 deal with the genitive case and here it is particularly important that each lesson should be thoroughly mastered before proceeding to the next. This group of lessons covers what is generally regarded as the most difficult part of Gaelic. That is why the Glossary gives the following information about the noun: gender, genitive singular and nominative plural. It is felt that the Glossary will play a very important part in the mastery of the thirty-five lessons contained in this "Teach Yourself" book.

The Appendix contains detailed information that could not be easily included in the Notes. The learner will find it useful for reference even after he has completed the Course and is extending his studies into the wider and more interesting fields of Gaelic literature.

As an introduction to general reading, the Reading Exercises should serve a useful purpose, and the Ordinary Grade (Learners) question papers serve the double purpose of providing a test of proficiency and establishing quite clearly the standard set in this important examination.

THE GAELIC ALPHABET AND THE PHONETIC SCHEME

Below is a list of the Gaelic consonants, singly and in the combinations which have a pronunciation of their own. The second column contains the corresponding phonetic symbols, and the descriptions are given as far as possible with reference to English pronunciations.

Gaelic	Phonetic	Description
b	b	as in English
bh	v	as in *van*, but it is sometimes silent
c	k	always hard, as in *cat*
ch	<u>ch</u>	as in German *nacht* in contact with a broad vowel, or German *ich* in contact with a slender vowel (see page 4)
	ch	as in *church*
chd	<u>ch</u>k	as *chk* in *Loch Katrine*
d	d	as in English, but softer, with the tip of the tongue starting behind the top front teeth
dh	<u>gh</u>, y	like a voiced <u>ch</u> (represented <u>gh</u>) when in contact with a broad vowel (see Spelling Rule below): like *y* as in *you*, *yet*, when in contact with a slender vowel (see Spelling Rule) except at the end of a word, when it is usually silent
f	f	as in English
fh		mainly silent, but in a few cases sounded like *h*
g	g	as in English

Gaelic	Phonetic	Description
gh	gh, y	as for Gaelic *dh* above
h	h	as in English
	j	as in English
	k	as in English
l	l	as in *silly*
	ll	as *lli* in *million*, or *ly* in *halyard*
	ḷ	the "back l", as in *hall*, *wool*, formed by raising the base of the tongue
m	m	as in English
mh	v	as in *van*, but sometimes silent
n	n	as in English
ng	ngg	as *ng* in *finger*
	nn	as *ni* in *pinion*, or the first *n* in Spanish *cañon*
p	p	as in English
ph	f	as in English
r	r	as in *peril*
	ṛ	very nearly as in *true*, *try*
s	s	as in *set*
sh	h	as in *hat*
	sh	as in English
t	t	as in English, but softer (see *d*)
th		usually silent, but sometimes has the sound of *h* or *ch*
	y	as in *you*, *yet*

Gaelic uses the same five vowels as English, but there is so wide a range in their combination and pronunciation that it would be more confusing than helpful to try to group them according to their sound. The phonetics given below should be studied so that they can be made use of in the lessons.

There are nasalised sounds in Gaelic which are difficult to render phonetically with complete accuracy.

It is in this connection that the native speaker could give help.

Short

a	e	i	o	u	as in *bat, bet, bit, bot, but*
ā	ē	ī	ō	ū	as in *gate, feet, fire, rote, cute*
oo					as in *coop*

Long

aa	a long *a* as in the second syllable of *barrage*
eh	a long *e* as in the second syllable of *cortege*
oeu	a long *i* and very like French as in *cœur*, but slightly nearer to $\overline{oo}$
aw	a long *o* as in *lawn*
au	like *a* + *oo*; quite like English as in *how*, but more like German *au* and slightly nasal
ay	a long *ā* as in *strayed*
e	a long *ē* as in *agreed*
$\overline{oo}$	a long *oo* as in *wooed*
ə	an indeterminate sound, as in the second syllables of *absent, infant*

The only letters which may be doubled in spelling are l, n and r. These same three letters cannot be aspirated (i.e. have "h" put after them), nor can "s" *except* when followed by l, n, r or a vowel. Vowels cannot be aspirated.

Division of Syllables

In the phonetics, the syllables are divided by hyphens. The stress should be put on the first syllable of each word, except where otherwise indicated.

The Spelling Rule

"Broad to broad, and slender to slender" means that, in words of more than one syllable, if the last vowel of a syllable is broad (a, o or u) the first vowel of the next syllable will be broad also, e.g.:

| fàg | *leave* | fàgaidh | *will leave* |
| cuir | *put* | cuiridh | *will put* |

Similarly with slender vowels (e and i). It is, however, to be noted that this rule is not adhered to in the formation of past participles and, due to the introduction of new words, is not followed as rigidly today as it was in the past.

Note

As the accusative (or objective) case has the same form as the nominative, the term has not been used in the lessons.

The Simple Sentence

VOCABULARY

mi (mē) *I*

thu (oo) *you* (sing.)

e (e) *he, it*

i (ē) *she, it*

tha (haa or ha) *am, is, are*

an (ən) *the*

ach (a<u>ch</u>) *but*

agus (a-<u>gh</u>əs or ak-əs) *and*

cù (kō̄o)̄ m. *dog*

cat (kaht) m. *cat*

iolair (ū-<u>l</u>ir) f. *eagle*

teine (chē-nə or chā-nə) m. *fire*

teas (chās) m. *heat*

dorus (do-rəs) m. *door*

falt (fa<u>l</u>t) m. *hair*

achadh (a<u>ch</u>-ə<u>gh</u>) m. *field*

Màiri (maar-ē) *Mary*

Calum (ka<u>l</u>-əm) *Calum, Malcolm*

sinn (shēnn) *we*

sibh (shēv) *you* (pl.)

iad (ē-ət) *they*

aig (ek) *at*

air (ār) *on*

anns (auns) *in*

N.B. All nòuns in Gaelic are either Masculine (m.) or
Feminine (f.).

dubh (doo) *black*

bàn (baan) *white, fair, fair-haired*

fuar (fooər) *cold*

fliuch (flū<u>ch</u>) *wet*

sgìth (skee) *tired*

trang (trangg) *busy*

mór (mōr) *big*

beag (bāǝk) *small, little*
gu trang (goo trangg) *busily*
an diugh (ǝn joo) *today*
ag obair (ǝ kōp-ir) *working*
chunnaic (<u>ch</u>oon-ik) *saw* (verb)

NOTES

1. The order of words in a Gaelic sentence is:
   1. the Verb
   2. the Subject
   3. the Object
   4. the Extensions of the Verb (i.e. phrases that
      go with the verb)

   e.g.: Chunnaic mi cù aig an dorus.

      1   2 3   4
   (<u>ch</u>oon-ik mē kōo ek ǝn do-rǝs)
   I saw a dog at the door.

2. There is no indefinite article in Gaelic, e.g. "cù" can
be translated *dog* or *a dog* according to the sense.

Exercise 1

Read aloud and translate:

1. cù; cat; dorus; teine; iolair. 2. an cù; an cat; an
dorus; an teine; an iolair. 3. Tha an cù dubh. 4. Tha
an cat bàn. 5. Tha an cù dubh ach tha an cat bàn.
6. Tha an cù mór. 7. Tha an cat beag. 8. Tha an cù
mór ach tha an cat beag. 9. Tha an cù aig an dorus.
10. Tha an cat aig an teine. 11. Tha an cù aig an dorus
agus tha an cat aig an teine. 12. Tha an dorus mór
agus tha an teine mór. 13. Tha teas anns an teine.
14. Tha Màiri beag. 15. Tha Calum mór. 16. Tha
Màiri beag ach tha Calum mór. 17. Tha Màiri ag
obair. 18. Tha Calum ag obair. 19. Tha Màiri agus
Calum ag obair. 20. Tha Màiri agus Calum ag obair

anns an achadh an diugh. 21. Tha Màiri agus Calum
trang an diugh: tha iad ag obair anns an achadh. 22.
Tha Màiri sgìth. 23. Tha i sgìth ag obair anns an
achadh. 24. Tha Calum sgìth: tha e ag obair gu trang
anns an achadh. 25. Tha mi trang. 26. Tha thu trang.
27. Tha sinn trang. 28. Tha sibh trang ag obair anns
an achadh agus tha sibh sgìth. 29. Tha e (it) fuar an
diugh. 30. Tha iad fuar ag obair anns an achadh an
diugh.

Exercise 2

Put into Gaelic:

1. a cat; a dog; a fire; a door; an eagle. 2. the cat; the
dog; the fire; the door; the eagle. 3. Mary is small.
4. Calum is big. 5. Mary is small and Calum is big.
6. The cat is white. 7. The dog is black. 8. The cat is
white but the dog is black. 9. The fire is big. 10. The
cat is at the fire. 11. The door is big. 12. The dog is at
the door and the cat is at the fire. 13. Mary and Calum
are working. 14. They are working in the field. 15. She
is busy. 16. He is busy. 17. You (sing.) are busy.
18. You (pl.) are tired. 19. It is wet today. 20. Mary
and Calum are wet and cold.

The Simple Sentence (continued)

NOTES

1. In Gaelic, the adjective comes *after* the noun which it directly qualifies, e.g.:

   an cù mór
   (ən kōō mōr)
   the big dog

   an cat beag
   (ən kaht bāək)
   the little cat

2. *Feminine* nouns aspirate (put "h" after the first letter) directly qualifying adjectives, where this is possible (see note on page 3), e.g.:

   Màiri bheag
   (maar-ē vāək)
   little Mary

   Màiri bheag bhàn
   (maar-ē vāək vaan)
   fair-haired little Mary

   BUT when the adjective forms part of the predicate (is used in conjunction with the verb) it retains its simple form, irrespective of the *gender* (m. or f.) or *number* (sing. or pl.) of the noun to which it refers, e.g.:

   Tha Màiri beag bàn.
   (ha maar-ē bāək baan)
   Mary is small (and) fair-haired.

Here the two adjectives "beag" and "bàn" go with the verb "tha" and do not qualify "Màiri" *directly*, thus retaining their simple form. (This process is quite evident in Lesson 1, Exercise 1, which the learner should now read again.)

In the following example, "beag" is aspirated because it qualifies "Màiri" directly and "bàn" retains its simple form because it goes with the verb:

Tha Màiri bheag bàn.
(ha maar-ē vāǝk baan)
Little Mary is fair-haired.

Exercise 1

Read aloud and translate:

1. cù dubh; cat bàn; Màiri bheag; dorus mór; iolair mhór; teine mór; falt bàn; an cù mór dubh; Màiri bheag bhàn; an cat beag bàn; an iolair mhór.
2. Tha an cù dubh aig an dorus. 3. Tha an cat beag bàn aig an teine. 4. Tha Calum mór agus Màiri bheag ag obair gu trang anns an achadh an diugh. 5. Tha falt dubh air Calum ach tha falt bàn air Màiri. 6. Tha Màiri bheag sgìth. 7. Tha sinn trang ag obair. 8. Tha Màiri bhàn anns an achadh an diugh agus tha i ag obair gu trang. 9. Tha mi fuar agus tha mi sgìth. 10. Tha iad fuar anns an achadh an diugh.

Exercise 2

Put into Gaelic:

1. little Mary; little fair-haired Mary; a black dog; the black dog; fair hair; the big door; the big eagle; the little white cat.
2. I am busy today. 3. You (sing.) are working. 4. We are busy in the field. 5. Little Mary is cold.

6. You (pl.) are at the fire. 7. Little Mary is at the door. 8. Mary has fair hair (i.e. fair hair is on Mary). 9. Calum has black hair (i.e. black hair is on Calum). 10. We saw a big eagle today.

The Verb "To Be", Present Tense, Dependent Form

Verb "to be", present tense, dependent form*:

a bheil mi? (ə vāl mē)	*am I?*
a bheil thu?	*are you?* (sing.)
a bheil e?	*is he? is it?*
a bheil i?	*is she? is it?*
a bheil sinn?	*are we?*
a bheil sibh?	*are you?* (pl.)
a bheil iad?	*are they?*

NOTES

1. The affirmative answer to "a bheil?" is "tha", e.g.:

   A bheil an cù aig an dorus?   Tha.
   Is the dog at the door?   *Yes.*

2. The negative answer to "a bheil?" is "chan eil" (cha nnāl), e.g.:

   A bheil thu sgìth?   Chan eil.
   Are you tired?   *No.*

3. Negative sentences are formed with "chan eil", e.g.:

   Chan eil e fuar an diugh.
   It is not cold today.

4. "Nach" (nach) asks a negative question, e.g.:

   Nach eil Calum anns an achadh?   Tha/Chan eil.
   Isn't Calum in the field?   *Yes/No.*

   * The form used in questions and in subordinate clauses.

5. Note the idiomatic use of "ann" *in it*, e.g.:

Tha an t-uisge ann.
(ha ǝn toosh-kǝ aun)
The rain is in it (i.e. *it is raining*).

Tha latha math ann an diugh.
(ha l̤a-ǝ ma aun ǝn joo)
It's a good day today.

6. "Glé" (glay) *very* aspirates (puts "h" after the first
letter) all adjectives beginning with aspirable
consonants (b, c, d, f, g, m, p, t, s followed by
a vowel or l, n or r), e.g.:

glé mhór (glay vōr)   *very big*
glé fhuar (glay ooǝr)   *very cold*
glé ghlas (glay g̱hlas)   *very grey*
glé bheag (glay vāǝk)   *very small*
glé shalach (glay hal̤-ǝc̱h) *very dirty*

Words beginning with vowels, the consonants l, n and
r, or words beginning with sg, sm, sp, st, cannot be
aspirated and therefore remain unchanged, e.g.:

glé àrd (glay aard)   *very high*
glé luath (glay l̤ooǝ)   *very swift*
glé sgìth (glay skee)   *very tired*

VOCABULARY

salach (sal̤-ǝc̱h) *dirty*
blàth (bl̤aa) *warm*
càite, càit (before vowels) (kaa-chǝ or kaach) *where?*
ann (aun) *in it*
Seumas (shā-mǝs) *James*
Seònaid (shawn-ej) *Janet*
sgoil (skoil) f. *school*
taigh (tī) m. *house*
làr (l̤aar) m. floor

gual (goo-əl) m.   *coal*
a' dèanamh (ə je-nəv)   *doing*
a' cluich (ə kļooēch)   *playing*
Sìne (shee-nə)   *Jean*
uisge (oosh-kə) m.   *rain, water*
an t-uisge (ən toosh-kə)   *the rain, the water*
còta (kaw-tə) m.   *coat*
duine (doonn-ə) m.   *man*
ceann (keaun) m.   *head*
latha (ļa-ə) m.   *day*
math (ma)   *good*
luath (looə)   *swift, fast*
gu dearbh (goo jer-əv)   *indeed, certainly*
có (kō)   *who? who*
glé (glay)   *very*
gille (gēll-ə) m.   *boy, lad*
còmhla ri (kaw-ļa rē)   *along with*
dé (jay)   *what?*
seòmar (shaw-mər) m.   *room*
caileag (kal-ak) f.   *girl*
a' chaileag (ə chal-ak) f.   *the girl*
teth (chā)   *hot*
sin (shin)   *that, those, that (is)*
seo (sho)   *this, these, this (is)*
geal (geaļ)   *white*
ciamar (kem-ar)   *how?*
ciamar a tha sibh? (kem-ar ə haa shēv)   *how are you?*
  (Gaelic normally uses the polite plural "sibh" in
  preference to the more familiar "thu".)
gu math (goo ma)   *well*
tapadh leibh (tahp-ə lēv)   *thank you*

Exercise 1
Read aloud and translate:
1. A bheil an cù dubh? Tha. 2. A bheil sibh ag obair?
Tha. 3. A bheil sibh sgìth? Chan eil. 4. A bheil falt

bàn air Seumas? Chan eil. 5. A bheil còta air an
duine? Tha. 6. A bheil ceann mór air Seumas? Tha.
7. A bheil an latha fuar? Tha. 8. A bheil sibh fliuch?
Chan eil. 9. A bheil an t-uisge ann? Chan eil; tha
latha math ann an diugh. 10. A bheil an cù luath?
Tha gu dearbh; tha an cù glé luath. 11. Càit a bheil an
gille beag an diugh? Tha e anns an sgoil. 12. A bheil
an sgoil mór? Tha. 13. A bheil Seònaid anns an sgoil
an diugh? Chan eil. Càit a bheil i? Tha i anns an
taigh. 14. Càit a bheil an cat bàn an diugh? Tha e
anns an taigh còmhla ri Seònaid. 15. Dé tha Seònaid a'
dèanamh anns an taigh? Tha i a' cluich air an làr.
16. A bheil an cat a' cluich còmhla ri Seònaid air an
làr? Chan eil. Càit a bheil an cat? Tha e aig an teine.
17. Dé tha air an teine? Tha gual air an teine. 18.
A bheil an cù aig an teine? Chan eil. Càit a bheil e?
Tha e anns an achadh an diugh. 19. A bheil an
seòmar seo blàth? Tha gu dearbh; tha an seòmar glé
bhlàth. 20. Dé tha Seumas a' dèanamh an diugh? Tha
e ag obair gu trang anns an achadh. 21. Nach eil
Seumas ag obair an diugh? Tha. 22. Nach eil thu
sgìth? Tha, tha mi glé sgìth. 23. Chan eil an seòmar
seo blàth. 24. Chan eil Seònaid anns an achadh
còmhla ri Seumas; tha i anns an taigh.

Exercise 2

Put into Gaelic:

1. Is James big? Yes, James is very big. 2. Are you
(pl.) busy? No, we are not busy today. 3. Is the man
working in the field? 4. Is the black dog in the field
along with the man? 5. The black dog is not in the
field today; he is in the house. 6. Is it raining today
(i.e. is the rain in it today)? 7. Is the little boy in the
school? The little boy is in the school but Janet is at
home (i.e. at the house). 8. What is Janet doing? She

is playing. 9. Is Janet playing on the floor? Yes.
10. Is the cat along with Janet in the house? Yes. 11.
Where is the cat? The cat is at the fire. 12. Is the dog
in the field today? Yes. 13. Where is the coal? On the
fire. 14. Where is James working? He is busy working
in the field. 15. Is the room warm? Yes, the room is
very warm. 16. Are not Calum and Mary in the school
today. Yes. 17. The little girl is not in school. 18. It is
not raining (i.e. there is not rain in it); it is a beautiful
warm day.

GENERAL READING

Tha an cù mór, ach tha an cat beag. A bheil an cù
mór? Tha. A bheil an cù dubh? Tha. A bheil an cù seo
luath? Tha. Càit a bheil an cù? Tha an cù còmhla ri
Calum anns an achadh an diugh.

A bheil an cat mór? Chan eil. A bheil an cat bàn?
Tha. Càit a bheil an cat? Tha an cat aig an teine.

Tha an gille mór, ach tha a' chaileag beag. Seo an
gille agus seo a' chaileag. Càit a bheil an gille? Tha an
gille aig an dorus. Càit a bheil a' chaileag? Tha i anns
an taigh. Dé tha i a' dèanamh? Tha i a' cluich. Càit
a bheil i a' cluich? Tha i a' cluich air an làr. Có tha a'
cluich air an làr? A' chaileag. A bheil an gille a'
cluich? Chan eil.

EXPRESSIONS

Seo an gille. Seo an cat. Seo an cù. Seo Màiri. Seo
Calum.

Tha seo fuar. Tha seo teth. Tha seo math. Chan eil
sin math. Tha seo dubh ach tha sin geal.

Ciamar a tha sibh? Tha mi gu math, tapadh leibh.

The Verb "To Be", Past Tense, Independent and Dependent Forms; Masculine Nouns with the Article

NOTES

1. The past tense, independent form, of the verb "to be" is "bha" (vaa *or* va) *was* or *were*, e.g.:

   Bha Màiri trang.
   Mary was busy.

   Bha Calum agus Màiri ag obair.
   Calum and Mary were working.

2. The past tense, dependent form, of the verb "to be" is "an robh" (ən ro *or* ən rō) *was* or *were*, e.g.:

   An robh Màiri trang?
   Was Mary busy?

   An robh Calum agus Màiri ag obair?
   Were Calum and Mary working?

3. The affirmative answer to "an robh" is "bha", e.g.:

   An robh thu sgìth?   Bha.
   Were you tired?   *Yes.*

4. The negative to "an robh" is "cha robh" (cha ro. e.g.:

   An robh sibh anns an achadh an diugh?   Cha robh)
   Were you in the field today?   *No.*

Cha robh mi anns an taigh.
I was not at home.

5. As in the present tense, "nach" asks a negative
   question, e.g.:

   Nach robh Màiri trang?   Bha/Cha robh.
   Was not Mary busy?   *Yes/No.*

6. Before *masculine* singular nouns, in their primary
   form, beginning with b, f, m or p, the definite
   article changes from "an" to "am", e.g.:

   am balach (əm baḷ-əch)   *the lad*
   am fear (əm fer)   *the man*
   am maide (əm ma-chə)   *the stick*
   am peann (əm peaun)   *the pen*

7. After the simple prepositions—e.g. "air" *on*,
   "aig" *at*, "anns" *in*, "leis" (lāsh) *with*, "ris"
   (rēsh) *to*—masculine nouns beginning with b,
   m, p, c and g *when used in conjunction with the
   definite article* are aspirated, and the definite
   article changes to "a' ", thus forming what is
   known as the dative case, e.g.:

   Tha an duine anns a' bhàta.
   (ha ən doonn-ə auns ə vaat-ə)
   The man is in the boat.

   Tha am bàta air a' chladach.
   (ha əm baat-ə ār ə chḷat-əch)
   The boat is on the shore.

N.B. The simple prepositions "thar", "ré", "chun"
     and "trìd" govern the genitive case; and after
     "seach", "eadar", "gus" and "mar" the noun
     retains the nominative form.

8. The following examples of *definite* and *indefinite*
   forms should be carefully noted:

   leis a' chù (lāsh ə chōō)   *with the dog*

le cù (lā kōō)   *with a dog*
anns a' bhàta (auns ə vaat-ə)   *in the boat*
*ann am bàta (aun əm baat-ə)   *in a boat*
ris a' bhalach (rēsh ə val̤-əch)   *to the lad*
ri balach (rē bal̤-əch)   *to a lad*
air a' mhonadh (ār ə von-əgh)   *on the moor*
air monadh (ār mon-əgh)   *on a moor*

9. When a noun beginning with "f" followed by a
   vowel is aspirated, the resulting "fh" combina-
   tion being soundless, the primary form (an) of
   the definite article is retained, e.g.:

   am fear (əm fer)   *the man*
   but, air an fhear (ār ə nner)   *on the man*

VOCABULARY

peann (peaun) m.   *pen*
monadh (mon-əgh) m.   *moor*
anns a' mhonadh (auns ə von-əgh)   *on (in) the moor*
leis a' chù (lāsh ə chōō)   *with the dog*
baile (bal-ə) m.   *town*
anns a' bhaile (auns ə val-ə)   *in the town*
coire (koir-ə) m.   *kettle*
anns a' choire (auns ə choir-ə)   *in the kettle*
gas (gas) m.   *gas*
air a' ghas (ār ə ghas)   *on the gas*
ag iasgach (ək ēəsg-əch)   *fishing*
loch (loch) m.   *loch*
an dé (ən jay)   *yesterday*
a' fuireach (ə fooir-əch)   *staying*
cladach (kl̤at-əch) m.   *shore*
clachan (kl̤ach-an) m.   *village*
leabhar (llo-ər) m.   *book*
bòrd (bawrd) m.   *table*
air a' bhòrd (ār ə vawrd)   *on the table*

   * Note particularly: anns an/am *in the*, ann an/am *in a*.

ceàrr (kyaar)   *wrong*
air a' ghille seo (ār ə yēll-ə sho)   *on this boy*
a (ə or a)   *his* (aspirates following noun)
a cheann (ə cheaun)   *his head*
fad an latha (fat ən la-ə)   *all day* (*the length of the day*)
Alasdair (al-əst-ir)   *Alexander, Alasdair*
abhainn (av-ēnn) f.   *river*
bocsa (bok-sə) m.   *box*
anns a' bhocsa sin (auns ə vok-sə shin)   *in that box*
goirt (gorsch)   *sore*
chuir (chooir)   *put* (past tense)
uighean (ooē-ən) m.   *eggs*
clachair (klach-er) m.   *mason*
balla (bal-ə) m.   *wall*
air a' bhalla (ār ə val-ə)   *on the wall*
àrd (aard)   *high*
botul (bot-əl) m.   *bottle*
anns a' bhotul (auns ə vot-əl)   *in the bottle*
rud sam bith (root səm bē)   *anything*
bainne (bainn-ə) m.   *milk*
cnoc (knochk) m.   *hill*
bàta (baat-ə) m.   *boat*
bodach (bot-əch) m.   *old man*
Bìobull (bee-pəl) m.   *Bible*
fuachd (fooəchk) m.   *cold*
mol (mol) m.   *shingle*
blas (blas) m.   *taste*
paipear (pī-per) m.   *paper*
bata (baht-ə) m.   *walking-stick*
poca (pōchk-ə) m.   *sack, bag*
fasgadh (fask-əgh) m.   *shelter*

Exercise 1

Read aloud and translate:

1. Tha an duine anns a' mhonadh leis a' chù. 2. Càit a

bheil an cù? Tha e còmhla ri Calum. 3. Càit a bheil
Màiri an diugh? Tha i anns a' bhaile. 4. A bheil uisge
anns a' choire? Tha. Càit a bheil an coire? Tha an
coire air a' ghas. 5. An robh Calum ag iasgach air an
loch an dé? Bha. Có bha ag iasgach air an loch?
Bha Calum. 6. Càit a bheil thu a' fuireach? Tha mi
a' fuireach anns a' chlachan. 7. Càit a bheil an
leabhar? Tha an leabhar air a' bhòrd. 8. Dé tha ceàrr
air a' ghille seo? Tha a cheann goirt. An robh e anns
an sgoil an diugh? Cha robh, bha e anns an taigh fad
an latha. 9. Có bha ag iasgach an diugh? Bha Alasdair.
Càit an robh Alasdair ag iasgach? Bha e ag iasgach
air an abhainn. 10. Dé tha anns a' bhocsa sin? Tha
uighean anns a' bhocsa. Càit a bheil am bocsa. Tha
am bocsa air a' bhòrd. Có chuir am bocsa air a'
bhòrd? Chuir Màiri. 11. An robh an clachair ag obair
air a' bhalla fad an latha an dé? Bha. A bheil am balla
àrd. Tha. 12. Dé tha seo? Tha botul. A bheil rud sam
bith anns a' bhotul? Tha. Dé tha anns a' bhotul? Tha
bainne anns a' bhotul. 13. Tha an cnoc seo àrd. Dé tha
air a' chnoc? Tha taigh mór air a' chnoc. 14. Nach
robh leabhar anns a' bhocsa sin? Bha, bha Bìobull
ann. 15. Nach robh Calum a' fuireach anns a'
chlachan? Bha gu dearbh.

Exercise 2

Put into Gaelic:

1. the boat; the old man; the man (fear); the walking-
stick; the bag; the lad (balach); the stick (maide); the
Bible; the shelter; the cold; the shingle; the wall; the
taste; the box; the paper; the table; the town; the
moor.

2. in the boat; with the walking-stick; in the bag; in
the Bible; in the box; on the table; in the town; on the
moor; on the wall.

3. The boat is on the shore. 4. The old man is on the
moor with the dog. 5 The cat is in the bag. 6. Was
James in the town today? Yes. 7. The box was on the
table. 8. Were you staying in the village? 9. What was
in the box? There were eggs in the box. 10. Where is
the big house? The big house is on the high hill. 11.
Was there not milk in the bottle? Yes. 12. Were not
Calum and Mary playing with the dog? No, they were
in the town. 13. We were not playing in the house.

GENERAL READING

Bha mi anns a' mhonadh an dé. Chunnaic mi
caoraich agus crodh anns a' mhonadh. Bha na
caoraich shuas air cliathach na beinne ach bha an
crodh faisg air an loch.

Bha mi aig a' chladach an diugh. Chunnaic mi
bàtaichean air a' mhuir agus clann a' snàmh anns a'
mhuir. Bha bàta beag air an tràigh. Cha robh duine
anns a' bhàta. Bha latha briagha ann agus bha a'
ghrian a' deàrrsadh.

Thàinig mi dhachaidh feasgar.   Bha mi sgìth nuair
a ràinig mi an taigh.

Additional Vocabulary

caoraich (koeur-ē_ch) f.   *sheep* (pl.)
crodh (krō) m.   *cattle*
shuas (hooəs)   *up*
cliathach na beinne (klēa-ə_ch na bānn-ə)   *the side of
the mountain*
faisg air (fashk ār)   *near, near to*
na bàtaichean (na baat-ē_ch-ən)   *the boats*
muir (mooir) f.   *sea*
air a' mhuir (ār ə vooir)   *on the sea*
a' chlann (ə _chl_aun) f.   *the children*
a' snàmh (ə snaav)   *swimming*
tràigh (traaē) f.   *beach*

bha latha briagha ann (va ḷa-ə brē-ə aun)   *it was a beautiful day*
a' ghrian (ə ghrēən) f.   *the sun*
a' deàrrsadh (ə jaars-əgh)   *shining*
thàinig (haan-ik)   *came* (irreg.)
feasgar (fāsk-ər)   *evening, in the evening*
dhachaidh (ghach-ē)   *home, homewards*
ràinig (raan-ik)   *reached* (irreg.)

Questions on the general reading:

Ceistean (kāsh-chən) f.   *questions*

Càit an robh mi an dé?
Dé chunnaic mi anns a' mhonadh?
Càit an robh na caoraich?
Càit an robh mi an dìugh?
Càit an robh na bàtaichean?
Dé bha a' chlann a' dèanamh?
Càit an robh am bàta beag?
An robh duine anns a' bhàta?
An robh latha briagha ann?
An robh a' ghrian a' deàrrsadh?

(Answers in the Key.)

Possession, with "aig"; the Emphatic Particles

NOTES

1. The simple preposition "aig" *at* is used to denote possession, e.g.:

   Tha peann aig Màiri.
   A pen is at Mary (i.e. *Mary has a pen*).

   Tha cù dubh aig Calum, ach tha cat bàn aig Seònaid.
   Calum has a black dog, but Janet has a white cat.

2. Prepositional pronouns* with "aig" are as follows:

   agam (ak-əm)   *at me*
   agad (ak-ət)   *at you* (sing.)
   aige (ek-ə)   *at him*
   aice (echk-ə)   *at her*
   againn (ak-ēnn)   *at us*
   agaibh (ak-iv)   *at you* (pl.)
   aca (achk-ə)   *at them*

3. These prepositional pronouns are used extensively to denote possession, e.g.:

   Tha leabhar agam.
   I have a book.

* A prepositional pronoun, as its name denotes, is made up of a preposition and a pronoun, e.g. the prepositional pronoun *agam* is made up of *aig + mi*. Similarly, *agad = aig + thu*; *aige = aig + e*; *aice = aig + i*; *againn = aig + sinn*; *agaibh = aig + sibh*; *aca = aig + iad*. Later on in these lessons, see Appendix D for full information about prepositional pronouns.

Tha bàta aca air a' chladach.
They have a boat on the shore.

4. The addition of the emphatic particles to the
   prepositional pronouns gives the following
   emphatic forms:

agamsa (ak-əm-sə)
agadsa (ak-ət-sə)
aigesan (ek-ə-sən)
aicese (echk-ə-shə)
againne (ak-ēnn-ə)
agaibhse (ak-iv-shə)
acasan (achk-ə-sən)

These emphatic forms are in common use, par-
ticularly when making comparisons, e.g.:

Tha cat agadsa ach tha cù agamsa.
You *have a cat but* I *have a dog.*

5. The preposition "aig", and the prepositional
   pronouns with "aig", are also used to express
   obligation, e.g.:

Tha agam ri dhol do'n sgoil.
(ha ak-əm rē ghol don skoil)
I have to go to school.

Tha aig Màiri ri dhol do'n bhùth.
(ha ek maar-ē rē ghol don vōō)
Mary has to go to the shop.

VOCABULARY

Gàidhlig (gaal-ēk) f.   *Gaelic*
Beurla (bāər-lə) f.   *English*
bòidheach (bawē-əch)   *pretty*
'na shuidhe (na hōōē-ə)   *sitting* (lit. *in his sitting*)
ri taobh (rē toeuv)   *beside*
carson (kar-son)   *why?*   (stress on second syllable)

a' dol (ə doḷ) *going* (irreg.)

an dràsda (ən draas-tə) *now, at the present time*

do'n (don) *to the*

bùth (bōō) f. *shop*

ri (rē) *to;* ri dhol (rē g̠hoḷ) *to go* (when there is obligation)

aran (ar-an) m. *bread*

ìm (eem) m. *butter*

càise (kaash-ə) m. *cheese*

a cheannach (ə c̠hyan-əc̠h) *to buy*

airgead (er-ə-get) m. *money*

a Sheumais (ə hā-mish) *James* (vocative case)

a Mhàiri (ə vaar-ē) *Mary* (vocative case)

sgillinn (skēll-ēnn) f. *penny, pence*

trì (tree) *three*

sia (shēa) *six*

sporan (spor-ən) m. *purse*

peansail (pen-sel) m. *pencil*

còmhradh (kawr-ag̠h) m. *conversation*

eadar (āt-ər) *between*

cuideachd (kooch-əc̠hk) *also, too*

beannachd leat (byan-əc̠hk leət) *goodbye* (sing.)

beannachd leibh (byan-əc̠hk lēv) *goodbye* (pl. and polite) (leat = le + tu *with you* (sing.); leibh = le + sibh *with you* (pl.)

is (is) *and* (for things that habitually go together)

Exercise 1

Read aloud and translate:

1. Tha cù agam. 2. Tha cat aig Màiri. 3. Tha Gàidhlig aig Calum. ⁴. Tha Gàidhlig agus Beurla aig Alasdair. 5. A bheil Gàidhlig agad? Tha Gàidhlig agus Beurla agam. 6. A bheil cù aig Calum? Tha gu dearbh; tha cù mór dubh aig Calum, agus tha cat beag bòidheach aig Màiri. 7. Càit a bheil an cat aig Màiri? Tha e 'na

shuidhe ri taobh an teine. 8. Càit a bheil an cù aig Calum? Tha e còmhla ri Calum anns an achadh. 9. An robh Seumas beag agus Seònaid bheag anns an sgoil an dé? Cha robh. Carson nach robh iad anns an sgoil? Bha fuachd aca agus bha aca ri fuireach anns an taigh fad an latha. 10. Càit a bheil sibh a' dol an dràsda? Tha sinn a' dol do'n bhùth. 11. Carson a tha sibh a' dol do'n bhùth? Tha againn ri aran is ìm is càise a cheannach anns a' bhùth. 12. A bheil airgead agad, a Sheumais? Tha sia sgillinn agam. 13. A bheil airgead agadsa, a Mhàiri? Chan eil agamsa ach trì sgillinn.

Exercise 2

Translate into Gaelic:

1. I have a pen. 2. Mary has a pencil. 3. Calum has Gaelic. 4. Mary has English. 5. James has to go to the school. 6. Calum has to go to the field. 7. What have you in the purse? I have money in the purse. 8. I have to go to the shop. 9. Mary has to buy bread and butter in the shop. 10. Little James and little Janet had a cold yesterday and they had to stay in the house.

Còmhradh eadar Calum agus Màiri:

Calum: Ciamar a tha thu an diugh, a Mhàiri?
Màiri: Tha mi gu math, tapadh leibh.
C.:   An robh thu anns an sgoil an dé?
M.:   Cha robh.
C.:   Carson nach robh thu anns an sgoil?
M.:   Bha fuachd agam.
C.:   An robh agad ri fuireach anns an taigh?
M.:   Bha. Bha agam ri fuireach anns an taigh fad an latha an dé.
C.:   An robh Seumas anns an sgoil an dé?
M.:   Cha robh.

Calum: Carson?

Màiri: Bha fuachd aigesan cuideachd.

C.:   Càit a bheil thu a' dol an dràsda?

M.:   Tha mi a' dol do'n bhùth. Tha agam ri aran is
         ìm is càise a cheannach anns a' bhùth.

C.:   Beannachd leat, a Mhàiri.

M.:   Beannachd leibh.

Assertive Forms of the Verb "To Be"; Possession with "le"

NOTES

1. The assertive or emphatic form of the verb "to be"
   has only two tenses, the present and the past, as
   follows:

Present Tense

is mi (is mē)	*it is I*
is tu (is too)	*it is you* (sing.)
is e (is e)	*it is he, it is it*
is i (is ē)	*it is she, it is it*
is sinn (is shēnn)	*it is we*
is sibh (is shēv)	*it is you* (pl.)
is iad (is ēət)	*it is they*

Past Tense

bu mhi (boo vē)	*it was I*
bu tu (boo too)	*it was you* (sing.)
b'e (be)	*it was he, it was it*
b'i (bē)	*it was she, it was it*
bu sinn (boo shēnn)	*it was we*
bu sibh (boo shēv)	*it was you* (pl.)
b'iad (bēət)	*it was they*

Note the following examples:

Is e seo Calum.   *This is Calum.*
(generally contracted to "Seo Calum")

(Is e) seo an cù agamsa.   *This is my dog.*
(lit. *the dog at me*)

B'e Calum a rinn seo.   *It was Calum who did this.*

2. Questions in the assertive form of the verb "to be" are asked by simply putting the interrogative particle "an" ("am" before "mi") before the personal pronouns, e.g.:

Question	Yes	No
am mi?		
is it I? etc.	's mi	cha mhi
an tu?	's tu	cha tu
an e?	's e (she)	chan e (cha nne)
an i?	's i (shē)	chan i (cha nnē)
an sinn?	(is) sinn	cha sinn
an sibh?	(is) sibh	cha sibh
an iad?	's iad (shēət)	chan iad (cha nnēət)
am bu mhi?		
was it I? etc.	bu mhi	cha bu mhi
am bu tu?	bu tu	cha bu tu
am b'e?	b'e	cha b'e
am b'i?	b'i	cha b'i
am bu sinn?	bu sinn	cha bu sinn
am bu sibh?	bu sibh	cha bu sibh
am b'iad?	b'iad	cha b'iad

3. By far the most common form of question from the assertive form is "an e?" (ə nne) *is it?* The affirmative answer to "an e?" is " 's e" (she), which is a shortened form of "is e", and the negative to "an e?" is "chan e" (cha nne). Here are some examples:

An e seo an taigh agadsa?   'S e.
Is this your house?   Yes (lit. *it is*).

An e sin an cù aig Calum?   Chan e.
Is that Calum's dog?   No (lit. *it is not*).

Chan e Calum a tha anns an taigh.
It is not Calum who is in the house.

4. "An ann?" (ən aun) *is it?* is used instead of
   "an e?" when emphasis is required for adjectival
   and adverbial phrases. For example, with the
   sentence "Chunnaic mi an cù aig an dorus", if we
   wish to emphasise "an cù" we say "an e an cù
   a chunnaic thu aig an dorus?" *is it the dog you
   saw at the door?; but* if we wish to emphasise the
   phrase "aig an dorus" we have to say "an ann
   aig an dorus a chunnaic thu an cù?" *is it at the
   door that you saw the dog?* The affirmative
   answer to "an ann?" is " 's ann" (saun), which
   is a shortened form of "is ann"; the negative to
   "an ann?" is "chan ann". The following ex-
   amples should make the usage quite clear:

An ann aig an teine a tha an cat?   'S ann.
Is it at the fire that the cat is?   Yes.

Am b'ann anns an achadh a bha Calum an dé?
   Cha b'ann.
Was it in the field that Calum was yesterday? No.

Am b'ann an dé a bha Calum anns an achadh?
   B'ann.
Was it yesterday that Calum was in the field? Yes.

An ann beag a tha Màiri? Chan ann.
Is it little that Mary is? No.

Cha b'ann an dé a bha sinn anns a' bhaile.
It was not yesterday that we were in the town.

5. The emphatic forms of the personal pronouns are
   often used with "is" and "bu". These emphatic
   forms are:

mise (mish-ə)	sinne (shēnn-ə)
thusa (oos-ə) *or*	sibhse (shēv-shə)
tusa (toos-ə)	iadsan (eət-sən)

esan (esh-ən *or* es-ən)
ise (ēsh-ə)

They are, of course, used with other forms of the verb as occasion requires, e.g.:

Is mise a rinn sin.
I *did that* (lit. *it is I who did that*).

Bha thusa anns a' mhonadh ach bha mise aig a' chladach.
You *were on the moor but* I *was at the shore*.

6. The prepositional pronouns from "le" *with*, are often used to denote possession in an emphatic sense. These are as follows:

leam (leəm) *with me*   leinn (lēnn) *with us*
leat (leət) *with you*   leibh (lēv) *with you*
leis (lāsh) *with him*   leotha (leaw-ə) *with them*
leatha (lea-ə) *with her*

Example: Is leam an sgian sin.
         That knife is mine (or *that knife belongs to me*).

Also in common use are the emphatic forms— "leamsa", "leatsa", "leis-san", "leathase", "leinne", "leibhse", "leothasan", e.g.:

Is leamsa an cù ach is leatsa an cat.
The dog is mine but the cat is yours.

'S ann leothasan a tha an taigh seo.
This house belongs to them.

7. "Nach" asks negative questions, e.g.:

Nach ann le Calum a tha an cù seo?
Does this dog not belong to Calum?

Tha thu a' dol do'n sgoil am màireach, nach eil?
You are going to school tomorrow, are you not?

VOCABULARY

rinn (rīnn)   *did, made* (irreg.)
an e seo (ə nne sho)   *is this?*
Di-luain (jē-ḷooin)   *Monday*
Di-màirt (jē-maarsch)   *Tuesday*
dearg (jer-ək)   *red*
gorm (gor-əm)   *blue*
an toigh leat (ən toē leət)   *do you* (sing.) *like?* (lit. *is it
    pleasing with you?*)
's toigh (stoē)   *yes* (affirmative answer to "an toigh")
cha toigh leam (cha toē leəm)   *I do not like*
's feàrr leam (sfeaar leəm)   *I prefer* (lit. *it is better
    with me*)
Iain (ēainn)   *John*
cunntas (koon-təs) m.   *counting, arithmetic*
leughadh (llā-əgh) m.   *reading*
có leis (kō lāsh)   *whose?* (lit. *with whom?*)
spàin (spaainn) f.   *spoon*
cupa (kooh-pə) m.   *cup*
sàsar (saa-sər) m.   *saucer*
anns an t-sàsar (auns ən taa-sər)   *in the saucer*
sgian (skē-ən) f.   *knife*
tubhailte (too-el-chə) f.   *tablecloth*
dath (da) m.   *colour*
cinnteach (keen-chəch)   *sure*
am bu toigh leat (əm boo toē leət)   *would you like?*
a dhol (ə ghoḷ)   *to go*
a dh'iasgach (ə yēəsk-əch)   *to fish*
an nochd (ən nochk)   *tonight*
ùrlar (ōōr-ḷar) m.   *floor*
bhuail (vooil)   *struck* (active verb)
a (ə)   *that* (conjunction)

Exercise 1

Read aloud and translate:

1. Seo Calum. An e seo Calum? 'S e. 2. Seo an cù.

3. Sin an cat. 4. An e seo an cù agadsa? 'S e. 5. An e sin an cat aig Màiri? 'S e. 6. An e an diugh Di-luain? 'S e. An e an diugh Di-màirt? Chan e. 7. Dé tha seo? Tha leabhar. Càit a bheil an leabhar? Tha an leabhar air an ùrlar. An ann air an ùrlar a tha an leabhar? 'S ann. An e Calum a chuir an leabhar air an ùrlar? Chan e. Có chuir an leabhar air an ùrlar? Chuir Màiri. 8. A Mhàiri, an ann leatsa a tha an leabhar dearg seo? Chan ann. Sin an leabhar aig Seumas. 'S ann gorm a tha an leabhar agamsa. 9. An toigh leat an sgoil, Iain? 'S toigh leam an sgoil glé mhath ach cha toigh leam cunntas. An toigh leatsa cunntas, Alasdair? 'S toigh leam cunntas ach 's feàrr leam leughadh. 10. Có leis an leabhar seo? Is le Seumas an leabhar sin. 11. B'e Calum a bha ag obair an dé. 12. Am b'ann an dé a bha Calum ag obair anns an achadh? B'ann. 13. Am bu tusa a chunnaic mi anns a' bhàta? Bu mhi. 14. Am bu toigh leat a dhol a dh'iasgach an nochd? Cha bu toigh. 15. Cha bu tusa a bha anns a' bhàta. 16. Cha b'ann geal a bha an taigh. 17. Chan e Seumas a tha ag obair.

Exercise 2

Put into Gaelic:

1. This is the dog. 2. This is the white cat. 3. Is this your dog (i.e. the dog at you)? 4. No; that dog belongs to Calum. 5. Is this Mary's cat? Yes. 6. Is it at the fire that Mary's cat is? Yes. 7. Is it at the fire the dog is? No; the dog is at the door. 8. Is that my book? No; your book is on the table. 9. That knife belongs to me. 10. Whose is this pencil? 11. Is this pencil not yours? Yes; that is my pencil. 12. Was it you who struck the dog? No. 13. Was it Calum who bought this book? Yes. 14. It was yesterday that he came home. 15. Does not this book belong to Mary? Yes. 16. It was not

I who saw the boat. 17. It is not Calum who is big, it
is James.

Exercise 3

Ceistean air Alasdair is Iain:

Màiri: Dé tha seo?
Alasdair: Tha spàin.
M.:   An e seo an spàin?
A.:   'S e.
M.:   Càit a bheil an spàin?
A.:   Tha an spàin air a' bhòrd.
M.:   An ann air a' bhòrd a tha an spàin?
A.:   'S ann.
M.:   An e seo an cupa?
A.:   'S e.
M.:   Càit a bheil an cupa?
A.:   Tha an cupa anns an t-sàsar.
M.:   An ann anns an t-sàsar a tha an cupa?
A.:   'S ann.
M.:   An e seo an sàsar?
A.:   'S e.
M.:   Dé tha seo?
A.:   Tha sgian.
M.:   Càit a bheil an sgian?
A.:   Tha an sgian air an làr.
M.:   An ann air an làr a tha an sgian?
A.:   'S ann.
M.:   An e sin an sgian agadsa?
A.:   Chan e. 'S ann le Calum a tha an sgian sin.
M.:   Có leis an leabhar seo?
A.:   Tha le Iain.
M.:   Iain, an ann leatsa a tha an leabhar seo?
Iain: 'S ann.
M.:   Alasdair, seo an leabhar agadsa, nach e?
A.:   'S e.

M.:   Có chuir an tubhailte air a' bhòrd?
Iain: Chuir mise.
Màiri: An e seo an tubhailte?
I.:   'S e.
M.:   An ann geal a tha an tubhailte seo?
I.:   Chan ann.
M.:   Dé an dath a tha air an tubhailte?
I.:   Tha dath gorm.
M.:   Alasdair, an e dath gorm a tha air an tubhailte?
Alasdair: 'S e.
M.:   A bheil thu cinnteach?
A.:   Tha.
M.:   A bheil thusa cinnteach, Iain?
I.:   Tha.

Feminine Nouns beginning with b, m, p, c, g or f; General Rules for Feminine Dative Case

NOTES

1. Feminine nouns beginning with b, m, p, c or g take "a'" as the definite article and the noun itself is aspirated, e.g.:

   beinn (bānn)   *a mountain*
   a' bheinn (ə vānn)   *the mountain*

   min (mēn)   *meal, oatmeal*
   a' mhin (ə vēn)   *the meal*

   poit (pohch)   *a pot*
   a' phoit (ə fohch)   *the pot*

   caileag (kal-ak)   *a girl*
   a' chaileag (ə chal-ak)   *the girl*

   glas (glas)   *a (door) lock*
   a' ghlas (ə ghlas)   *the lock*

2. As a general rule, after the simple prepositions ("air", "aig", "anns", "leis", "ris", etc.) feminine nouns are narrowed for the dative case (a) by inserting "i" *after the last broad vowel*, or (b) by *substituting* "i" *for the last broad vowel or diphthongal part*, e.g.:

   (a) a' bhròg (ə vrawk)   *the shoe*
       air a' bhròig (ār ə vrawik)   *on the shoe*
       air bròig (ār brawik)   *on a shoe*
         a' ghealach (ə yeal-əch)   *the moon*

    anns a' ghealaich (auns ə yeal̲-ēch) *in the moon*

  (b) a' chaileag (ə chal̲-ak) *the girl*
      air a' chaileig (ār ə chal̲-ek) *on the girl*
      air caileig (ār kal-ek) *on a girl*

      a' chearc (ə cheark) *the hen*
      leis a' chirc (lāsh ə chērk) *with the hen*
      le circ (lā kērk) *with a hen*

3. When the final vowel of the noun is slender (e or i) the word suffers no change, e.g.:

    a' mhin (ə vēn) *the meal*
    anns a' mhin (auns ə vēn) *in the meal*
    le min (lā mēn) *with meal*
    a' choille (ə choill-ə) *the wood* (trees)
    anns a' choille (auns ə choill-ə) *in the wood*
    ann an coille (aun ən coill-ə) *in a wood*

4. Nouns ending in "a" suffer no change in the dative case, e.g.:

    mala (mal̲-ə) *an eyebrow*
    a' mhala (ə val̲-ə) *the eyebrow*
    air a' mhala (ār ə val̲-ə) *on the eyebrow*

5. Feminine nouns beginning with "f" also aspirate with the article, but, as the "fh" is silent, the primary form of the article is retained, e.g.:

    faoileag (foeul-ak) *a seagull*
    an fhaoileag (ən oeul-ak) *the seagull*
    air an fhaoileig (ār ən oeul-ek) *on the seagull*

6. The dative plural of the Gaelic noun is the same as the nominative plural (dealt with in Lesson 13).

VOCABULARY

a' chaileag (ə chal̲-ak) f. *the girl*
air a' chaileig (ār ə chal̲-ek) *on the girl*

cùil (kōōil) f. *corner, nook*
a' chùil (ə chōōil) *the corner*
anns a' chùil (auns ə chōōil) *in the corner*
a' ghlas (ə ghlas) f. *the lock*
leis a' ghlais (lāsh ə ghlash) *with the lock*
a' mhuir (ə vooir) f. *the sea*
anns a' mhuir (auns ə vooir) *in the sea*
banarach (ban-ər-əch) f. *milkmaid*
a' bhanarach (ə van-ər-əch) *the milkmaid*
còmhla ris a' bhanaraich (kaw-lə rēsh ə van-ər-ēch)
 along with the milkmaid
cathair (ka-er) f. *chair*
a' chathair (ə cha-er) *the chair*
anns a' chathair (auns ə cha-er) *in the chair*
craobh (kroeuv) f. *tree*
a' chraobh (ə chroeuv) *the tree*
anns a' chraoibh (auns ə chroeuēv) *in the tree*
cearc (keark) f. *hen*
a' chearc (ə cheark) *the hen*
air a' chirc (ār ə chērk) *on the hen*
cìr (keer) f. *comb*
a' chìr (ə cheer) *the comb*
cluas (klooəs) f. *ear*
a' chluas (ə chlooəs) *the ear*
leis a' chluais (lāsh ə chlooish) *with the ear*
briogais (brēək-ish) f. *trousers*
a' bhriogais (ə vrēək-ish) *the trousers*
anns a' bhriogais (auns ə vrēək-ish) *in the trousers*
briosgaid (brēəsk-ech) f. *biscuit*
a' bhriosgaid (ə vrēəsk-ech) *the biscuit*
air a' bhriosgaid (ār ə vrēəsk-ech) *on the biscuit*
cailc (kailk) f. *chalk*
a' chailc (ə chailk) *the chalk*
mil (mēl) f. *honey*
a' mhil (ə vēl) *the honey*
creag (krāək) f. *a rock*

a' chreag (ə chrāək)   *the rock*
aig a' chreig (ek ə chrāēk)   *at the rock*
brot (broht) m.   *broth*
do (dō)   *your* (sing.) (aspirates noun following)
bòrd-sgàthain (bawrd skaa-en) m.   *dressing-table*
rudeigin (root-i-kin) m.   *something*
a' bruidhinn (ə brooē-ēnn)   *speaking*
dithis fhear (jē-ish er)   *two (of) men*
am bliadhna (əm blēən-ə)   *this year*
min (mēn) f.   *meal, oatmeal*
a' mhin (ə vēn)   *the meal*
ciste (kēsh-chə) f.   *chest, box*
a' chiste (ə chēsh-chə)   *the chest*
coinneamh (kōinn-əv) f.   *a meeting*
a' choinneamh (ə chōinn-əv)   *the meeting*
aig a' choinneimh (ek ə chōinn-iv)   *at the meeting*
do'n choinneimh (don chōinn-iv)   *to the meeting*
a' tòiseachadh (ə tawsh-əch-əgh)   *beginning, starting*
seachd (sheəchk)   *seven*
uairean (ooer-ən) f.   *hours, o'clock*
a' dol (ə dol)   *going*
clàrsach (klaars-əch) f.   *harp*
a' chlàrsach (ə chlaars-əch)   *the harp*
air a' chlàrsaich (ār ə chlaars-ēch)   *on the harp*
cuileag (kooil-ak) f.   *fly*
a' chuileag (ə chooil-ak)   *the fly*
cuin, cuine (kooēnn, kooinn-ə)   *when?*
gloine (gloinn-ə) f.   *glass*
dh'innis (yēnn-ish)   *told* (active verb)
fìrinn (feer-ēnn) f.   *truth*
an fhìrinn (ə nneer-ēnn)   *the truth*
bàrdachd (baard-achk) f.   *poetry, poem*
a' bhàrdachd (ə vaard-achk)   *the poetry, the poem*
bàthach (baa-əch) f.   *byre*
gealach (geal-əch) f.   *moon*
a' ghealach (ə yeal-əch)   *the moon*

geòla (geawl̩-ə) f. *dinghy*
a’ gheòla (ə yeawl̩-ə) *the dinghy*
làn (l̩aan) *full*
banais (ban-ēsh) f. *wedding*
a’ bhanais (ə van-ēsh) *the wedding*
bó (bō) f. *cow*
a’ bhó (ə vō) *the cow*
pàirc (paairk) f. *park*
a’ phàirc (ə faairk) *the park*
stoirmeil (stər-əm-el) *stormy*
a’ fàs (ə faas) *growing*
gàradh (gaar-əgh) m. *garden*
a’ sgrìobhadh (ə skreev-əgh) *writing*
chì (chee) *will see* (irreg.)

Exercise 1

Read aloud and translate:

1. a’ chaileag; a’ chùil; a’ ghlas; a’ mhuir; a’ bhanar-ach; a’ chathair; a’ chraobh; a’ chearc; a’ phoit; a’ chìr; a’ chluas; a’ bhriogais; a’ bhriosgaid; a’ chailc; a’ mhil; a’ chreag.

2. air a’ chaileig; anns a’ chùil; leis a’ ghlais; anns a’ mhuir; còmhla ris a’ bhanaraich; anns a’ chathair; anns a’ chraoibh; air a’ chirc; leis a’ chìr; leis a’ chluais; anns a’ bhriogais; air a’ bhriosgaid; leis a’ chailc; anns a’ mhil; air a’ chreig.

3. air caileig; ann an cùil; le glais; ann am muir; còmhla ri banaraich; ann an cathair; ann an craoibh; air circ; le cìr; le cluais; le briogais; air briosgaid; le cailc; ann am mil; air creig.

4. Tha còta dubh air a’ chaileig seo ach ’s e còta dearg a tha air Màiri. 5. Có tha anns a’ chraoibh? Tha an gille beag. 6. Có tha anns a’ chathair an nochd? Tha Alasdair Mór. 7. An e Calum a chuir am bocsa anns a’ chùil seo? ’S e. 8. Dé tha anns a’ phoit? Tha brot.

9. Càit a bheil a' chìr agam? Tha do chìr air a'
bhòrd-sgàthain. 10. Tha rudeigin ceàrr air a' ghlais
seo. 11. Bha e a' bruidhinn anns a' Ghàidhlig. 12. Bha
dithis fhear anns a' ghealaich am bliadhna. 13. Càit a
bheil a' mhin? Tha a' mhin anns a' chiste. An e seo a'
chiste? 'S e. 14. Cuin a tha a' choinneamh a' tòis-
eacheadh? Tha aig seachd uairean an nochd. A bheil
thu a' dol do'n choinneimh? Tha. 15. Tha a' chaileag
a' cluich air a' chlàrsaich. 16. Càit a bheil a' chuileag?
Tha a' chuileag air a' ghloine. 17. Dh'innis e an
fhìrinn anns a' bhàrdachd a rinn e. 18. Chunnaic mi
brot ann am poit. 19. Bha iad aig coinneimh an dé.
20. Tha min ann an ciste.

Exercise 2

Put into Gaelic:

1. a tree; a pot; a fly; a hen; a rock; a chair; a harp;
a meeting; a girl; a lock.

2. the tree; the pot; the fly; the hen; the rock; the
chair; the harp; the meeting; the girl; the lock.

3. in the tree; in the pot; on the hen; on the rock; in
the chair; in the wood; in the ear; with the lock; on
the girl; at the meeting.

4. in a pot; on a chair; with a harp; at a meeting; with
a rock; on a lock; with meal; with chalk; with an ear;
to a corner; in a dinghy.

5. Who is in the chair at the meeting? Calum (is). 6. Is
the girl playing on the harp? Yes. 7. Where is the milk-
maid? She is in the byre. 8. The moon is full tonight.
9. Where is the dinghy? The dinghy is on the sea. 10.
Who put the meal in the chest? Mary (put). 11. Were
John and Mary at the wedding yesterday? Yes. 12.
Where is the cow? The cow is in the park. 13. The girl
is playing on a harp. 14. I saw a little bird in a tree,
and an eagle on a rock.

Exercise 3

Fill in the blanks:

1. Tha a' . . . . . anns a' bhàthaich.
2. Tha . . . . . mhór a' fàs anns a' ghàradh.
3. Tha e stoirmeil air a' . . . . . an diugh.
4. Tha an gille beag a' sgrìobhadh leis a' . . . . .
5. Chì mi eun beag anns a' . . . . .
6. Dé tha anns a' . . . . . ?
7. Bha . . . . . fhear anns a' . . . . . am bliadhna.
8. Chaidh e gu muir leis a' . . . . .
9. Tha a' . . . . . anns a' chiste.
10. Bha Iain agus Màiri aig . . . . . an dé.

The Regular Verb, Past Tense

NOTES

1. The second person singular of the imperative mood of the Gaelic verb is called the *root*. It is so called because it is from this part that the past and future tenses are derived.

2. The past tense is formed by *aspirating* the *root*, e.g.:

   Root (2nd person sing. imper.):   buail (booil)
                                      strike (thou)
   Past Tense: bhuail (vooil)
                                      struck

3. As verbs beginning with vowels cannot be aspirated in the conventional way, the form of aspiration used is "dh' ", e.g.:

   Root: òl (awl)   *drink (thou)*
   Past Tense: dh'òl (ghawl)   *drank*

4. Verbs beginning with "f" *followed by a vowel* are treated, after aspiration ("fh" being silent), as beginning with a vowel, e.g.:

   Root: fàg (faak)   *leave (thou)*
   Past Tense: dh'fhàg (ghaak)   *left*

5. As l, n and r can only be aspirated in sound (i.e. by bringing them forward to the tip of the tongue), there is no change in the past tense in

the written form of verbs beginning with these consonants, e.g.:

Root: lean (llen) *follow*
Past Tense: lean (len) *followed*

Root: nigh (nnē) *wash*
Past Tense: nigh (nē) *washed*

Root: ruith (rooē) *run*
Past Tense: ruith (ṟooē) *ran*

6. Verbs beginning with sg, sm, sp, st, retain the same form in the past tense as they have in the root and do not alter in sound.

7. To ask questions in the past tense we simply put "an do" (ən dō) in front of the verb, e.g.:

An do bhuail thu an cù?
Did you strike the dog?

The affirmative answer is "bhuail", and the negative is "cha do bhuail", e.g.:

An do bhuail e an gille le bata? Bhuail.
Did he strike the boy with a stick? Yes.

An do bhuail i an gille le cloich? Cha do bhuail.
Did she strike the boy with a stone? No.

Cha do bhuail i an gille.
She did not strike the boy.

8. As with other tenses, "nach" asks the negative question, e.g.:

Nach do bhuail thu an cù?
Did you not strike the dog?

Nach do dh'òl an cat am bainne?
Did not the cat drink the milk?

Nach do dh'fhàg Màiri an taigh?
Didn't Mary leave the house?

VOCABULARY

gabh (gav)   *take, sing* (root)
ghabh (g̲h̲av)   *took, sang*
cum (koom)   *keep* (root)
chum (c̲h̲oom)   *kept*
biadh (bēə or bēəg̲h̲) m.   *food*
do bhiadh (dō vēə)   *your food*
tog (tōk)   *lift, build* (root)
thog (hōk)   *lifted, built*
cuir (kooir)   *put, send* (root)
chuir (c̲h̲ooir)   *put, sent*
a mach (ə mac̲h̲)   *out* (motion outwards)
sgrìobh (skreev)   *write* (root); *wrote* (past tense)
litir (llē-chir) f.   *letter*
glas (glas)   *lock* (root)
ghlas (g̲h̲las)   *locked*
dùin (dōōin)   *close* (root)
dhùin (g̲h̲ōōin)   *closed*
geàrr (gyaar)   *cut* (root)
gheàrr (yaar)   *cut* (past tense)
glac (glac̲h̲k)   *catch* (root)
ghlac (g̲h̲lac̲h̲k)   *caught*
ruith (rooē)   *run* (root)
ruith (r̲ooē)   *ran*
suidh (sooē)   *sit* (root)
shuidh (hooē)   *sat*
seas (shās)   *stand* (root)
sheas (hās)   *stood*
uinneag (ooēnn-ak) f.   *window*
aig an uinneig (ek ən ooēnn-ek)   *at the window*
reic (rāc̲h̲k)   *sell* (root)
reic (r̲āc̲h̲k)   *sold*
òran (awr-ən) m.   *a song*
lean (llen)   *follow* (root)
lean (len)   *followed*

buain (booān) *reap* (root)
bhuain (vooān) *reaped*
an t-arbhar (ən tar-ə-vər) m. *the corn*
ceannaich (kyan-ēch) *buy* (root)
cheannaich (chyan-ēch) *bought*
stiùir (schūir) *steer* (root); *steered* (past tense)
nigh (nnē) *wash* (root)
nigh (nē) *washed*
aodann (oeut-ən) m. *face*
d'aodann (toeut-ən) *your face*
sìn (sheen) *stretch* (root)
shìn (heen) *stretched*
làmh (laav) f. *hand*
làmhan (laav-ən) *hands*
céilidh (kay-lē) f. (m. in some districts) *a social gathering or visit*
aig a' chéilidh (ek ə chay-lē) *at the gathering*
fadalach (fat-əl-əch) *late*
madainn (mat-ēnn) f. *morning*
anns a' mhadainn (auns ə vat-ēnn) *in the morning*
gu (goo) *to*
càr (kaar) m. *car*
braec (breəchk) m. *a trout*
linne (llēnn-ə) f. *pool*
mar (mar) *as, like*
fiadh (fēəgh) m. *a deer*
air a' chnoc (ār ə chnochk) *on the hill*
cala (kal-ə) m. *harbour*
stad (stat) *stop* (root); *stopped* (past tense)
fàg (faak) *leave* (root)
dh'fhàg (ghaak) *left*
iasg (ēəsk) m. *fish*
an raoir (ən rīr) *last night*
siùcar (shūchk-ər) m. *sugar*
las (las) *light* (root); *lit* (past tense)
tì (tee) m. *tea*

pìob (peeəp) f. *pipe*
fosgailte (fosk-il-chə) *open*
fhathast (ha-əst) *yet*
fan (fan) *stay, remain* (root)
dh'fhan (ghan) *stayed, remained*

Exercise 1 (*Past Tense*)

Read aloud and translate:

1. Ghabh a' chaileag seo òran aig a' chéilidh. 2. Chum sin mi fadalach. 3. Thog Seumas an teine anns a' mhadainn. 4. Chuir e an leabhar air a' bhòrd. 5. Sgrìobh mi litir gu Calum an dé. 6. Ghlas Màiri an dorus. 7. Gheàrr Alasdair a làmh. 8. Shìn e a mach a làmh agus stad an càr. 9. Ghlac Calum breac anns an linne seo. 10. Ruith mi mar am fiadh. 11. Shuidh iad air a' chnoc. 12. Sheas Màiri aig an dorus. 13. Reic Calum a' bhó. 14. Lean an cù mi do'n mhonadh. 15. Cheannaich mi seo air sia sgillinn. 16. Stiùir Alasdair am bàta gu cala. 17. Nigh an gille beag a làmhan. 18. Dh'fhàg mi mo leabhar anns an sgoil. 19. Cha do sgrìobh sinn air a' bhalla. 20. Cha do dh'fhan Màiri aig a' chladach; ruith i dhachaidh.

Exercise 2 (*Questions and Answers in Past Tense*)

Read aloud and translate:

1. An do ghabh thu do bhiadh? Ghabh. 2. An do ghabh thu òran? Cha do ghabh. 3. An do chuir Calum an crodh do'n mhonadh? Chuir. 4. An do sgrìobh thu an litir? Cha do sgrìobh fhathast. 5. An do dh'fhàg Calum an cù aig an taigh? Dh'fhàg. 6. An do ghlas thu an dorus? Ghlas. 7. An do dhùin thu an dorus? Dhùin. 8. Có gheàrr an càise? Gheàrr Màiri. 9. An do ghlac sibh iasg an raoir? Cha do ghlac. 10. An do ruith a' chaileag do'n sgoil? Ruith. 11. Càit an do shuidh Calum? Shuidh Calum air a' chathair. 12. An

do sheas Màiri aig an uinneig? Sheas. 13. An do reic
thu an cù? Cha do reic. 14. Có ghabh òran aig a'
chéilidh? Ghabh Alasdair. 15. An e Calum a bhuain
an t-arbhar? 'S e. An do bhuain Calum an t-arbhar?
Bhuain. 16. An do nigh thu d'aodann? Nigh. 17. An
do dh'fhàg thu do leabhar anns an sgoil? Cha do
dh'fhàg. Càit an do dh'fhàg thu do leabhar? Dh'fhàg
mi mo leabhar air a' bhòrd. 18. An do dh'òl an cat am
bainne? Dh'òl. 19. Nach do chuir thu uisge anns a'
choire, Iain? Chuir. 20. Nach do dh'òl thu do thì? Cha
do dh'òl; cha do chuir thu siùcar ann.

Exercise 3

Put into Gaelic:

1. Close the door. 2. Did Mary close the door? No.
3. Mary left the door open. 4. Sit at the fire. 5. Did the
girl sit at the fire? Yes. 6. Follow that car. 7. Did you
follow the car? Yes. 8. Stand at the table. 9. Did he
stand at the table? Yes. 10. Did he run home? No.
11. Did Mary stay at home today? No; Mary went to
school in the morning. 12. James sold the car. 13. Did
James sell the car? Yes. 14. Light your pipe. 15. Did
the man light his pipe? Yes. 16. Who locked the door?
Mary. 17. Did you put milk and sugar in the tea? No.
18. I put sugar in the tea but I did not put milk in it.
19. Did the dog follow you home? Yes. 20. Did Calum
write home? No. 21. Who steered the boat? Calum.
22. Did you not put sugar in the tea? 23. Did not
Mary leave the door open? 24. The day was cold and
we did not leave the house.

The Regular Verb, Future Tense

NOTES

1. To form the future tense of the regular verb, we add "idh" ("aidh" if the last vowel is broad) to the *root*, which in all cases is the second person singular imperative, e.g.:

   cuir *put*   cuiridh (kooir-ē)   *shall, will put*
   tog   *lift*   togaidh (tōk-ē)   *shall, will lift*

2. To ask a question in the future tense, we put "an" ("am" before b, f, m or p) before the *root*, e.g.:

   an cuir mi?   *shall I put?*

   The affirmative answer to "an cuir" is "cuiridh", and the negative is "cha chuir".

   Before vowels, the negative "cha" becomes "chan", e.g.:

   An òl mi seo?   *Shall I drink this?*

   The affirmative answer is "òlaidh", and the negative is "chan òl".

3. The root of the verb "to be" is "bi" (bē) *be thou*, and the future tense is "bithidh" (bē-ē) *shall, will be*, e.g.:

   Bithidh mi aig a' choinneimh an nochd.
   I shall be at the meeting tonight.

   To ask a question in the future tense of the verb "to be", put "am" before the root, e.g.:

   Am bi thu aig an taigh an nochd?
   Will you be at home (at the house) tonight?

The affirmative answer to "am bi" is "bithidh", and the negative is "cha bhi" (<u>cha</u> vē).

4. As before, "nach" introduces a negative question, e.g.:

Nach cuir mi an t-aran air a' bhòrd?
Shall I not put the bread on the table?

Nach bi thu aig an taigh am màireach?
Will you not be at home tomorrow?

5. Note also the form known as the *relative future*:

a bhitheas (ə vē-əs)   *that will be*
a chuireas (ə <u>ch</u>ooir-əs)   *that will put*
a dh'òlas (ə ghaw<u>l</u>-əs)   *that will drink*
a dh'iarras (ə yēar-əs)   *that will ask*
a dh'fhàgas (ə ghaak-əs) *that will leave*, etc., e.g.:

Có a ruitheas do'n bhùth?
Who will run to the shop?

Ma bhitheas latha math ann am màireach, théid sinn do'n mhonadh.
If it is (will be) a good day tomorrow, we shall go to the moor.

Cuir ann na chumas e.
Put into it what (all that) it will hold.

6. As stated in Note 1, the root of the verb is the second person singular imperative, e.g.:

Tog a' chlach sin.   *Lift (thou) that stone.*
Cuir aran air a' bhòrd'   *Put (thou) bread on the table.*

To make the second person plural imperative, add "ibh" ("aibh" if the last vowel of the root is broad), e.g.:

Togaibh (tōk-iv) na clachan.   *Lift (ye) the stones.*

Cuiribh (kooir-iv) gual   *Put (ye) coal on the fire.*
air an teine.

To give the negative command we simply put "na"
(na) in front, e.g.:

Na cuir gual air an teine.   *Don't put coal on the fire.*
Na togaibh na clachan   *Don't lift those stones.*
sin.

The imperative mood is gone into fully in Lessons
31 and 32.

VOCABULARY

théid (hāēch)   *will go* (irreg. future of "rach" *go*)
na (na)   *what, that which, all that* (relative pronoun)
a (ə)   *that, who* (relative pronoun)
mo (mō)   *my* (aspirates noun following)
a nis (ə nēsh)   *now*
an t-aran (ən tar-ən) m.   *the bread*
seinn (shāēnn)   *sing* (root)
ath (a)   *next* (precedes the noun, which it aspirates)
bliadhna (blēə-nə) f.   *year*
an ath bhliadhna (ən a vlēə-nə)   *next year*
rathad (ra-ət) m.   *road*
mas e bhur toil e (mas e voor toil e)   *please, if you
    please* (polite form)
tapadh leibh (tahp-ə lēv)   *thank you* (polite form)
a dhol (ə ghol)   *to go*
iarr (ēər)   *ask* (root)
gus (goos)   *until*
na soithichean (nə soi-ēch-ən)   *the dishes*
a' chlann (ə chlaun) f.   *the children*
a' tighinn (ə chē-ən)   *coming*
ceithir (kā-ər)   *four*
toilichte (toil-ēch-chə)   *pleased, happy*
air thoiseach (ār hosh-əch)   *first, in front*
ma (ma)   *if* (conditional conjunction)

tu (too) *you* (primary form of "thu")
an seo (ən sho) *here*
comhairle (ko-ər-llə) f. *advice*
cupa tì (kooh-pə tee) *a cup of tea*
aimsir (em-ə-shir) f. *weather*
a h-uile latha (ə hooil-ə ḷa-ə) *every day*
a bhitheas (ə vē-əs) *that will be*
telebhisean (tel-e-vish-ən) f. *television*
as (as) *from*
ceist (kāshch) f. *question*
freagairt (frāk-ərsch) f. *answer*
cuir air (kooir ār) *put on* (root)
coisich (kō-shēch) *walk* (root)

Exercise 1
Read aloud and translate:

1. Gabhaidh mi mo bhiadh a nis. 2. Cumaidh mi air an rathad seo. 3. Togaidh mi an teine anns a' mhadainn. 4. Cuiridh Calum an crodh do'n mhonadh. 5. Suidhidh mi air a' chathair seo, tapadh leibh. 6. Ruithidh mi do'n bhùth a nis. 7. Gearraidh Màiri an t-aran. 8. Seinnidh a' chaileag seo òran. 9. Leanaidh sinn an rathad seo. 10. Reicidh mi a' bhó seo an ath bhliadhna. 11. Cha sgrìobh mi an litir an nochd. 12. Cha choisich mi do'n bhaile.

Exercise 2
Read aloud and translate:

1. An gabh sibh bainne anns an tì? Gabhaidh, mas e bhur toil e. 2. An gabh sibh cupa tì? Cha ghabh, tapadh leibh. 3. An dùin mi an dorus? Dùinidh. 4. An sgrìobh mi litir gu Calum? Sgrìobhaidh. 5. An ceannaich mi seo? Cha cheannaich. 6. An suidh mi air a' chathair seo? Suidhidh. 7. An iarr mi air Calum a dhol do'n bhùth? Chan iarr. 8. Am buain mi an

t-arbhar? Buainidh. 9. An cuir mi siùcar anns an ti?
Cha chuir. 10. An nigh sinn na soithichean? Nighidh.

Exercise 3

Read aloud and translate:

1. Am bi thu aig a' chéilidh an nochd? Cha bhi. 2. Am
bi Calum anns a' mhonadh am màireach? Bithidh.
3. Am bi a' chlann a' tighinn dhachaidh as an sgoil aig
ceithir uairean? Bithidh. 4. Am bi sibh toilichte anns
an sgoil? Bithidh. 5. Am bi a' ghealach làn an nochd?
Cha bhi. 6. Cha bhi Seumas aig an taigh. 7. Cha bhi
mi ag obair am màireach. 8. Nach bi am bàta anns a'
chala? Bithidh.

Exercise 4

Read aloud and translate:

1. Có a bhitheas air thoiseach? 2. Gabhaidh mi tì ma
chuireas tu bainne agus siùcar ann. 3. Có a thogas
seo? 4. Cuir ann na ghabhas e. 5. Chan eil duine an
seo a ghabhas mo chomhairle. 6. Cuin a chuireas
Calum an crodh do'n mhonadh? Cuiridh am
màireach. 7. Cuir ort do chòta. 8. Na dùin an dorus.
9. Na bithibh fadalach an nochd. 10. Suidhibh aig a'
bhòrd agus òlaibh tì.

Exercise 5

Put into Gaelic:

1. I shall keep this book. 2. Will you put coal on the
fire? Yes. 3. Will Mary run to the shop? 4. Will you
have (take) a cup of tea? 5. Do you (will you) take
sugar and milk in the tea? Yes, thank you. 6. Will you
write a letter home tonight? Yes. 7. Will Calum reap
the corn tomorrow? No. 8. Shall I ask (for) bread in
the shop? Yes. 9. Shall I put out the boat? No. 10. Who
will write this letter? Mary will write it. 11. Who will

be at the shop first? 12. When will Calum be home?
13. When will the moon be full? Not until tomorrow.
14. We shall follow this road. 15. Shall we follow this
road? Yes. 16. Shall I sit on this chair? Yes. 17. I shall
sell the dog next year. 18. Calum will be on (in) the
moor tomorrow if the weather is (will be) good.
19. Stand on that stone, John. 20. Don't be (sing.)
cold, put on your coat. 21. Sing (pl.) songs.

Exercise 6

Ceist is Freagairt

Calum: An do ghabh thu do bhiadh?
Alasdair: Ghabh.
C.:   An do chuir Seumas a mach am bàta?
A.:   Cha do chuir.
C.:   An gabh thu bainne anns an tì?
A.:   Gabhaidh, tapadh leibh.
C.:   An cuir mi gual air an teine?
A.:   Cuiridh, mas e bhur toil e.
C.:   An do sgrìobh thu an litir?
A.:   Sgrìobh.
C.:   An glas mi an dorus?
A.:   Glasaidh.
C.:   An dùin mi an uninneag?
A.:   Cha dhùin.
C.:   An do ghlac iad iasg an raoir?
A.:   Cha do ghlac.
C.:   An ruith thu do'n bhùth?
A.:   Ruithidh.
C.:   An suidh mi air a' chathair seo?
A.:   Suidhidh.
C.:   An seas mi aig an uinneig?
A.:   Seasaidh.
C.:   An do sheas an gille beag aig an uinneig?
A.:   Sheas.

Calum: An e an gille beag a sheas aig an uinneig?
Alasdair: 'S e.
C.:   An ann aig an uinneig a sheas an gille beag?
A.:   'S ann.
C.:   Có a sheas aig an uinneig?
A.:   Sheas an gille beag.
C.:   An do cheannaich thu rud sam bith anns a'
          bhùth?
A.:   Cha do cheannaich.
C.:   Am bi a' chaileag seo a' dol do'n sgoil a h-uile
          latha?
A.:   Bithidh.
C.:   An e seo a' chaileag a bhitheas a' dol do'n sgoil
          a h-uile latha.
A.:   'S e.
C.:   An do lean an cù thu do'n bhaile?
A.:   Cha do lean.
C.:   An lean an cù thu do'n mhonadh?
A.:   Leanaidh.
C.:   An robh an cù còmhla ri Seumas anns a'
          mhonadh an dé?
A.:   Bha.
C.:   An ann anns a' mhonadh a bha Seumas agus an
          cù an dé?
A.:   'S ann.
C.:   Càit an do thog Seumas an taigh?
A.:   Thog air a' chnoc.
C.:   An e Seumas a thog an taigh air a' chnoc?
A.:   'S e.
C.:   An ann air a' chnoc a thog Seumas an taigh?
A.:   'S ann.
C.:   An coisich sinn do'n sgoil?
A.:   Coisichidh.
C.:   Có a chumas an leabhar agam?
A.:   Cumaidh mise.
C.:   An do chum thu an leabhar agam?

Alasdair: Chum.
Calum: An tog thu an teine?
A.:   Togaidh.
C.:   An do chum thu an dorus fosgailte?
A.:   Cha do chum.
C.:   Càit an do chuir thu mo leabhar?
A.:   Chuir air a' bhòrd.
C.:   An do choisich sibh do'n sgoil an diugh?
A.:   Choisich.
C.:   An toigh leat an sgoil?
A.:   'S toigh.
C.:   An ann leatsa a tha an sgian seo?
A.:   'S ann
C.:   An e seo an sgian agadsa?
A.:   'S e.
C.:   An cuir mi air an telebhisean?
A.:   Cuiridh.
C.:   An do chuir thu air an telebhisean?
A.:   Chuir.

LESSON 9

Masculine Nouns beginning with a Vowel

NOTES

1. Masculine nouns beginning with a vowel take "an t-" as their article form, e.g.:

   aran (ar-ən)   *bread*
   an t-aran (ən tar-ən)   *the bread*

2. In the dative case (i.e. after the simple prepositions "aig", "air", "anns", etc.) the "t" is elided, e.g.:

   air an aran (ār ən ar-ən)   *on the bread*

3. "An t-" is pronounced ən ch before slender vowels (e or i) and ən t before broad vowels (a, o or u) e.g.:

   an t-ìm (ən cheem)   *the butter*
   an t-acras (ən tachk-rəs)   *the hunger*

VOCABULARY

abaich (ap-ēch)   *ripe*
acras (achk-rəs) m.   *hunger*
fann (faun)   *weak*
ainm (en-əm) m.   *name*
allt (ault) m.   *burn, stream*
bras (bras)   *swift*
eun (ān or ēən) m.   *bird*
adhar (a-ər) m.   *sky*
a' coimhead (ə koē-ət)   *looking*
tuil (tooil) f.   *flood*
fhuair (hooer)   *got, found* (irreg.)

an d'fhuair thu (ən dooer oo) *did you get, find?*
dorcha (dor-əch-ə) *dark*
neul (nnā̱l) m. *cloud*
gealagan (gea̱l-ək-an) m. *white* (of egg)
iasgair (ēəsk-er) m. *fisherman*
bradan (brat-ən) m. *salmon*
astar (ast-ər) m. *distance, speed*
truinnsear (trooin-sher) m. *plate*
eallach (ea̱l-əch) m. *burden, load*
eagal (āk-ə̱l) m. *fear*
òr (awr) m. *gold*
earrach (eər-əch) m. *spring* (season)
cho cruaidh ri (chō krooī rē) *as hard as*
eòlas (eaw̱l-əs) m. *knowledge*
iochdar (ēəchk-ər) m. *skirt*
uachdar (ooəchk-ər) m. *cream, top*
òganach (awk-ən-əch) m. *young man*
uamhas (ooə-vəs) m. *horror*
uan (ooan) m. *lamb*
eilean (āl-en) m. *island*
òrd (awrd) m. *hammer*
each (eəch) m. *horse*
am (aum) m. *time*
athair (a-er) m. *father*
iarann (ēər-ən) m. *iron*
isean (ēsh-en) m. *chicken*
iseanan (ēsh-en-ən) *chickens*
oibriche (oip-rich-ə) m. *workman*
orm (or-əm) *on me*
ort (orst) *on you* (sing.)
a th'ort (ə horst) *that is on you*
am faca tu (əm fachk-ə too) *did you see?* (irreg.)
dh'ith (yēch) *ate*
nuair (nooer) *when*
tarbh (tar-av) m. *bull*
tarag (tar-ak) f. *nail* (joiner's)

trom (traum) *heavy*
salann (saḷ-ən) m. *salt*
air tighinn (ār chē-ən) *has come* (i.e. *after coming*)
thuit (hoohch) *fell*
nead (nnet) m. *nest*
chaill (chīll) *lost*

Exercise 1

Read aloud and translate:

1. an t-òr; an t-acras; an t-eun; an t-ainm; an t-adhar;
an t-allt; an t-ugh; an t-iasg; an t-iasgair; an t-astar;
an t-ìm; an t-uisge; an t-eallach; an t-eagal; an
t-earrach; an t-aodann; an t-eòlas; an t-iochdar;
an t-uachdar; an t-òganach; an t-uamhas; an t-uan;
an t-eilean; an t-òrd; an t-each; an t-airgead; an t-am;
an t-athair; an t-iarann; an t-isean; an t-oibriche; an
t-òran.

2. leis an òr; le òr; leis an acras; le acras; air an eun;
air an ainm; anns an adhar; anns an allt; anns an
ugh; air an iasg; còmhla ris an iasgair; leis an astar;
anns an ìm; anns an uisge; leis an eallach; leis an
eagal; le eagal; anns an earrach; air an aodann; anns
an eòlas; le eòlas; leis an iochdar; anns an uachdar;
air an òganach; air òganach; le uamhas; leis an
uamhas; air an uan; air uan; anns an eilean; leis an
òrd; le òrd; air an each; air each; leis an airgead; le
airgead; aig an am; cho cruaidh ris an iarann; còmhla
ris an isean; aig an oibriche; anns an òran.

3. Tha an t-arbhar abaich. 4. Tha an crodh anns an
arbhar. 5. A bheil an t-acras ort? 6. Tha mi fann leis
an acras. 7. Dé an t-ainm a th'ort? Tha Calum. 8. Tha
tuil anns an allt. 9. Chunnaic mi an t-eun anns a'
chraoibh. 10. Tha an t-adhar a' coimhead dorcha an
diugh. 11. Am faca tu ugh anns an nead? Chunnaic.
12. Tha gealagan anns an ugh. 13. An do dh'ith thu

an t-ugh? Dh'ith. 14. An d'fhuair thu iasg an raoir?
Fhuair. 15. Bha an t-astar fada agus tha sinn sgìth.
16. Cuir an t-aran air a' bhòrd. 17. An do chuir thu ìm
air an aran? 18. Càit a bheil an t-ìm? Tha an t-ìm air
an truinnsear. 19. Ghabh sinn eagal nuair a chunnaic
sinn an tarbh. 20. A bheil an t-eagal ort? 2. Bha sinn
air an eilean an dé. 22. Dé an t-òran a ghabh thu?
23. Bhuail e an tarag leis an òrd. 24. Tha an t-eallach
sin mór. 25. An do chaill thu an t-airgead? Cha do
chaill.

Exercise 2

Put into Gaelic:

1. the horse; the gold; the money; the sky; the stream;
the fisherman; the island; the hammer; the young
man; the water.

2. on the horse; in the water; on the bread; with
butter; with the butter; with the hammer; in the sky;
on the island; with the song; with the eġg; with an egg.

3. The corn is not ripe. 4. There is a house on the
island. 5. The island is big. 6. The hammer is heavy.
7. Put salt on the fish. 8. I saw the fisherman in the
boat. 9. Did you see the bird? 10. Are you hungry
(i.e. is the hunger on you)? 11. Is it raining today
(i.e. is the rain in it today)? 12. I saw the lamb in the
field. 13. I am afraid (i.e. the fear is on me). 14. The
spring has come. 15. He fell in the burn.

LESSON 10

Feminine Nouns beginning with a Vowel

NOTES

1. Feminine nouns beginning with a vowel take the article form "an" in both the nominative and dative cases, e.g.:

   an eala (ə nnaḻ-ə)   *the swan*
   air an eala (ār ə nnaḻ-ə)   *on the swan*

2. In the dative case these nouns follow the rule laid down in Lesson 6, i.e. a change is made in the noun itself by inserting "i" after the last broad vowel or by substituting "i" for the last broad vowel or diphthongal part, e.g.:

   an ad (ən at)   *the hat*
   air an aid (ār ən ach)   *on the hat*
   an uinneag (ən ooinn-ak)   *the window*
   air an uinneig (ār ən ooinn-ek)   *on the window*

3. As in Lesson 6, nouns whose last vowel is slender (e or i), or which end in a vowel, suffer no change in the dative case, e.g.:

   an eaglais (ə nnāk-ḻish)   *the church*
   anns an eaglais (auns ə nnāk-ḻish)   *in the church*
   an ùine (ən ōōinn-ə)   *the time*
   anns an ùine (auns ən ōōinn-ə)   *in the time*

VOCABULARY

gearradh (gyar-əgh) m.   *cut*
ag ionaltradh (ək ion-əḻ-trəgh)   *grazing*

dad (dat) m. *anything*
innis (ēnn-ish) f. *meadow*
iarmailt (ēər-melch) f. *sky, firmament*
uamh (ooa) f. *cave*
anns an uaimh (auns ən ooī) *in the cave*
air an uinneig (ār ən ooinn-ek) *on the window*
iuchair (ūch̲-ir) f. *key*
obair (ōp-ir) f. *work*
òrdag (awrd-ak) f. *thumb*
m'òrdag (mawrd-ak) *my thumb*
air an òrdaig (ār ən awrd-ek) *on the thumb*
acarsaid (ach̲k-ər-sech) f. *anchorage, harbour*
ola (ol̲-ə) f. *oil*
oiteag (oich-ak) f. *gust of wind*
eaglais (āk-l̲ish) f. *church*
ite (ēch-ə) f. *feather*
dùinte (dōōin-chə) *closed* (adj.)
calman (kal̲-ə-man) m. *dove*
chì (ch̲ee) *shall, will see; can see*
gu leòr (goo llawr) *enough*
seall (sheaul̲) *look* (root)

Exercise 1

Read aloud and translate:

1. Bha an aimsir blàth am bliadhna. 2. Cha robh dad ceàrr air an aimsir am bliadhna. 3. Tha an crodh ag ionaltradh anns an innis. 4. Tha an iarmailt a' fàs dorcha. 5. Tha an uamh seo mór. 6. Tha calman anns an uaimh. 7. Tha an uinneag dùinte. 8. Seall a mach air an uinneig. 9. An do chuir thu an iuchair anns a' ghlais? 10. Tha an obair sin trom. 11. Gheàrr mi m'òrdag. 12. Tha gearradh air an òrdaig agam. 13. Tha am bàta anns an acarsaid. 14. Chì mi an iolair air a' chreig. 15. Tha ùine gu leòr againn. 16. An do chuir thu an ola anns a' chàr? 17. An robh thu anns an eaglais an dé? 18. Có tha ag iasgach air an abhainn?

19. Fhuair mi an ite seo anns a' mhonadh. 20. An do chuir thu rud sam bith anns an ola seo? Cha do chuir.

Exercise 2

Put into Gaelic:

1. the weather; the meadow; the sky; the cave; the window; the oil; the key; the thumb; the work; the time.

2. in this weather; in the meadow; in the sky; in the cave; at the window; in the oil; with the key; on the thumb; with the work; in the time.

3. The boat is in the anchorage. 4. There is a cut on my thumb. 5. I was fishing on the river yesterday. 6. What are you doing with the feather? 7. Stand at the window. 8. Calum is on the rock. 9. Is there anything in the cave? 10. I am tired with work.

Masculine Nouns beginning with "s" followed by l, n, r or a Vowel

NOTES

1. Masculine nouns beginning with "s" and followed by l, n, r or a vowel take the article form "an", e.g.:

   an salann (ən sal̯-ən) *the salt*
   an sruth (ən sroo) *the stream*

2. In the dative case the noun retains the same form as in the nominative case, but the article changes from "an" to "an t-", e.g.:

   anns an t-salann (auns ən tal̯-ən) *in the salt*
   leis an t-sruth (lāsh ən troo) *with the stream*
   ris an t-sìol (rēsh ən cheeəl) *to the seed*

   Notice that for *pronunciation* the "s" is regarded as absent, and it is the letter following that determines whether the "t-" is rendered t or ch.

VOCABULARY

saighdear (sī-cher) m. *soldier*
air an t-saighdear (ār ən tī-cher) *on the soldier*
saor (soeur) m. *joiner*
saoghal (soeu-əl) m. *world*
seòl (shawl̯) m. *sail*
sionnach (shoon-əch) m. *fox*
samhradh (saur-əgh) m. *summer*
searbhadair (sher-əv-ət-er) m. *towel*
sealgair (shal̯-ək-er) m. *hunter*

seanair (shen-er) m. *grandfather*
seòrsa (shawr-sə) m. *kind, type*
sìol (sheeəl) m. *seed*
sloc (slochk) m. *pit, hollow*
snàth (snaa) m. *thread*
solus (sol-əs) m. *light*
sùgh (sōō) m. *soup, juice*
suidheachan (sooē-əch-ən) m. *seat*
cruinn (krooinn) *round*
donn (daun) *brown*
dragh (drəgh) m. *trouble*
gunna (goon-ə) m. *gun*
chan eil duine (cha nnāl dooinn-ə) *there is nobody*
sona (son-ə) *happy*
saillear (saill-er) m. *salt-cellar*
tiormaich (chiər-əm-ēch) *dry* (root)
làmhan (laa-vən) *hands*
domhain (do-inn) *deep*
eòlach (eawl-əch) *acquainted*
thu-fhéin (oo hān) *yourself*
ro àrd (rō aard) *too high*
air mo shonsa (ār mō hon-sə) *for me, for my sake, as
  far as I am concerned*

Exercise 1
Read aloud and translate:

1. Tha còta donn air an t-saighdear. 2. Thàinig an
saighdear dhachaidh an dé. 3. Tha an saor trang ag
obair air an taigh. 4. Tha òrd aig an t-saor. 5. Tha an
saoghal cruinn. 6. Tha dragh anns an t-saoghal. 7. Tha
seòl air a' bhàta. 8. Tha gaoth anns an t-seòl. 9. Tha an
seòmar seo mór. 10. Chan eil duine anns an t-seòmar.
11. Chunnaic mi sionnach anns a' mhonadh. 12. Bha
eagal air an t-sionnach nuair a chunnaic e an sealgair.
13. Tha gunna aig an t-sealgair. 14. Tha an samhradh
blàth. 15. Tha sinn sona anns an t-samhradh. 16. Chuir

Màiri salann anns an t-saillear. 17. Thiormaich Calum
a làmhan leis an t-searbhadair. 18. Tha an sìol anns a'
phoca. 19. Tha am poca trom leis an t-sìol. 20. Tha
an sloc seo domhain. 21. Tha uisge anns an t-sloc.
22. Seo an siùcar. 23. Cuir spàin anns an t-siùcar.
24. Tha mi eòlach gu leòr air an t-seòrsa sin.

Exercise 2

Put into Gaelic:

1. the salt; in the salt; the grandfather; on the grand-
father; the seed; in the seed; the kind; with the kind;
the pit; in the pit; the thread; with the thread.

2. Mary put salt in the soup. 3. You are in the light.
4. This soup is good. 5. Sit on this seat. 6. There is a
good light in this room. 7. There is trouble in the
world. 8. Where is the soldier? 9. The soldier is wearing
a big coat (i.e. a big coat is on the soldier). 10. Dry
yourself with this towel. 11. This seat is too high for
me. 12. This thread is red.

Feminine Nouns beginning with "s" followed by l, n, r or a Vowel

NOTES

1. Feminine nouns beginning with "s" followed by l, n, r or a vowel take the article form "an t-" in the nominative *and* dative cases, e.g.:

   an t-slat (ən tḷaht)   *the rod*
   an t-sàil (ən taail)   *the heel*
   an t-sràid (ən traach)   *the street*
   an t-snàthad (ən tnaa-ət)   *the needle*

2. In the dative case the article suffers no change, but the general rule for forming the dative case of feminine nouns is followed (see Notes 2, 3 and 4, Lesson 6), e.g.:

   leis an t-slait (lāsh ən tḷaich)   *with the rod*
   leis an t-sòbhraich (lāsh ən tawr-ēch)   *with the primrose*
   anns an t-snàthaid (auns ən tnaa-ech)   *in the needle*
   air an t-sràid (ār ən traach)   *on the street*

VOCABULARY

sràid (sraach), f.   *street*
snàthad (snaa-ət) f.   *needle*
suipeir (sooih-per) f.   *supper*
slat (sḷaht) f.   *rod*
sradag (srat-ək) f.   *spark of fire*
sàil (saail) f.   *heel*

seachdain (sheəchk-en) f. *week*
searbhanta (sher-əv-ənt-ə) f. *servant*
searrag (sher-ak) f. *flask*
sìde (shee-chə) f. *weather*
slige (slēk-ə) f. *shell*
slighe (slē-ə) f. *way, journey*
sreang (srengg) f. *string*
sròn (srawn) f. *nose*
sùil (sōoil) f. *eye*
fada (fat-ə) *long*
chaidh (chaaē) *went* (irreg.)
ceangail (keng-gil) *tie* (root)
pasgan (pask-ən) m. *parcel*
a' coiseachd (ə kōsh-əchk) *walking*
sòbhrach (sawr-əch) f. *primrose*
sios (shēəs) *down, downwards*

Exercise 1

Read aloud and translate:

1. an t-sràid; an t-snàthad; an t-suipeir; an t-slat; an
t-sradag; an t-sàil; an t-seachdain; an t-searbhanta;
an t-searrag; an t-sìde; an t-slige; an t-slighe; an
t-sreang; an t-sròn; an t-sùil.

2. air an t-sràid; anns an t-snàthaid; aig an t-suipeir;
air an t-slait; leis an t-sradaig; air an t-sàil; anns an
t-seachdain; aig an t-searbhanta; anns an t-searraig;
leis an t-sìde; anns an t-slige; air an t-slighe; leis an
t-sreing; air an t-sròin; anns an t-sùil.

3. Tha an t-sràid seo fada. 4. Chan eil duine air an
t-sràid. 5. Chuir Màiri snàth anns an t-snàthaid. 6.
Bha Calum ag iasgach leis an t-slait. 7. Chaidh Màiri
do'n bhaile còmhla ris an t-searbhanta. 8. Dé tha seo?
Tha searrag. Dé tha anns an t-searraig? Tha uisge
anns an t-searraig. 9. A bheil sìde mhath ann an
diugh? Tha an t-sìde glé mhath an diugh. 10. Chan eil

an t-slighe fada. 11. Ceangail am pasgan leis an t-sreing seo. 12. Tha rudeigin anns an t-sùil agam. 13. Chuir an t-sradag teine ris an taigh. 14. Tha Calum agus Màiri a' coiseachd suas an t-sràid. 15. Tha an t-sròn aig Calum mór. 16. Tha gearradh air an t-sròin agam.

Exercise 2

Put into Gaelic:

1. the rod; on the rod; the needle; in the needle; the heel; on the heel; the street; on the street; the flask; in the flask; the string; with the string; the eye; with the eye; the nose; on the nose; the primrose; on the primrose.

2. They went down the street. 3. There is water in the flask. 4. Tie this with the string. 5. They were at the supper last night. 6. Where is the needle? 7. Did you thread (put thread in) the needle? 8. The way is long. 9. They went with the servant to the town. 10. Calum is fishing on the loch with the rod. 11. I found this shell on the shore. 12. There is something in this shell. 13. Put the flask on the table. 14. I am going home (on) this week. 15. Calum's eye (the eye at Calum) is sore.

Plurals

NOTES

The main methods of changing nouns from singular to plural (nominative and dative cases) are as follows:

1. By adding "an" ("ean" if the last vowel is e or i) to the nominative singular, e.g.:

    clach (kḷach) f.   *a stone*
    clachan (kḷach-ən)   *stones*
    sùil (sōōil) f.   *eye*
    sùilean (sōōil-ən)   *eyes*
    caileag (kal-ak) f.   *girl*
    caileagan (kal-ak-ən)   *girls*

2. By placing "i" after the last broad (a, o or u) vowel of the nominative singular, e.g.:

    bàrd (baard) m.   *poet*   bàird (baarch)   *poets*
    ròn (rawn) m.   *seal*   ròin (rawin)   *seals*

3. By substituting "i" for the last broad vowel or for "ea" of the nominative singular, e.g.:

    each (eaċh) m.   *horse*   eich (āċh)   horses
    fear (fer) m.   *man*   fir (fēr)   *men*

4. By changing "ia" of the nominative singular to "ei", e.g.:

    fiadh (fēəgh) m.   *a deer*   féidh (fāē)   *deer*

5. By changing "eo" of the nominative singular to "iui", e.g.:

    seòl (shawḷ) m.   *sail*   siùil (shūl   *sails*

6. By changing "o" of the nominative singular to "ui", e.g.:

toll (tauḷ) m. *hole*　　　　tuill (tooill) *holes*

7. Nouns ending in "ir", "air", "ar" and "a" often form their plurals by changing these terminations to "richean" (rēch-ən), "raichean" (rēch-ən) or "aichean" (ēch-ən), e.g.:

litir (llē-chir) f. *letter*
litrichean (llēch-rēch-ən) *letters*
cathair (ka-er) f. *chair*
cathraichean (ka-rēch-ən) *chairs*
còta (kawt-ə) m. *coat*
còtaichean (kawt-ēch-ən) *coats*

8. Nouns ending in "e" sometimes form their plurals by omitting the final "e" and substituting "tean" (chən), e.g.:

baile (bal-ə) m. *town*
bailtean (bal-chən) *towns*
coille (koill-ə) f. *a wood*
coilltean (koill-chən) *woods*

9. Some very common nouns form their plurals irregularly, e.g.:

cù (kōō) m. *dog*
coin (koin) *dogs*
dorus (dor-əs) m. *door*
doruis (dor-ish) *or* dorsan (dor-sən) *doors*
bean (ben) f. *wife*
mnathan (mna-ən) *wives*
càrn (kaarn) m. *cairn*
cùirn (kōōrnn) *cairns*
caora (koeur-ə) f. *a sheep*
caoraich (koeur-ēch) *sheep*
eun (ān) m. *bird*

eòin (eawin) *birds*
bó (bō) f. *cow*
bà (baa) *cows*
duine (dooinn-ə) m. *man*
daoine (doeunn-ə) *men*
sgian (skēən) f. *knife*
sgeanan (skān-ən) *knives*
cupa (kooh-pə) m. *cup*
cupannan (kooh-pən-ən) *or* cupaichean (kooh-pēch-ən) *cups*

The definite article in the nominative and dative cases plural is "na" ("na h-" before vowels), e.g.:

na clachan   *the stones*
leis na clachan   *with the stones*
na h-eich   *the horses*
air na h-eich   *on the horses*

VOCABULARY

coin (koin) *dogs*
clachan (kļach-ən) *stones*
teintean (cheen-chən) *fires*
leabhraichean (llaw-rēch-ən) *books*
sàsaran (saa-sə-rən) *saucers*
cathraichean (ka-rēch-ən) *chairs*
spàinean (spaainn-ən) *spoons*
cupannan (kooh-pən-ən) *cups*
sgeanan (skān-ən) *knives*
caileagan (kal-ak-ən) *girls*
poitean (pohch-ən) *pots*
acair (achk-ir) f. *anchor*
acraichean (achk-rēch-ən) *anchors*
òrain (awr-en) *songs*
bàtaichean (baat-ēch-ən) *boats*
bataichean (baht-ēch-ən) *sticks*
beachd (beəchk) m. *opinion*

beachdan (beəch̲k-ən) *opinions*
bean (ben) f. *wife*
mnathan (mna-ən) *wives*
bodaich (bot-ēch̲) *old men*
cailleach (kaill-əch̲) f. *old woman*
cailleachan (kaill-əch-ən) *old women*
bùthan (bōō-ən) *shops*
cas (kas) f. *foot*
casan (kas-ən) *feet*
cinn (keenn) *heads*
cearcan (keark-ən) *hens*
cìobair (keep-er) m. *shepherd*
cìobairean (keep-er-ən) *shepherds*
cladaichean (kl̲at-ēch̲-ən) *shores*
cnò (knaw) f. *nut*
cnothan (knaw-ən) *nuts*
eòin (eawin) *birds*
fras (fras) f. *shower*
frasan (fras-ən) *showers*
fuaim (fooām) m. *sound, noise*
fuaimean (fooām-ən) *sounds, noises*
itean (ēch̲-ən) *feathers*
iolairean (ūl̲-ir-ən) *eagles*
neadan (nṅet-ən) *nests*
preas (prās) f. *thicket*
preasan (prās-ən) *thickets*
putan (pooht-ən) m. *button*
putain (pooht-en) *buttons*
sgoilear (skoil-er) m. *scholar, pupil*
sgoilearan (skoil-er-ən) *scholars, pupils*
tolman (tol̲-əm-ən) m. *hillock*
tolmain (tol̲-əm-en) *hillocks*
seòladair (shawl̲-ət-er) m. *sailor*
seòladairean (shawl̲-ət-er-ən) *sailors*
ròn (rawn) m. *seal*
ròin (rawin) *seals*

sgeir (skār) f.   *tidal rock, reef, skerry*
sgarbh (skar-əv) m.   *cormorant*
sgairbh (skir-əv)   *cormorants*
bà (baa) f.   *cows*
de (je)   *of* (aspirates noun following)
tuathanach (tooa-an-əch) m.   *farmer*
tuathanaich (tooa-an-ēch)   *farmers*
stampa (staum-pə) f.   *stamp* (postage)
stampaichean (staum-pēch-ən)   *stamps*
post (post)   *post* (root)
cruinnich (krooinn-ēch)   *gather* (root)
caill (kaill)   *lose* (root)
uain (ooen)   *lambs*
piseag (pish-ak) f.   *kitten*
piseagan (pish-ak-ən)   *kittens*
lianag (llēən-ak) f.   *lawn*
bùird (bōōirj)   *tables*
glan (glan)   *clean*
soitheach (soi-əch) m.   *dish*
soithichean (soi-ēch-ən)   *dishes*
cunnartach (koon-ərst-əch)   *dangerous*
fosgail (fosk-il)   *open* (root)
pana (pan-ə) m.   *pan*
panaichean (pan-ēch-ən)·   *pans*
slat-iasgaich (slaht ēəsk-ēch) f.   *fishing-rod*
bascaid (bask-ech) f.   *basket*
a' seinn (ə shāēnn)   *singing*
fang (fangg) m.   *sheep-fold, fank*
mionaid no dhà (meen-ech nō ghaa)   *a minute or two*
tràth (traa)   *early*
leum (llām)   *jump* (root)
feur (fāər) m.   *grass*
bruthach (broo-əch) f.   *slope*
thug (hook)   *took* (irreg.)
an tug (took) Màiri?   *did Mary take?*
maigheach (mī-əch) f.   *hare*

as (as) *out of*
as an fheur (as ə nnāər) *out of the grass*
fraoch (froeu<u>ch</u>) m. *heather*
orra (or-a) *on them*

Exercise 1

Read aloud and translate:

1. na coin; na clachan; na taighean; na teintean; na
leabhraichean; na sàsaran; na spàinean; na cupannan
(cupaichean); na sgeanan; na cathraichean; na
caileagan; na seanairean; na poitean; na h-acraichean;
na h-òrain; na bàtaichean; na bataichean; na beachd-
an; na mnathan; na bà; na bodaich; na cailleachan;
na bùthan; na casan; na cinn; na cearcan; na
cìobairean; na cladaichean; na cnothan; na h-eòin;
na frasan; na fuaimean; na h-itean; na h-iolairean;
na neadan; na preasan; na putain; na sgoilearan; na
tolmain; na h-uinneagan.

2. air na coin; anns na taighean; air na sàsaran; anns
na cupannan; leis na sgeanan; anns na poitean; ris
na caileagan; anns na bàtaichean; leis na bataichean;
ris na bodaich; air na h-eòin; anns na preasan; aig na
h-uinneagan.

3. Có chuir na clachan air na cùirn seo? Chuir Calum.
4. Bha na bàtaichean aig muir an dé agus chunnaic
na seòladairean ròin air na sgeirean agus sgairbh air
na creagan. 5. Bha na tuathanaich ag obair gu trang
anns an achadh an dé. 6. Cuir stampaichean air na
litrichean sin agus post iad. 7. An do chruinnich na
cìobairean na caoraich? Chruinnich, ach chaill iad
móran de na h-uain. 8. Tha cait is piseagan air an
lianaig. 9. Chuir Màiri cupannan is sàsaran air na
bùird. 10. An do ghlan thu na h-uinneagan? Ghlan.

Exercise 2

Put into Gaelic:

1. the spoons; the cats; the dogs; the men; the girls; the showers; boats; hens; nuts; the songs; the wives; the noises; houses; horses; old women; old men; books.

2. with the sheep (pl.); on the nests; with the spoons; on the feet; in the bushes; along with the sailors; in those opinions; in these saucers.

3. Did you put the knives on the table? 4. Did you wash the dishes? 5. Where are the farmers today? 6. These houses are near the road. 7. These rocks are dangerous. 8. Those stones are big. 9. Clean these pots and pans. 10. Open the windows.

Exercise 3

Read aloud and translate:

(a) Bha Màiri agus Seumas anns a' mhonadh an dé. Thug Seumas leis an t-slat-iasgaich agus thug Màiri leatha biadh ann am bascaid. Dh' fhàg iad an taigh tràth anns a' mhadainn. Bha an latha blàth, agus bha na h-eòin a' seinn anns na craobhan.

Nuair a ràinig iad am monadh, bha na cìobairean aig an fhang agus stad Màiri mionaid no dhà a' coimhead air na caoraich agus air na h-uain.

Thàinig iad gu allt agus thòisich Seumas air iasgach. Cha do ghlac Seumas breac ach fhuair Màiri nead anns an fhraoch. Bha trì uighean bòidheach anns an nead. Leum maigheach a mach as an fheur agus ruith i gu luath suas a' bhruthach.

Nuair a bha an t-acras air Màiri agus air Seumas, shuidh iad air tolman agus ghabh iad am biadh a bha aig Màiri anns a' bhascaid. Bha iad glé sgìth nuair a thàinig iad dhachaidh feasgar.

(b) *Ceistean air Calum:*

Sìne: Càit an robh Màiri agus Seumas an dé?
Calum: Anns a' mhonadh.
S.:   Dé thug Seumas leis o'n taigh?
C.:   Thug slat-iasgaich.
S.:   An tug Màiri slat-iasgaich leatha?
C.:   Cha tug.
S.:   An tug Màiri rud sam bith leatha?
C.:   Thug.
S.:   Dé thug i leatha?
C.:   Thug i leatha biadh ann am bascaid.
S.:   Cuin a dh'fhàg iad an taigh?
C.:   Tràth anns a' mhadainn.
S.:   Dé seòrsa latha a bha ann?
C.:   Bha an latha blàth.
S.:   Càit an robh na h-eòin a' seinn?
C.:   Anns na craobhan.
S.:   Càit an robh na cìobairean?
C.:   Aig an fhang.
S.:   Dé bha anns an fhang?
C.:   Caoraich.
S.:   Có stad aig an fhang?
C.:   Stad Màiri.
S.:   Carson a stad Màiri aig an fhang?
C.:   Bha i a' coimhead air na caoraich agus air na
        h-uain.
S.:   Dé rinn Seumas nuair a thàinig iad gu allt?
C.:   Thòisich e air iasgach.
S.:   An do ghlac Seumas breac?
C.:   Cha do ghlac.
S.:   Dé fhuair Màiri anns an fhraoch?
C.:   Fhuair Màiri nead anns an fhraoch.
S.:   An do leum rud sam bith a mach as an fheur?
C.:   Leum.
S.:   Dé leum a mach as an fheur?

Calum: Leum maigheach.
Sine: An do ruith am maigheach suas a' bhruth-
      ach?
C.: Ruith.
S.: Dé rinn Seumas agus Màiri nuair a bha an
      t-acras orra?
C.: Shuidh iad air tolman.
S.: An do ghabh iad am biadh?
C.: Ghabh.
S.: Càit an robh am biadh?
C.: Anns a' bhascaid.
S.: An robh iad sgìth nuair a thàinig iad dhachaidh?
C.: Bha.
S.: Cuin a thàinig iad dhachaidh?
C.: Thàinig iad dhachaidh feasgar.

LESSON 14

Demonstrative and Relative Pronouns

NOTES

1. Demonstrative Pronouns:

   "seo" or "so" (same pronunciation, sho) *this* (near at hand)

   "sin" (shin) *that* (further away)

   "siud" or "sud" (same pronunciation, shoot), *that* (yonder)

   "ud" (oot) is another form of "siud" with the same meaning.

   Examples:

   Tha seo math. *This is good.*
   Seo an duine. *This is the man.*
   Seo Màiri. *This is Mary.*
   Tha sin dubh. *That is black.*
   Sin an taigh. *That is the house.*
   Sin Calum. *That is Calum.*
   Siud a' bheinn. *That is (yonder is) the mountain.*
   Tha an duine seo trang. *This man is busy.*
   Tha an duine sin sgìth. *That man is tired.*
   e seo *this one* (referring to masculine noun)
   i seo *this one* (referring to feminine noun)
   iad seo *these* (ones)
   iad sin *those* (ones)

2. Relative Pronouns:

   There are three relative pronouns,

(a) a (a) *who, which* or *that*, e.g.:

Seo am fear *a* bha anns a' chàr.
This is the man who *was in the car*.

(b) na (na) *what, that which* or *all that*, e.g.:

Cum *na* fhuair thu.
Keep what (all that) *you got*,

(c) nach (na<u>ch</u>) *who ... not, which ... not* or
that ... not, e.g.:

Seo an gille *nach* robh anns an sgoil an dé.
This is the boy who *was* not *in the school yesterday*.

After prepositions, the relative pronoun "a" takes
the form "an" ("am" before b, f, m, p) with the
dependent form of the verb, e.g.:

Seo an cnoc *air an* robh am fiadh.
This is the hill on which *the deer was*.

Càit a bheil am peann *leis an* robh mi a' sgrìobhadh?
Where is the pen with which *I was writing?*

An e seo am bocsa *anns an* robh na leabhraichean?
Is this the box in which *the books were?*

Chaill mi an sgian *leis an* do gheàrr mi an t-aran.
I lost the knife with which *I cut the bread*.

3. Note the use of the *relative* future of the verb, e.g.:

a bhitheas (ə vē-əs) *who, which, that will be*
a thogas (ə hōk-əs) *who, which, that will lift*
na bhitheas *what will be*

Note also that the relative future is used with the
conditional conjunction "ma" (ma) *if*, e.g.:

Bithidh mi aig an tràigh am màireach *ma bhitheas*
latha math ann.
I shall be at the beach tomorrow if it *is* (will be) *a
good day*.

Cha bhi sinn fadalach *ma ruitheas* sinn do'n sgoil.
We shall not be late if *we* (shall) run *to the school.*

VOCABULARY

doirbh (dər-əv) *difficult*
soirbh (sər-əv) *easy*
roinn (roinn) *divide* (root)
tinn (cheenn) *ill*
cosg (kosk) *spend* (money) (root)
crann (kraun) m. *mast*
turus (toor-əs) m. *journey*
ubhal (oo-əl̪) f. *apple*
ùbhlan (ōōl̪-ən) *apples*
cuman (koom-ən) m. *pail, milking-pail, bucket*
gheibh (yāv) *shall, will get* (irreg.)
lìon (lleeən) f. *net*
lìn (lleen) *nets*
lasadan (l̪as-at-ən) m. *match*
cóig bliadhna (kōik blēə-nə) *five years*
a chur (ə choor) *to put, to send*
cuidich (kooch-ēch) *help* (root)
tòisich (tawsh-ēch) *begin, start* (root)
cho luath (chō l̪ooə) *so fast*
làrach (l̪aar-əch) f. *site* (of a building)
faigh (fī) *get, find* (irreg.) (root)
can (kan) *say* (root)
facal (fachk-əl̪) m. *word*
cluinn (kl̪ooinn) *hear* (irreg.) (root)
cluich (kl̪ooēch) *play* (root)
gluais (gl̪ooəsh) *move* (root)
leugh (llāv) *read* (root)
àite (aach-ə) m. *place*

Exercise 1
Read aloud and translate:
1. Tha an t-uisge seo fuar. 2. Seo Calum agus sin

Màiri. 3. Siud am peann. 4. Seo an tubhailte agus sin an truinnsear. 5. Tha seo doirbh ach tha sin soirbh. 6. Tha Màiri a' fuireach anns an taigh sin. 7. Có leis an taigh seo? Sin an taigh aig Calum. 8. An e seo am balach a ruith do'n bhùth? 'S e. 9. Có nach eil a' dol do'n eaglais an diugh? 10. Seo an gille nach robh anns an sgoil an dé. 11. Có a thogas a' chlach seo? 12. Roinn iad na fhuair iad de iasg. 13. Seo a' chaileag a bha tinn an dé. 14. Chosg e na bha aige de airgead anns an sporan. 15. Có a chuireas suas an crann anns a' bhàta? 16. Bha an turus fada agus cha robh duine nach robh sgìth. 17. Cuir na cheannaich thu anns a' bhascaid. 18. Chruinnich iad na bha de ùbhlan air a' chraoibh. 19. Bha iad seo fadalach an diugh. 20. Seo an cuman anns an cuir thu am bainne. 21. Tha iad seo trang ag obair ach chan eil iad sin ag obair. 22. Ma bhitheas an t-uisge ann am màireach cha bhi mi anns an sgoil. 23. Gheibh sinn iasg an seo ma chuireas sinn na lìn. 24. Seo an abhainn air an robh mi ag iasgach an dé agus seo an linne anns an do ghlac mi am breac.

Exercise 2

Put into Gaelic:

1. What is that? 2. What is this? 3. This one is big but that one is small. 4. Is this the boy who was late today? 5. This is Mary and that is Calum. 6. There are sheep on yonder mountain. 7. Who will put a match to the fire? 8. These trees are tall but those are small. 9. Is this the man who lost his dog? 10. This is the car that I bought yesterday. 11. He took home what he got. 12. Get a basket that will hold (keep) these. 13. This is the boy who will be five years (old) tomorrow. 14. Where is the boy who was not at school (in the school) yesterday? 15. These are the boys who were fishing today.

LESSON 15
Interrogatives

1. Có (kō) *Who?*

   The following examples of the uses of "có" should be carefully noted:

   Có e? *Who is he?*

   Có leis? *Whose?*

   Có dhiubh? (kō ū) *Which of them?* (generally of two)

   Có aca? *Which of them?* (generally of many)

   Có as? (kō as) *Whence?*

   Có as a thàinig sibh? *Where did you come from?*

2. Cia (kā) *Which?*—now rarely used except in combination, e.g.:

   Cia mheud? (kā vāət or kā vēət) *How many?*
   Cia lìon? (kā lleeən) *How many?*

   "Cia mheud" and "cia lìon" take the singular of the noun, e.g.:

   Cia mheud each a tha anns a' phàirc?
   How many horses are in the park?

   Ciamar (kem-ar) *How?*

   Ciamar a tha thu an diugh? Ciamar a nì thu sin?
   How are you today?   *How will you do that?*

   Càit (kaach) *Where?*

   Càit an robh e? Càit am bi sibh am màireach?
   Where was it? *Where will you be tomorrow?*

(Note that "càit" is followed by the dependent verb form.)

Cuin (kooin)   *When?*

Cuin a bha iad an sin?   Cuin a thogas tu e?
When were they there?   *When will you build it?*

3. Ciod (kēət)   *What? How?*

Ciod e?   *What is it?*—now seldom used except in the forms "gu dé" (goo jā) or simply "dé", the latter being the more acceptable modern form, e.g.:

Dé tha seo?   Dé bha ceàrr?
What is this?   *What was wrong?*

Dé cho àrd 's a bha am balla?

How high was the wall (lit. *how so high and was the wall*)?

Carson (kar-son')   *Why?* (derived from "ciod airson")

Carson a tha i aig an taigh?
Why is she at home?

4. All the above can be used non-interrogatively, e.g.:

Chunnaic Calum có bha anns a' bhàta.
Calum saw who was in the boat.

Dh'innis i cia mheud each a bha ann.
She told how many horses there were.

Chunnaic iad dé bha ceàrr.
They saw what was wrong.

VOCABULARY

nì (nee)   *shall, will do* (irreg.)
tha fios agam (ha fēs ak-əm)   *I know* (lit. *knowledge is at me*)
ad (at) f.   *hat*

tu (too)   *you* (primary form of more usual "thu")
am faca tu (əm fa<u>ch</u>k-ə too)   *did you see?* (irreg.)
chan fhaca (<u>ch</u>an a<u>ch</u>k-ə)   *did not see*
có aig (kō ek)   *at whom?*
fios (fēs) m.   *knowledge*
geall (geau<u>l</u>) m.   *wager, bet*
idir (ēch-ir)   *at all*
uair (ooer) f.   *time, hour, o'clock*
bris (brēsh)   *break* (root)
marbh (mar-əv)   *kill* (root)

Exercise 1

Read aloud and translate:

1. Có tha seo? 2. Có tha siud? 3. Có tha sin? 4. Có tha
aig an dorus? 5. Có chaidh do'n bhùth? 6. Có chuir
suas an seòl? Chuir Calum. 7. An robh Seumas agus
Seònaid anns an sgoil an diugh? Bha. Có dhiubh a
thàinig dhachaidh tràth? Thàinig Seònaid. 8. An robh
a' chlann a' cluich an diugh? Bha. Có aca bha a'
cluich anns an achadh? Bha na gillean. 9. Có leis an ad
seo? Tha le Alasdair. 10. Am faca tu có bha anns a'
chàr? Chunnaic; b'e Iain a bha anns a' chàr. 11. Am
faca tu có bha còmhla ri Calum anns an eaglais an dé?
Chan fhaca. 12. Cia mheud ugh a tha anns an nead?
Tha trì uighean anns an nead. 13. Seall có tha aig an
dorus. 14. Cia mheud bó a tha aig Calum am bliadhna?
15. Có aig a tha an cù dubh? Tha aig Calum. 16. Có
aig a tha sgian? Tha sgian agamsa. 17. Có aig a tha
fios dé nì na daoine seo? 18. Cia mheud ubhal a tha
anns a' bhascaid? Tha cóig ùbhlan anns a' bhascaid.
19. Có air a tha an còta dearg? Tha air Màiri. 20. A
bheil fios agad có thog an taigh seo? Chan eil. 21. Am
faca tu có chruinnich na caoraich? Chunnaic. 22.
Dé an geall a chuireas tu? Cha chuir mi geall idir. 23.
Dé an uair a tha e? Tha e trì uairean.

Exercise 2

Put into Gaelic:

1. Who is that? 2. What is this? 3. Who is yonder? 4. Who is she? 5. Who is he? 6. Who are they? 7. Which of them is in the field? 8. Whose is this dog? 9. How many birds are on the lawn? 10. Are James and Janet out playing? Yes. Which of them went to the shop? Janet went. 11. What is Alasdair doing today? He is working in the field. 12. Do you know who broke the window? No. 13. What time is it now? It is six o'clock. 14. Whose is the horse in this park? 15. How many deer did the hunters kill?

Indefinite Pronouns

NOTES

The indefinite pronouns are as follows:

Càch (kaa<u>ch</u>)   *the rest, others,* e.g.:

Chaidh càch dhachaidh.
The rest (or *the others*) *went home.*

Càch-a-chéile (kaa<u>ch</u> ə <u>ch</u>ayl-ə)   *each other, one an-
other,* e.g.:

Bha iad a' bruidhinn ri càch-a-chéile.
They were speaking to each other.

Cuid (kooch)   *some, others, share,* e.g.:

Tha cuid aca anns a' mhonadh ·agus cuid eile aig a'
chladach.
Some of them are on the moor and others at the shore.

Seo mo chuid-sa.
This is my share.

Cuideigin (kooch-ik-in)   *someone,* e.g.:

Tha cuideigin aig an dorus.
Someone is at the door.

Feareigin (fer-ik-in)   *someone* (m.)
Té-eigin (chā-ik-in)   *someone* (f.)
Rudeigin (root-ik-in)   *something,* e.g.:

Tha feareigin anns a' bhàta.
Someone is in the boat.

Gin (gin)   *anyone, anything, any,* e.g.:

Chan eil gin anns a' bhocsa.
There is none in the box.

Càil (kaail) *anything*
Dad (dat) *anything*, e.g.:

Chan eil càil ceàrr air Calum.
There is nothing wrong with Calum.

Rud sam bith (root səm bē) *anything*, e.g.:

A bheil rud sam bith anns a' bhocsa?
Is there anything in the box?

Có air bith (kō ār bē) *whoever, who in the world*
Có sam bith (kō səm bē) *whoever, who in the world*
Fear sam bith (fer səm bē) *anyone*

Uile (ooil-ə) *all*, e.g.:

Tha iad uile fadalach.
They are all late.

A h-uile fear (ə hooil-ə fer) *everyone* (used distributively)
Na h-uile (na hooil-ə) *everyone, all* (used collectively), e.g.:

Tha a h-uile fear ag obair gu trang.
Everyone is working busily.

Tha na h-uile anns an eaglais.
All are in the church.

Feadhainn (feagh-inn) *some*, e.g.:

Tha feadhainn aca a' fuireach anns a' bhaile an nochd, agus feadhainn eile a' tighinn dhachaidh.
Some of them are staying in the town tonight and (some) others are coming home.

VOCABULARY

eile (ay-lə) *other*
a nuas (ə nooəs) *down, downward*
a' feuchainn ri (ə fāch-inn rē) *competing with*
glic (glēchk) *wise*

gòrach (gawr-əch) *foolish*

an tòir air (ən tawir ār) *in search of*

cumhachd (koo-əchk) m. *power*

thubhairt (hoo-ərsch) *said* (irreg.)

gu (goo) *that* (conj.)

am faic thu (əm fīchk oo) *can, will you see?* (irreg.)

chì (chee) *can, will see*

na (na) *the* (pl. form of definite article, nominative
and dative cases)

suiteis (sooit-ish) m. *sweets*

ceart (kearst) *right, correct*

creid (krāch) *believe* (root)

tha fios aig na h-uile (ha fēs ek na hooil-ə) *everyone
knows* (lit. *there is knowledge at everyone*)

chan eil fios agam (cha nnāl fēs ak-əm) *I do not know*
(lit. *there is not knowledge at me*)

gun d'ràinig daoine (goon draan-ik doeuin-ə) *that
men reached*

ceàrr air (keaar ār) *wrong with*

talla (tal-ə) m. *hall*

a' gluasad (ə glooəs-ət) *moving*

feumaidh (fām-ē) *must*

feumaidh mi (fām-ē mē) *I must*

a dhèanamh (ə yen-əv) *to do*

cunnart (koon-ərst) m. *danger*

uaireannan (ooer-ən-ən) *sometimes*

Exercise 1

Read aloud and translate:

1. Thàinig Calum agus Màiri dhachaidh ach càit a
bheil càch? Tha càch a' cluich anns an achadh. 2. Bha
iad a' feuchainn ri càch-a-chéile. 3. Tha feadhainn
glic agus feadhainn gòrach. 4. Tha cuid an tòir air
airgead agus cuid eile an tòir air cumhachd. 5. Seo
mo chuid-sa agus sin do chuid-sa. 6. Thubhairt
cuideigin gu robh Alasdair ag iasgach. 7. Am faic thu

cuideigin a' tighinn a nuas an rathad? Chì. 8. Chì mi té-eigin a' tighinn a mach as a' bhùth. 9. Càit a bheil na suiteis: chan eil gin anns a'bhocsa seo? 10. Bha na gillean a' ruith càch-a-chéile. 11. Dé tha thu ag iarraidh? Chan eil càil. 12. Có air bith a thubhairt sin, cha robh e ceart. 13. Fear sam bith a chreideas sin, tha e glé ghòrach. 14. Tha iad uile air an rathad do'n sgoil. 15. Chan e a h-uile fear a sheòlas bàta. 16. Tha fios aig na h-uile gun d'ràinig daoine a' ghealach. 17. Tha rudeigin ceàrr air a' chù seo. 18. Tha cuideigin a' seinn anns an talla. 19. Chuala mi rudeigin a' gluasad anns a' choille. 20. Dé rud a bhris an uinneag? Chan eil fios agam, ach bhris rudeigin i. 21. Tha feadhainn de na gillean a' cluich anns an achadh: tha càch anns an sgoil. 22. Feumaidh cuideigin seo a' dhèanamh. 23. Tha fear sam bith a nì sin ann an cunnart. 24. A bheil na gillean uile aig a' chladach? Chan eil; tha feadhainn aca anns an sgoil.

Exercise 2

Put into Gaelic:

1. Are all the boys swimming today? 2. Where are the rest? 3. Some of them are in the school. 4. There is someone in this house. 5. This is my share. 6. The children are chasing each other in the park. 7. Is there anyone at the door? 8. There is someone on yonder hill. 9. Someone (f.) is coming up the road. 10. There is none in the shop. 11. The others are going home. 12. Everyone is busy today. 13. Whoever said that, (he) was wrong. 14. All are wrong sometimes. 15. No one will believe that. 16. Everyone knows that. 17. They were not all late. 18. Someone must do the work. 19. There is something in this hole. 20. There is nothing wrong with Iain.

The Genitive Case of Masculine Nouns

NOTES

As an alternative to expressing *possession* by the use of "aig" (see Lesson 4), possession is expressed by making a change in the word itself, thus forming what is known in Gaelic as the genitive case, which corresponds to the possessive case in English.

The genitive singular of *masculine* nouns should present little difficulty as, in general, the process is one with which the learner is already familiar. The directions given in this lesson should therefore be compared with directions given for the formation of plurals (Lesson 13) and are as follows:

1. Insert "i" after last broad vowel, e.g.:

    ceann cait (keaun kahch)   *a cat's head*
    ceann a' chait (keaun ǝ <u>ch</u>ahch)   *the cat's head*
    (Note aspiration *with* the article.)

2. The genitive plural of masculine nouns of this group is the same as the primary form of the word, and the definite article is "nan" *of the* or "nam" before b, f, m, p, e.g.:

    cinn nan cat (kēnn nan kaht)   *the heads of the cats* (*the cats' heads*)
    cinn chat (kēnn <u>ch</u>aht)   *cats' heads* (Note aspiration when possession is expressed *without* the article. Note also that the article is not used at any time with the *governing* word.)

3. Nouns governing the genitive case cannot themselves be in the genitive, e.g.:

spòg cat Sheumais
James's cat's paw

NOT spòg cait Sheumais

VOCABULARY

briste (brēsh-chə)   *broken*
spòg (spawk) f.   *paw, claw*
nan, nam (nan, nam)   *of the* (pl.)
éirich (ayr-ēch)   *rise* (root)
crò (kraw) m.   *fold, pen*
earball (ear-əp-əl) m.   *tail*
dìrich (jeer-ēch)   *climb* (root)
mullach (mool̠-əch) m.   *top*
chon (chon)   *to, towards* (governs gen. case)
bonaid (bon-ech) f.   *bonnet, cap*
Albannach (al̠-əp-ən-əch) m.   *a Scotsman*
Sasunnach (sas-ən-əch) m.   *an Englishman*
an Albannaich (ən al̠-əp-ən-ēch)   *of the Scotsman*
an t-Sasunnaich (ən tas-ən-ēch)   *of the Englishman*
tonn (taun) m.   *wave* (treated as f. in plural)
cuan (kooən) m.   *ocean*
a' briseadh (ə brēsh-əgh)   *breaking*
Dòmhnullach (daw-nəl̠-əch)   *Macdonald*
an Dòmhnullaich (ən daw-nəl̠-ēch)   *of the Macdonald*
pìos (peeəs) m.   *piece*
bascaidean (bask-ech-ən)   *baskets*
boireannach (boir-ən-əch) m.   *woman*
a' bhoireannaich (ə voir-ən-ēch)   *of the woman*
caoraich (koeur-ēch)   *sheep* (pl.)
ri iasgach (rē ēəsk-əch)   *at (the) fishing*
giomach (giəm-əch) m.   *lobster*
a' ghiomaich (ə yiəm-ēch)   *of the lobster*
solus (sol̠-əs) m.   *light*

an t-soluis (ən toḻ-ēsh)   *of the light*
cluas (kḻooəs) f.   *ear*
cinn (kēnn)   *heads*
dùn (doon) m.   *fort*
an dùin (ən dooēn)   *of the fort*
fonn (faun) m.   *tune, chorus*
greim (grāəm) m.   *bite*
aois (oeush) f.   *age*
sgiath (skēə) f.   *wing*
sgiathan (skēə-ən)   *wings*
gunnachan (goon-əch-ən)   *guns*
arm (ar-əm) m.   *army*
a' chait (ə chahch)   *of the cat*
a' bhàird (ə vaarch)   *of the poet*
ròin (rawin)   *of a seal*
an doruis (ən dor-ish)   *of the door*
an òir (ən awir)   *of the gold*
a' bhodaich (ə vot-ēch)   *of the old man*
an t-saoir (ən toeuir)   *of the joiner*
a' bhalaich (ə vaḻ-ēch)   *of the boy*
arain (ar-en)   *of bread*
Cnoc an Fhraoich (knochk ən roeuich)   *Hill of the
    Heather*
Chaluim (chaḻ-ēm)   *of Calum*
an uain (ən ooen)   *of the lamb*
an t-saoghail (ən toeu-ēl)   *of the world*
deàrrsadh (jaars-əgh) m.   *shining*

Exercise 1

Read aloud and translate:

1. Tha cas a' chait briste. 2. Glan spògan nan cat.
3. Seo leabhar a' bhàird. 4. Chunnaic mi leabhraichean
nam bàrd air a' bhòrd. 5. Dh'éirich ceann ròin a mach
as a' mhuir. 6. Chì mi sgeir nan ròn. 7. Tha rudeigin
ceàrr air glas an doruis seo. 8. Seo crò nan uan. 9. Tha

earball an uain fada. 10. Dhìrich sinn gu mullach an dùin. 11. Tha dath an òir air an adhar an dràsda. 12. Choisich e chon an doruis. 13. Am faca tu bata a' bhodaich? 14. Fhuair mi òrd an t-saoir.* 15. An e seo bonaid an Albannaich? Chan e; sin bonaid an t-Sasunnaich.* 16. Càit an do chuir sibh leabhraichean nam balach? 17. An e seo brògan a' bhalaich? 'S e. 18. Tha tonnan a' chuain a' briseadh air a' chladach. 19. An e seo each an Dòmhnullaich? 'S e. 20. Fhuair an gille beag pìos arain. 21. Gheibh sinn bascaidean bhoireannach anns a' bhùth seo. 22. Càit a bheil bascaid a' bhoireannaich seo? 23. Bha na caoraich air Cnoc an Fhraoich. 24. Bha iad ri iasgach nan giomach. 25. Tha spògan a' ghiomaich mór. 26. Chunnaic mi deàrrsadh an t-soluis.* 27. Seo each Chaluim.† 28. Seo slat Sheumais,† an t-iasgair,‡ agus seo cù Chaluim,† an tuathanach.‡

* Masculine nouns beginning with "s" followed by a vowel, l, n or r take "an t-" as definite article in the genitive singular.

† Masculine *proper names* are aspirated in the genitive case, while feminine ones are not, e.g. "cù Sheumais" (koo hā-mish) *James's dog*, but "cù Màiri" *Mary's dog;* "ad Phàdraig" (at faad-rik) *Patrick's hat*, but "ad Sìne" (at shee-nə) *Jean's hat.*

‡ A noun in apposition (i.e. explanatory of or describing another noun in the genitive case) is *not* itself in the genitive case, but in the nominative, e.g. "Seo mac Sheumais, am bàrd." *This is the son of James, the poet.*

Exercise 2

Put into Gaelic:

1. The cat's paw. 2. The cats' paws. 3. The ear of the lamb. 4. The head of a poet. 5. The head of the poet. 6. The heads of the poets. 7. The lamb's legs. 8. The top of the fort. 9. The lock of the door. 10. The waves of the ocean. 11. The tune of this song. 12. The Scotsman's coat. 13. The Englishman's hat. 14. A bite

of bread. 15. The lobster's claw. 16. The age of the world. 17. The poet's song. 18. The songs of the poets. 19. The key of the door. 20. The wings of the doves. 21. The guns of the army.

The Genitive Case of Masculine Nouns (continued)

NOTES

1. A number of masculine nouns form their genitive singulars by changing "a" into "ui", e.g.:

   càrn (kaarn) *a cairn*
   cùirn (kōōirn) *of a cairn*
   an càrn *the cairn*
   a' chùirn (ə chōōirn) *of the cairn*

2. An important number of masculine nouns form their genitive singulars by changing "o" into "ui", e.g.:

   bòrd (bawrd) *a table*
   bùird (bōōrj) *of a table*
   am bòrd *the table*
   a' bhùird (ə vōōrj) *of the table*

3. As stated in Lesson 17, Note 2, the genitive plural of the above groups retains the primary form of the word, and the definite article is "nan" or "nam" before b, f, m, p, e.g.:

   clachan nan càrn *the stones of the cairns*
   clachan chàrn *stones of cairns*
   casan nam bòrd *the legs of the tables*
   casan bhòrd *legs of tables*

VOCABULARY

ri taobh (rē toeuv) *beside, at the side of* (governs gen. case) an uillt (ən ooēlch) *of the stream*

torman (tor-ə-mən) m. *murmur*

a' togail an fhuinn (ə tōk-el ən ooinn) *raising the chorus*

duilleag a' bhùird (dooill-ak ə vōoirj) *the leaf of the table*

a' suidheachadh (ə sooē-əch-əgh) *setting* (governs gen. case)

seirm (shār-əm) f. *ring, sound*

clag (kḷak) m. *bell*

fuaim a' chluig (fooām ə chḷooik) *the sound of the bell*

chuala (chooə-ḷə) *heard* (irreg.)

'na sheasamh (na hās-əv) m. *standing* (lit. *in his standing*)

mullach a' chnuic (mooḷ-əch ə chnooichk) *the top of the hill*

is toigh leam (is toē leəm) *I like* (lit. *it is pleasing with me*)

a bhith (ə vē) *to be*

a' siubhal (ə shoo-əḷ) *traversing* (governs gen. case)

buaile (booəl-ə) f. *fold* (for sheep or cattle)

a dh'iarraidh (ə yēər-ē) *to look for* (infinitive of verb, governs gen. case)

a dh'iarraidh a' chruidh (ə yēər-ē ə chrooē) *to fetch the cattle*

cas an ùird (kas ən ōoirj) *the shaft of the hammer*

beul an tuill (bāəḷ ən tooill) *the mouth of the hole*

bàrr (baar) m. *top, crest* (of a wave)

bàrr an tuinn (baar ən tooinn) *the crest of the wave*

a' cìreadh (ə keer-əgh) *combing* (governs gen. case)

a (a) *her* (does not aspirate)

a' cìreadh a fuilt (ə keer-əgh a fooilch) *combing her hair*

dòrn (dawrn) m. *fist*

cùl (kōoḷ) m. *back, rear*

cùl an dùirn (kōōḷ ən dōōirnn) *the back of the fist*
argumaid (ar-əg-əm-ech) f. *argument*
bualadh dhòrn (booəḷ-əgh g̱hawrn) m. *fisticuffs*
a’ cunntas (ə koon-təs) *counting* (governs gen. case)
bonn (baun) m. *coin*
geumnaich (gām-nēc̱h) f. *lowing* (of cattle)
olc (oḷk) m. *evil*
uilc (ooilk) *of evil*

Exercise 1

Read aloud and translate:

1. Seo an càrn. 2. Shuidh Calum air mullach a’ chùirn.
3. Tha an t-allt seo mór. 4. Tha a’ chlann a’ cluich ri
taobh an uillt. 5. Is toigh leam torman nan allt. 6. Tha
fonn briagha air an òran sin. 7. Tha iad a’ togail an
fhuinn. 8. Tha am bòrd seo mór. 9. Tog duilleag a’
bhùird. 10. Tha na caileagan a’ suidheachadh nam
bòrd. 11. Seirm an clag. 12. Chuala mi fuaim a’
chluig. 13. Tha an cnoc sin àrd. 14. Tha Calum ’na
sheasamh air mullach a’ chnuic. 15. Is toigh le Calum
a bhith a’ siubhal nan cnoc. 16. Tha crodh anns a’
bhuaile. 17. Chaidh Alasdair a dh’iarraidh a’ chruidh.
18. Tha an t-òrd sin trom. 19. Càit a bheil cas an ùird?
20. Tha an toll seo mór. 21. Sheas sinn aig beul an
tuill. 22. Chì mi faoileag air bàrr an tuinn. 23. Thàinig
mi faisg air a’ mhuir agus chuala mi fuaim nan tonn.
24. Tha falt briagha air Màiri. 25. Tha Màiri a’
cìreadh a fuilt. 26. Dé tha ceàrr air cùl an dùirn agad?
27. Thàinig an argumaid gu bualadh dhòrn. 28. Tha
an dòrn seo cruaidh le obair.

Exercise 2

Put into Gaelic:

1. This is the table. 2. Calum sat beside the table.
3. The legs of the tables. 4. Beside the cairn. 5. Beside

the burn. 6. Alasdair is counting the coins (i.e. Alasdair is at the counting of the coins). 7. The murmur of the burn. 8. The crest of the wave. 9. The top of the hill. 10. The lowing of the cattle. 11. The shaft of the hammer. 12. The shafts of the hammers. 13. The sound of the waves. 14. The back of the fist. 15. The fear of evil.

The Genitive Case of Masculine Nouns (continued)

NOTES

1. Some masculine nouns form the genitive singular by making changes as follows:

    (a) "eu" to "eoi", e.g.:

    beul (bāəl)   *a mouth*   beòil (beawil)   *of a mouth*

    (b) "ea" to "ei", e.g.:

    each (eə<u>ch</u>)   *a horse*   eich (ā<del>e</del><u>ch</u>)   *of a horse*

    (c) "ea" to "i", e.g.:

    ceann (keaun)   *a head*   cinn (kēnn)   *of a head*

2. The formation of the genitive plural in the above three groups follows the same rule as in the last two lessons, e.g.:

    nam beul
    of the mouths

    nan each
    of the horses

    nan ceann
    of the heads

    casan each
    horses' legs

VOCABULARY

Gaidheal (gaē-əl̩) m.   *Gael, Highlander*
an eòin (ən eawin)   *of the bird*
gob (gōp) m.   *beak, nib, point*
gopan (gōp-ən)   *beaks, nibs, points*
ag ithe (ə kē<u>ch</u>-ə)   *eating, at eating* (governs gen. case)
an fheòir (ən eawir)   *of the grass*

diallaid (jē-əl̯-ich) f.   *saddle*
caisteal (kash-chəl̯) m.   *castle*
a' chaisteil (ə chash-chel)   *of the castle*
dùthaich (dōō-ēch) f.   *country*
aosda (oeus-tə)   *ancient, old*
bàgh (baaəgh) m.   *bay*
coileach (kōil-əch) m.   *cock, cockerel*
cìrean (keer-en) m.   (*cock's*) *comb*
a chinn (ə chēnn)   *of his head*
a cinn (a kēnn)   *of her head*
prìs (preesh) f.   *price*
a' bhric (ə vrēchk)   *of the trout*
naidheachd (nī-əchk) f.   *news, story*
facal beòil (fachk-əl̯ beawil)   *word of mouth*
a' gearradh (ə gear-əgh)   *cutting, at cutting* (governs
    gen. case)
éideadh (ay-chəgh) m.   *dress*
barran (bar-ən)   *tops*
móran (mōr-ən)   *many* (governs gen. case)
móran pheann (mōr-ən feaun)   *many pens*
a' sileadh (ə shēl-əgh)   *shedding, at shedding* (governs
    gen. case)
deur (jār) m.   *tear, tear-drop*
fitheach (fē-əch) m.   *raven*

Exercise 1

Read aloud and translate:

1. Tha an t-eun seo bòidheach. 2. Tha rudeigin ceàrr
air gob an eòin seo. 3. Tha feur gu leòr an seo. 4. Tha
an crodh ag ithe an fheòir. 5. Tha an t-each seo mór.
6. Seo diallaid an eich. 7. Tha an caisteal seo aosda.
8. Seo Bàgh a' Chaisteil. 9. Tha an Gaidheal math
anns a' mhonadh. 10. Seo dùthaich nan Gaidheal.
11. Tha an coileach sin briagha. 12. Tha cìrean a'
choilich air mullach a chinn. 13. 'S e Calum a ghlac am

breac. 14. Dé prìs a' bhric? 15. Tha mi a' dol gu
iasgach nam breac am bliadhna. 16. Fhuair mi an
naidheachd le facal beòil.

Exercise 2

Put into Gaelic:

1. The beak of the bird. 2. Cutting the grass (i.e. at the
cutting of the grass). 3. The colour of the grass. 4. The
horse's head. 5. A bird's wing. 6. The feathers of the
cockerel. 7. The tops of the heads. 8. By word of
mouth. 9. The dress of the Gael. 10. The horses'
heads. 11. Many pens. 12. The nibs of the pens. 13. The
pen nib (i.e. the nib of the pen). 14. Shedding tears.
15. The raven's feathers.

The Genitive Case of Masculine Nouns (continued)

NOTES

1. A small number of masculine nouns form their genitive cases as follows:

   (a) "ia" to "ei", e.g.:

   fiadh (fēǝgh)   *a deer*   féidh (fayē)   *of a deer*

   (b) "io" to "i", e.g.:

   lìon (lleeǝn)   *a net*   lìn (lleen)   *of a net*

   (c) "eo" to "iui", e.g.:

   seòl (shawl)   *a sail*   siùil (shūl)   *of a sail*

2. The formation of the genitive plural follows the regular rule, e.g.:

   nam fiadh   nan lìon
   of the deer (pl.)   *of the nets*

   nan seòl   sheòl
   of the sails   *of sails*

VOCABULARY

féidh (fayē)   *of a deer*

cròic (krawēchk) f.   *antlers*

iasgairean (ēǝsk-er-ǝn)   *fishermen*

a' roinn (ǝ roinn)   *dividing* (governs gen. case)

a' cur (ǝ koor)   *putting, planting, setting* (governs gen. case)

a chur (ǝ choor)   *to put, to plant, to set* (governs gen. case)

an t-sìl (ən cheel) *of the seed*
Niall (nnēəl) *Neil*
Nèill (nehl) *of Neil*
gu muir (goo mooir) *to sea*
long (ḷaungg) f. *ship*
bratach (braht-əch) f. *banner*
an t-siùil (ən chūl) *of the sail*
a' lìonadh (ə lleeən-əgh) *filling* (governs gen. case)
cliabh (klēəv) m. *creel*
a' chléibh (ə chlāv) *of the creel*
an éisg (ə nnayshk) *of the fish*
ceòl (keawḷ) m. *music*
ciùil (kūl) *of music*

Exercise 1

Read aloud and translate:

1. Tha am fiadh air a' bheinn. 2. Chunnaic mi cròic an fhéidh. 3. Tha iasg anns a' bhàta. 4. Bha na h-iasgairean a' roinn an éisg. 5. Seo Niall. 6. Seo leabhar Nèill. 7. Chaidh na h-iasgairean gu muir a chur nan lìon. 8. Tha sìol anns a' phoca sin. 9. Bha an tuathanach a' cur an t-sìl. 10. Long nan seòl. 11. Tha bratach bheag air bàrr an t-siùil. 12. Chuala mi fuaim a' chiùil. 13. Tha e a' cur an lìn. 14. Tha iad a' togail nan cliabh.

Exercise 2

Put into Gaelic:

1. The head of the deer. 2. The head of the fish. 3. Setting the net. 4. Sowing the seed. 5. The sound of music. 6. The top of the sail. 7. The sailing ship (i.e. the ship of the sails). 8. Lifting the creel. 9. Dividing the fish. 10. Neil's book. 11. Filling the creels.

The Genitive Case of Feminine Nouns

NOTES

1. A substantial proportion of feminine nouns form their genitive singulars in the same way as masculine nouns (see Lessons 17–20), *except that a final "e" is added*, e.g.:

   bròg (brawk)   *a shoe*
   bròige (brawik-ə)   *of a shoe*

2. The genitive singular of the definite article *with feminine nouns of all groups* is "na" ("na h-" before vowels), e.g.:

   na bròige   *of the shoe*

3. If the last vowel in the primary form of the word is "i", we simply add a final "e" to form the genitive singular, e.g.:

   eaglais (āk-ḷish)   *church*
   eaglaise (āk-ḷish-ə)   *of a church*

4(a) If the last vowel in the nominative singular is broad (a, o or u), nouns of this group form their genitive *plurals* in the same way as masculine nouns (i.e. the genitive plural is the same as the nominative singular), e.g.:

   nam bròg   *of the shoes*

(b) If, however, the last vowels is "i", the form in the

genitive plural is generally the same as the nominative plural, e.g.:

eaglaisean (āk-ḻish-ən) *churches*
nan eaglaisean *of the churches*
briogaisean (brēək-ish-ən) *trousers* (pl.)
nam briogaisean *of the trousers*

VOCABULARY

grèasaiche (greh-sē<u>ch</u>-ə) m. *shoemaker*
grèasaichean (greh-sē<u>ch</u>-ən) *shoemakers*
a' càradh (ə kaar-ə<u>gh</u>) *mending, repairing* (governs gen. case)
meanglan (meəng-gḻən) m. *branch*
meanglain (meəng-gḻen) *branches*
na craoibhe (na kroeuēv-ə) *of the tree*
a' cluinntinn (ə kḻooin-chin) *hearing* (governs gen. case)
gaoth (goeu) f. *wind*
na gaoithe (na goeuē-ə) *of the wind*
obair (ōp-ir) f. *work*
na slaite (na sḻa-chə) *of the rod*
crò na snàthaide (kraw na snaa-ech-ə) *the eye of the needle*
os cionn (os kūn) *above* (governs gen. case)
glùn (gḻo͞on) f. *knee*
glùine (gḻo͞oin-ə) *of a knee*
'na shuidhe (na hooē-ə) *sitting* (of a m. subject—lit. *in his sitting*)
bruach (brooə<u>ch</u>) f. *bank*
na bruaiche (na brooē<u>ch</u>-ə) *of the bank*
coineanach (konn-en-ə<u>ch</u>) m. *rabbit*
am measg (əm misk or əm mesk) *among* (governs gen. case)
ad (at) f. *hat*
na h-aide (na ha-chə) *of the hat*
tàillear (taall-er) m. *tailor*

snog (snok)   *nice, pretty*
ceist (kāshch) f.   *question*
na ceiste sin (na kāshch-ə shin)   *of that question*
glumag (gloom-ək) f.   *pool*
làir (laair) f.   *mare*
na làire (na laair-ə)   *of the mare*
laigh (lī)   *lie, lie down, settle* (root)
màs (maas) m.   *bottom*
na poite (na pohch-ə)   *of the pot*
a' glanadh (ə glan-əgh)   *cleaning* (governs gen. case)
a' ceangal (ə keng-gəl)   *tying, binding* (governs gen. case)
sguab (skooəp) f.   *sheaf*
sguaban (skooəp-ən)   *sheaves*
iuchraichean (ūch-rēch-ən)   *keys*
glaise (glash-ə)   *of a lock*
mìos nam pòg (meeəs nəm pawk) f.   *honeymoon* (*the month of kisses*)
tìr (cheer) f.   *land*
tìre (cheer-ə)   *of land*
sgeul (skāəl) f.   *story*
air feadh (ār fāəgh)   *throughout* (governs gen. case)
òigh (awē) f.   *maiden*
na h-òighe sin (na hawē-ə shin)   *of that maiden*
nan òighean (nan awē-ən)   *of the maidens*
muc (moochk) f.   *pig*
muice (mooichk-ə)   *of a pig*
feòil (feawil) f.   *flesh*
a' tughadh (ə too-əgh)   *thatching* (governs gen. case)
cruach (krooəch) f.   *stack*
na cruaiche (na krooich-ə)   *of the stack*
driamlach (drēəm-ləch) f.   *fishing line*
barrall (bar-əl) f.   (*shoe-*) *lace*
uaine (ooann-ə)   *green*
duilleach (dooill-əch) m.   *foliage*
doimhneachd (doi-nəchk) f.   *depth*

na sròine (na srawnn-ə)   *of the nose*
tuagh (tooəgh) f. *axe*
adharc (ə-ərk) f. *horn*
na h-adhairce (na hə-irk-ə)   *of the horn*
gruaidh (grooī) f. *cheek*
na gruaidhe (na grooī-ə)   *of the cheek*
làmh (ḷaav) f. *hand, handle*
làimhe (līv-ə) *of a hand, of a handle*
làmhan (ḷaav-ən) *hands, handles*
sreath (sre) f. *row, line*
maise (mash-ə) f. *beauty*
gnùis (gnōōsh) f. *face*
gnùise (gnōōsh-ə) *of a face*
dòchas (dawch-əs) m. *hope*
sìth (shee) f. *peace*
a' fuasgladh (ə fooəsk-ḷəgh) *resolving* (governs gen.
  case)
féis (faysh) f. *feast*
na féise (na faysh-ə) *of the feast*
latha (ḷa-ə) m. *day*
laithean (ḷaē-ən or ḷaēch-ən) *days*

Exercise 1

Read aloud and translate:

1. Tha an grèasaiche a' càradh na bròige. 2. Seo bùth
nam bròg. 3. Tha na grèasaichean a' càradh bhròg.
4. Meanglan na craoibhe. 5. Meanglain nan craobh.
6. Tha mi a' cluinntinn fuaim na gaoithe. 7. Cùl mo
làimhe. 8. Obair nan làmh. 9. Seo an t-slat aig Calum.
10. Bhris Calum bàrr na slaite. 11. Tha iad ri iasgach
nan slat. 12. Crò na snàthaide. 13. Os cionn na
glùine. 14. Tha an còta seo os cionn nan glùn. 15. Bha
e 'na shuidhe ri taobh na bruaiche. 16. Bha an coinean-
ach a' ruith am measg nam bruach. 17. Seo bùth nan
ad. 18. Tha an ad sin snog. 19. Seo bocsa na h-aide.

20. Seo briogais fhada. 21. Tha an tàillear a' càradh nam briogaisean. 22. Tha a' cheist sin doirbh. 23. Chan eil freagairt na ceiste sin soirbh. 24. Glumag na làire. 25. Laigh a' mhin air màs na poite. 26. Bha sinn a' glanadh nam poitean. 27. Tha iad a' ceangal nan sguab. 28. A bheil iuchraichean nan glas agad? 29. Chaill mi iuchair na glaise. 30. Mìos nam pòg. 31. Ràinig sinn tìr. 32. Chaidh an sgeul air feadh na tìre. 33. Tha falt na h-òighe sin briagha. 34. Seo tigh nam muc. 35. Feòil muice. 36. Tha na tuathanaich a' tughadh chruach. 37. Tha an t-eun air mullach na cruaiche. 38. Driamlach shlat. 39. Leabhar na caileige. 40. Taobh eile na glumaige. 41. Leabhraichean nan caileag. 42. Doimhneachd nan glumag. 43. Pinn nan òighean.

Exercise 2

Put into Gaelic:

1. The branch of the tree. 2. The shoe-lace (i.e. the lace of the shoe). 3. Those trees are high. 4. The foliage of the trees is green. 5. The sound of the wind among the trees. 6. The back of the hand. 7. The point of the rod. 8. The points of the rods. 9. The point of the nose. 10. The eye of the needle. 11. The shafts of the axes. 12. Shafts of axes. 13. The shaft of the axe. 14. The sound of the horn. 15. The colour of the cheek. 16. The house of the pig. 17. The house of the pigs. 18. Many pigs. 19. The beauty of the face. 20. The hope of peace. 21. Building the stack (i.e. at building of the stack). 22. Resolving the question. 23. Repairing the hat (i.e. at repairing of the hat). 24. The handle of the pot. 25. The handles of the pots. 26. The day of the feast. 27. The days of the feasts.

The Genitive Case of Feminine Nouns (continued)

NOTES

1. A number of feminine nouns form their genitive singular by vowel change (see Lessons 17–20) and, as in the last lesson, add a final "e", e.g.:

   cas (kas)   *leg, foot, shaft*
   coise (kōsh-ə)   *of a leg*

   cearc (keark)   *hen*
   circe (kēr-kə)   *of a hen*

   fearg (fer-ək)   *anger*
   feirge (fir-ik-ə)   *of anger*

   grian (grēən)   *sun*
   gréine (grayn-ə)   *of a sun*

   breug (brayk)   *a lie*
   bréige (brayk-ə)   *of a lie*

   crìoch (creeəch)   *boundary*
   crìche (kreech-ə)   *of a boundary*

   long (laungg)   *ship*
   luinge (looing-gə)   *of a ship*

2(a) In this group of feminine nouns, the genitive plural is the same as the nominative singular and the article, as always, is "nan" or "nam", e.g.:

   farum nan cas   *the noise of the feet*
   uighean nan cearc   *the eggs of the hens*
   port nan long   *the port of the ships*

(b) Without the article, the genitive plural is the
   same as the nominative singular aspirated,
   e.g.:

farum chas	*noise of feet*
uighean chearc	*hens' eggs*
port long	*a port of ships*

3. To form the nominative plural, add "an" to the
   nominative singular ("ean" if the last vowel is
   slender), e.g.:

na cearcan	*the hens*
na crìochan	*the boundaries*

VOCABULARY

calpa (kal̲-əp-ə) m. *calf* (of the leg)
bas (bas) f. *palm* (of the hand)
boise (bōsh-ə) *of the palm*
cloiche (kl̲oich-ə) *of a stone*
a' tilgeil (ə chēl-ik-el) *throwing*
cloinne (kl̲oinn-ə) *of children*
froise (frosh-ə) *of a shower*
frasan móra (fras-ən mōr-ə) *big showers*
coltas (kol̲t-əs) m. *appearance, look*
fearg (fer-ək) f. *anger*
a' blianadh (ə blēən-əgh) *sun-bathing, basking*
sgèithe (skeh-ə) *of a wing*
geur (gāər) *sharp*
sgeine (skān-ə) *of a knife*
ag innse (ə kēnn-shə) *telling*
breug (brayk) f. *lie*
geug (gayk) f. *branch, twig*
géige (gayk-ə) *of a branch, of a twig*
na h-eòin (na heawin) *the birds*
crìoch (kreeəch) f. *boundary, end*
farum (far-əm) m. *noise, sound, trampling*
làn (l̲aan) m. *fill*
gàradh (gaar-əgh) m. *wall, dyke, garden*

Exercise 1

Read aloud and translate:

1. Calpa na coise. 2. Làn na boise. 3. A' tilgeil na cloiche. 4. Tha iad a' togail nan clach. 5. Seo leabhraichean na cloinne. 6. Tha a' chlann a' cluich air an tràigh. 7. Tha frasan móra ann. 8. Tha mo chasan goirt. 9. Tha na clachan seo trom. 10. Eagal na froise. 11. Seo taigh nan cearc. 12. Itean na circe. 13. Coltas na feirge. 14. Tha coltas feirge air an duine sin. 15. Bha iad a' blianadh ann an teas na gréine. 16. Bàrr na sgèithe. 17. Tha sgiath mhór air an iolair. 18. Tha an sgian sin geur. 19. Iarann na sgeine. 20. Ag innse nam breug. 21. Tha an t-eun air bàrr na géige. 22. Shuidh na h-eòin air barran nan geug. 23. Seo gàradh na crìche. 24. Chì mi seòl na luinge. 25. Seo Port nan Long. 26. Cuir na sgeanan air a' bhòrd.

Exercise 2

Put into Gaelic:

1. The foot. 2. The palm (of the hand). 3. The stone. 4. The children. 5. The shower. 6. The hen. 7. The wing. 8. Of the foot. 9. Of the palm. 10. Of the stone. 11. Of the children. 12. Of the shower. 13. Of the hen. 14. Of the wing. 15. Of the feet. 16. Of the palms. 17. Of the stones. 18. Of the showers. 19. Of the hens. 20. Of the wings. 21. Of the branches. 22. The songs of the girls.

The Genitive Case of Feminine Nouns (continued)

NOTES

1. It is characteristic of feminine nouns ending in "ir" or "il" that to form the genitive case they leave out the final "i" or diphthongal part and *add* "ach" or "each", e.g.:

cathair (ka-er)   *a chair*
cathrach (kar-əch)   *of a chair*

dàil (daail)   *delay*
dàlach (daal-əch)   *of delay*

litir (lleech-ir)   *a letter*
litreach (lleech-rəch)   *of a letter*

2. The genitive plural of this small group of feminine nouns is the same as the *nominative plural* (see Lesson 13, Note 7), e.g.:

cathraichean   *chairs*
nan cathraichean   *of the chairs*
dàlaichean   *delays*
nan dàlaichean   *of the delays*
anailean   *rests*
nan anailean   *of the rests*

These genitive plurals, like all others, are aspirated when used without the article, e.g.:

chathraichean   *of chairs*
dhàlaichean   *of delays*

VOCABULARY

cathair (ka-er) f.   *chair*
cathrach (kar-əch)   *of a chair*
cathraichean (kar-ēch-ən)   *chairs*
dàil (daail) f.   *delay*
dàlach (daal-əch)   *of delay*
dàlaichean (daal-ēch-ən)   *delays*
còir (kawir) f.   *right, justice*
còrach (kawr-əch)   *of right*
iuchair (ūch-ir) f.   *key*
iuchrach (ūch-rəch)   *of a key*
iuchraichean (ūch-rēch-ən)   *keys*
litir (lleech-ir) f.   *letter*
litreach (lleech-rəch)   *of a letter*
litrichean (lleech-rēch-ən)   *letters*
anail (an-el) f.   *breath, rest*
analach (an-əl-əch)   *of a breath, of rest*
anailean (an-el-ən)   *breaths, rests*
luachair (looəch-ir) f.   *rushes*
luachrach (looəch-rəch)   *of rushes*
barail (bar-el) f.   *opinion*
baralach (bar-əl-əch)   *of opinion*
barailean (bar-el-ən)   *opinions*
machair (mach-er) f.   *field, plain*
machrach (mach-rəch)   *of a field*
machraichean (mach-rēch-ən)   *fields*
nathair (na-er) f.   *serpent*
nathrach (nar-əch)   *of a serpent*
nathraichean (nar-ēch-ən)   *serpents*
acair (achk-ir) f.   *anchor*
acrach (achk-rəch)   *of an anchor*
acraichean (achk-rēch-ən)   *anchors*
saothair (soeu-ir) f.   *labour*
saothrach (soeur-əch)   *of labour*
stiùir (schūir) f.   *rudder*

stiùireach (schūir-əch) *of a rudder*
stiùirichean (schūir-ēch-ən) *rudders*
suipeir (sooē-per) f. *supper*
suipeireach (sooē-per-əch) *of supper*
lagh (ləgh) m. *law*
céis (kaysh) f. *case, envelope*
giorrad (giər-ət) m. *shortness*
tom (taum) m. *heap, clump, hillock, tuft*
pliutha (plū-ə) m. *fluke* (of an anchor)
tuill (tooēll) *holes*
brìgh (bree) f. *substance, essence, meaning*
dhuinn (ghooēnn) *to us*
am dinnearach (aum jeenn-er-əch) *dinner-time* (*time
  of dinner*)
ailm (āl-əm) f. *helm*
as déidh (as jayē) *after* (governs gen. case)
beagan (bāk-ən) m. *a little, a few*
cùis (kōōsh) f. *business, affair*
cùise (kōōsh-ə) *of business*

Exercise 1
Read aloud and translate:

1. Cas na cathrach. 2. Casan nan cathraichean. 3.
Casan chathraichean. 4. Rinn sinn móran dàlach.
5. Bha dàil mhór anns a' chùis. 6. Lagh na còrach.
7. Toll na h-iuchrach. 8. Càit a bheil na h-iuchraichean?
9. Post na litrichean. 10. Céis na litreach. 11. Giorrad
na h-analach. 12. Ghabh sinn anailean gu leòr air an
rathad. 13. Tom luachrach. 14. Feur na machrach.
15. Tha an crodh air a' mhachair. 16. Ceann na
nathrach. 17. Pliutha na h-acrach. 18. Brìgh na
baralach. 19. Thug e dhuinn a bharail. 20. Am
dinnearach. 21. Thog iad an taigh le móran saothrach.
22. Ailm na stiùireach. 23. Cum do làmh air an
stiùir. 24. As déidh na suipearach. 25. Tuill nan
iuchraichean. 26. Bocsa nan litrichean. 27. Feur nam

machraichean. 28. Cinn nan nathraichean. 29. Brìgh nam barailean.

Exercise 2

Put into Gaelic:

1. The chair. 2. Of the chair. 3. Of the chairs. 4. Dinnertime (i.e. time of dinner). 5. A little rest (i.e. a little of rest). 6. Much delay. 7. The keyhole (i.e. the hole of the key). 8. A clump of rushes. 9. Delays. 10. Many delays. 11. The grass of the fields. 12. The substance of those opinions. 13. Of the serpent. 14. The big serpent. 15. Of the serpents. 16. Much labour. 17. Of the rudder. 18. After the supper.

Masculine and Feminine Nouns having Augment "a" in Genitive Singular

NOTES

1. A number of masculine and feminine nouns form their genitive singulars by adding "a" to the nominative singular, e.g.:

   pìob (peeəp) f. *a pipe*
   pìoba (peeəp-ə) *of a pipe*

   sruth (sroo) m. *a stream*
   srutha (sroo-ə) *of a stream*

2. Nouns of this group generally form their plurals by adding "an" to the nominative singular ("ean" if the last vowel is slender), e.g.:

   pìob (peeəp) *a pipe*
   pìoban (peeəp-ən) *pipes*

   sùil (sōoil) f. *an eye*
   sùilean (sōoil-ən) *eyes*

3. Generally, also, the genitive plural is the same as the nominative singular, e.g.:

   torman nan sruth *the murmur of the streams*
   ceòl nam pìob *the music of the pipes*

4. The following nouns in this group show irregularities:

   fiacaill (fēəchk-ill) f. *tooth*
   fiacla (fēəchk-lə) *of a tooth*

fiaclan (fēə<u>ch</u>k-lən)   *teeth*
nam fiaclan   *of the teeth*

lagh (lə<u>gh</u>) m.   *law*
    lagha (lə<u>gh</u>-ə)   *of a law*
    laghannan (lə<u>gh</u>-ən-ən)   *laws*
    nan laghannan   *of the laws*

druim (drooēm) m.   *back*
    droma (drōm-ə)   *of a back*
    dromannan (drōm-ən-ən)   *backs*
    nan dromannan   *of the backs*

ceum (kām) m.   *step*
    ceuma (kām-ə)   *of a step*
    ceumannan (kām-ən-ən)   *steps*
    nan ceumannan   *of the steps*

sùil (sōōil) f.   *eye*
    sùla (sōōl̠-ə)   *of an eye*
    sùilean (sōōil-ən)   *eyes*
    nan sùl (nan sōōl̠)   *of the eyes*

luch (loo<u>ch</u>) f.   *mouse*
    lucha (loo<u>ch</u>-ə)   *of a mouse*
    luchan (loo<u>ch</u>-ən)   *mice*
    nan luch   *of the mice*

gamhainn (ga-inn) m.   *stirk*
    gamhna (gau-nə)   *of a stirk*
    gamhna   *stirks*
    nan gamhna   *of the stirks*

Samhainn (sa-inn) f.   *All Souls' Day, 2nd November, November*
Oidhche Shamhna (ə̄ē<u>ch</u>-ə hau-nə)   *Hallowe'en*

VOCABULARY

pìob (peeəp) f.   *pipe, bagpipe*
pìoba (peeəp-ə)   *of a pipe*
pìoban (peeəp-ən)   *pipes*
chuala (<u>ch</u>ooəl-ə)   *heard* (irreg.)
sruth (sroo) m.   *stream*
srutha (sroo-ə)   *of a stream*
sruthan (sroo-ən)   *streams*
feum (fām) m.   *need*
feuma (fām-ə)   *of need*
tha feum agam   *I need*
tuilleadh (tooill-ə<u>gh</u>) m.   *more* (governs gen. case)
barrachd (bar-ə<u>ch</u>k) m.   *more* (governs gen. case)
fiodh (fēə<u>gh</u>) m.   *wood*
fiodha (fēə<u>gh</u>-ə)   *of wood*
dath (da) m.   *colour*
datha (da-ə)   *of colour*
dathan (da-ən)   *colours*
lach (<u>lach</u>) f.   *a wild duck*
lacha (<u>lach</u>-ə)   *of a wild duck*
lachan (<u>lach</u>-ən)   *wild ducks*
loch (<u>loch</u>) m.   *loch, lake*
locha (<u>loch</u>-ə)   *of a loch*
ceartas (kearst-əs) m.   *justice*
snàth (snaa) m.   *thread*
snàtha (snaa-ə)   *of thread*
speal (speal) f.   *scythe*
speala (speal-ə)   *of a scythe*
cabhag (kaf-ak) f.   *hurry*
am (aum) m.   *time*
ama (am-ə)   *of time*
dealbh (jeal-əv) f.   *picture*
dealbha (jeal-əv-ə)   *of a picture*
lorg (lor-ək) f.   *track, trace*
earb (er-əp) f.   *roedeer*

earba (er-əp-ə)   *of a roe*
earban (er-əp-ən)   *roes*
gleann (gleaun) m.   *glen*
cath (ka) m.   *battle*
catha (ka-ə)   *of a battle*
rosg (rosk) m.   *eyelash*
rosgan (rosk-ən)   *eyelashes*
taobh (toeuv) m.   *side*
pian (pēən) m.   *pain*
eachdraidh (eac̲h̲-trē) f.   *history*
beum (bām) m.   *a blow*
beuma (bām-ə)   *of a blow*
guth (goo) m.   *voice*
gutha (goo-ə)   *of a voice*
an (an)   *their*
a' glanadh (ə g̲l̲an-əg̲h̲)   *cleaning* (governs gen. case)
a' leantainn (ə llen-tinn)   *following* (governs gen. case)

Exercise 1

Read aloud and translate:

1. Chuala mi ceòl na pìoba. 2. Bha an t-iasgair ri
taobh an t-srutha. 3. Tha na sruthan bras. 4. Tha
feum agam air tuilleadh fiodha. 5. Beagan datha.
6. Gob na lacha. 7. Tha na lachan air an loch. 8. Chì
mi duine ri taobh an locha. 9. Ceartas an lagha. 10.
Tha feum agam air barrachd snàtha. 11. Bàrr na
fiacla. 12. Earball na lucha. 13. Fuaim a gutha. 14.
Iarann na speala. 15. Cabhag an ama seo. 16. Maise
na dealbha. 17. Lorg na h-earba. 18. Tha na h-earban
anns a' ghleann. 19. Prìs a' ghamhna. 20. Seo buaile
nan gamhna. 21. Tha na gamhna anns a' bhuaile.
22. Fuaim catha. 23. Thug e leis eallach a dhroma.
24. Rosg na sùla. 25. Rosgan nan sùl. 26. A' glanadh
nam fiaclan. 27. A' ruith nan luch. 28. A' leantainn
nan ceumannan.

Exercise 2

Put into Gaelic:

1. The head of the roe. 2. The heads of the roes. 3. The eyelash (i.e. the lash of the eye). 4. The sound of the bagpipe. 5. The side of the loch. 6. Among the lochs. 7. The book of the law. 8. The pain of this tooth. 9. The eye of the mouse. 10. The sound of her voice. 11. Noise of battle. 12. History of battles. 13. The sound of the blow. 14. Sound of a blow. 15. The noise of his step. 16. More need (i.e. more of need). 17. The tracks of the steps. 18. They put the bags on their backs.

Indeclinable Nouns and some Irregular Nouns

NOTES

1. Nouns ending in a vowel, "air" (denoting agents or instruments) or "chd" do not change, except for aspiration, in any case of the singular, e.g.:

am bàta (əm baat-ə) m. *the boat*
anns a' bhàta *in the boat*
seòl a' bhàta *the sail of the boat*
coille (koill-ə) f. *a wood*
aig a' choille *at the wood*
na coille *of the wood*
rìoghachd (ree-əchk) f. *kingdom*
anns an rìoghachd *in the kingdom*
na rìoghachd *of the kingdom*
iasgair (ēəsk-er) m. *a fisherman*
do'n iasgair *to the fisherman*
an iasgair *of the fisherman*

2. Nouns of this group have diverse forms in the plural, e.g.:

bàta *a boat*
bàtaichean *boats*
coille *a wood*
coilltean (koill-chən) *woods*
rìoghachd *a kingdom*
rìoghachdan *kingdoms*
iasgair *a fisherman*
iasgairean *fishermen*

cridhe (krē-ə) m.   *heart*
cridheachan (krē-əch-ən)   *hearts*
cnò   *nut*
cnòthan (knaw-ən)   *nuts*

3. In these groups of indeclinable nouns, the genitive
   plural is the same as the nominative and dative
   plural, e.g.:

   nam bàtaichean   *of the boats*
   nan coilltean   *of the woods*
   nan rìoghachdan   *of the kingdoms*

   aspirated, where possible, when there is no definite
   article, e.g.:

   iasgairean   *of fishermen*
   chridheachan   *of hearts*
   chnòthan   *of nuts*

4. The following show considerable irregularities:

   cù (kōō) m.   *dog*
   coin (koin)   *dogs*
   le cù   *with a dog*
   le coin   *with dogs*
   coin (koin)   *of a dog*
   chon (chon)   *of dogs*

   bó (bō) f.   *cow*
   bà (baa)   *cows*
   le boin (le boin)   *with a cow*
   le bà   *with cows*
   bà (baa)   *of a cow*
   bhó (vō)   *of cows*

   bean (ben) f.   *wife*
   mnathan (mna-ən)   *wives*
   le mnaoi (le mnoeuē)   *with a wife*
   le mnathan   *with wives*
   mnatha (mna-ə)   *of a wife*
   bhan (van)   *of wives*

tràigh (traaē) f. *beach*
tràighean (traaē-ən) *beaches*
air tràigh *on a beach*
air tràighean *on beaches*
tràgha (traa-ə) *or* tràghad (traa-ət) *of a beach*
thràighean (hraaē-ən) *of beaches*

athair (a-er) m. *father*
athraichean (a-rēch-ən) *fathers*
le athair *with a father*
le athraichean *with fathers*
athar (a-ar) *of a father*
athraichean *of fathers*
(So also with "màthair" (maa-er) f. *mother.*)

piuthar (pū-ər) f. *sister*
peathraichean (pe-rēch-ən) *sisters*
le piuthar *with a sister*
le peathraichean *with sisters*
peathar (pe-ər) *of a sister*
pheathraichean *of sisters*

bràthair (braa-er) m. *brother*
bràithrean (braai-rən) *brothers*
le bràthair *with a brother*
le bràithrean *with brothers*
bràthar (braa-ar) *of a brother*
bhràithrean *of brothers*

seanair (shen-er) m. *grandfather*
seanairean (shen-er-ən) *grandfathers*
le seanair *with a grandfather*
le seanairean *with grandfathers*
seanar (shen-ar) *of a grandfather*
sheanairean *of grandfathers*
(So also with "seanmhair" (shen-ə-ver) f. *grand-
mother.*)

sgian (skē-ən) f. *knife*
sgeanan (skān-ən) *knives*

le sgithinn (skē-ēnn) *with a knife*
le sgeanan *with knives*
sgeine (skā-nə) *of a knife*
sgian *of knives*

5. Note that the following nouns, ending in "-ear",
   take their genitive plurals from their nominative
   plurals, e.g.:

saighdear (sī-cher) m. *soldier*
saighdearan (sī-cher-ən) *soldiers*
le saighdear *with a soldier*
le saighdearan *with soldiers*
saighdeir (sī-chir) *of a soldier*
shaighdearan *of soldiers*

Similarly with:

ministear (mēn-ish-chir) m. *minister*
sgoilear (skol-er) m. *scholar*
tàillear (taall-er) m. *tailor*
paipear (pī-per) m. *paper*

6. Note that in the above irregular nouns—as with all
   Gaelic nouns—there is no aspiration in the
   genitive plural *with the article*, e.g.:

nan con *of the dogs*
nam bó *of the cows*
nam ban *of the wives*
nan tràighean *of the beaches*

VOCABULARY

an aithne dhut? (ən ainn-ə ghoot) *do you* (sing.)
  know?
's aithne (sainn-ə)—affirmative answer to above
chan aithne (chan ainn-ə)—negative answer to above
chan aithne dhomh (chan ainn-ə gho) *I do not know*
ainm (en-əm) m. *name*

ainmean (en-əm-ən) *names*
àite (aach-ə) m. *place*
àiteachan (aa-chəch-ən) *places;* also "aitean" (aa-chən)
sràid (sraach) f. *street*
sràidean (sraach-ən) *streets*
bailtean (bal-chən) *towns*
balla (bal-ə) m. *wall*
ballachan (bal-əch-ən) *walls*
craobhan (kroeuv-ən) *trees*
coilltean (koill-chən) *woods*
seanair (shen-er) m. *grandfather*
mo sheanar (mo hen-ar) *of my grandfather*
iasgairean (ēəsk-er-ən) *fishermen*
blàths (blaas) m. *warmth*
toiseach (tosh-əch) m. *beginning*
ré (rā) *during* (governs gen. case)
bliadhnachan (blēə-nəch-ən) *years*
gloineachan (gloinn-əch-ən) *glasses*
srùb (srōōp) m. *spout*
mac (machk) m. *son*
fairge (far-ik-ə) f. *sea, ocean*
tonnan (ton-ən) *waves*
geata (geət-ə) m. *gate*
geatachan (geət-əch-ən) *gates*
pàircean (paairk-ən) *parks*
cluas (klooəs) f. *ear, handle* (of a cup)
gliocas (gliəchk-əs) m. *wisdom*
oir (oir) f. *edge*
ràmh (raav) m. *oar*
gliogadaich (gliək-əd-ēch) f. *clinking*
sgeulachd (skāəl-əchk) f. *tale*
sgeulachdan (skāəl-əchk-ən) *tales*
tàillearan (taall-er-ən) *tailors*
màileid (maal-ech) f. *bag, school-bag*
preasa (prās-ə) m. *press, cupboard*

Exercise 1

Read aloud and translate:

1. An aithne dhut ainm an àite seo? 'S aithne, ach chan aithne dhomh ainmean nan àiteachan eile. 2. Seo seòl a' bhàta. 3. Sràidean a' bhaile. 4. Sràidean nam bailtean. 5. Ri taobh a' bhalla. 6. Eadar na ballachan. 7. Còta an duine. 8. Craobhan na coille. 9. Anns na coilltean. 10. Taigh mo sheanar. 11. Slat an iasgair. 12. Bàtaichean nan iasgairean. 13. Blàths an teine. 14. Lagh na rìoghachd. 15. Toiseach na bliadhna. 16. Ré nam bliadhnachan. 17. Fhuair mi gloine uisge. 18. Srùb a' choire. 19. Cas a' choin. 20. Casan nan con. 21. Tha na coin aig an dorus. 22. Bràthair m'athar. 23. Mac peathar. 24. Ri taobh na tràgha. 25. Air an tràigh. 26. Tonnan na fairge. 27. Làn na gloine. 28. Cuir na gloineachan air a' bhòrd. 29. Làn a' phoca. 30. Bainne na bà. 31. Pàirc nam bó. 32. Geata na pàirce. 33. Geatachan nam pàircean. 34. Glas a' gheata. 35. Cluas a' chupa. 36. Cupa tì. 37. Gliocas nam ban. 38. Barail na mnatha. 39. Còta an t-saighdeir. 40. Còtaichean nan saighdearan. 41. Màileid an sgoileir. 42. Tha leabhraichean nan sgoilearan anns a' phreasa. 43. Chuir mi snàthadan nan tàillearan anns a' bhocsa. 44. Ceann a' bhocsa. 45. Cuir na bocsaichean air a' bhòrd. 46. Càit a bheil cinn nam bocsaichean?

Exercise 2

Put into Gaelic:

1. The dog's leg. 2. The name of the place. 3. Names of places. 4. Legs of dogs. 5. The street of this town. 6. Beside the cup. 7. The man's coat. 8. The edge of the wood. 9. My grandfather's dog. 10. Beside the fire. 11. The fisherman's rod. 12. The oar of the boat. 13. The button of my coat. 14. A glass of water.

15. The cow's milk. 16. The cows' food. 17. My sister's son. 18. My father's brother. 19. Beside the beach. 20. The glasses are full. 21. The clinking of glasses. 22. Wives' tales. 23. The scholars' coats. 24. The fishermen's nets. 25. Here (this) is a piece of paper.

The Regular Verb—Infinitives and Verbal Nouns

NOTES

1. With the exception of the verb "to be" and a few defective verbs, Gaelic has no *simple* present tense. It has, however, a *compound* present tense, which is formed by combining the present tense of the verb "to be" with the verbal noun preceded by the preposition "ag" (ək) *at*, e.g.:

   Tha mi ag òl.   *I am drinking* (lit. *I am at drinking*).

2. When the verbal noun begins with a consonant, the "g" of "ag" is left out and an apostrophe inserted in its place, e.g.:

   Tha mi a' bualadh.   *I am striking.*
   ("Ag ràdh" *saying* is the sole exception.)

3. The infinitive of the verb is derived from the verbal noun, by aspiration, e.g.:

   a bhualadh   *to strike*
   a dh'òl   *to drink*

4. The verbal noun and the infinitive both govern the genitive case, e.g.:

   Tha Calum a' bualadh an doruis.
   Calum is striking the door (lit. *Calum is at the striking of the door*).

   Chaidh Calum a bhualadh an doruis.
   Calum went to strike the door (lit. *Calum went to the striking of the door*).

5. The verbal noun is regularly compounded with all active tenses of the verb "to be", e.g.:

Bha mi a' bualadh. *I was striking.*
Tha mi a' bualadh. *I am striking.*
Bithidh mi a' bualadh. *I shall be striking.*
Bhitheadh e a' bualadh. *He would be striking.*

6. Verbal nouns are diverse in form and are given in all Gaelic dictionaries. The following examples of the formation of verbal nouns should be noted:

Root	*Verbal Noun*
(a)	Ending in "adh":
àrdaich (aard-ēch) *raise*	àrdachadh (aard-ə-chəgh) *raising*
buail (booil) *strike*	bualadh (booəl-əgh) *striking*
(b)	Same form as the root:
at (aht) *swell*	at (aht) *swelling*
òl (awl) *drink*	òl (awl) *drinking*
(c)	Leaving out a slender vowel or substituting a broad vowel:
amais (am-ish) *aim*	amas (am-əs) *aiming*
caidil (kach-il) *sleep*	cadal (kat-əl) *sleeping*
(d)	Adding "t" to the root:
agair (ak-ir) *claim*	agairt (ak-irsch) *claiming*
labhair (lav-ir) *speak*	labhairt (lav-irsch) *speaking*
(e)	Adding "sinn" to the root:
creid (krāch) *believe*	creidsinn (krāch-shin) *believing*
tuig (tooik) *understand*	tuigsinn (tooik-shin) *understanding*

Root	Verbal Noun
(f)	Adding "tinn" or "tainn" to the root:
cluinn (kḻooinn) *hear*	cluinntinn (kḻooin-chin) *hearing*
fan (fan) *wait*	fantainn (fan-tinn) *waiting*
(g)	Adding "ail" or "eil" to the root:
fàg (faak) *leave*	fàgail (faak-el) *leaving*
tilg (chēl-ik) *throw*	tilgeil (chēl-ik-el) *throwing*
(h)	Adding "amh" or "eamh" to the root:
dèan (jeən) *make, do*	dèanamh (jen-əv) *making, doing*
feith (fāē) *wait*	feitheamh (fāē-əv) *waiting*
(i)	Adding "eachd" to the root:
éisd (ayshch) *listen*	éisdeachd (aysh-chəchk) *listening*
(j)	Substituting "eachd" for last syllable of the root:
imich (ēm-ēch) *depart*	imeachd (ēm-əchk) *departing*

(k) Other forms of verbal nouns are as follows:

Root	Verbal Noun
gluais (glooāsh) *move*	gluasad (glooəs-ət) *moving*
iarr (ēər) *ask for*	iarraidh (ēər-ē) *asking for*
suidh (sooē) *sit*	suidhe (sooē-ə) *sitting*
tuit (toohch) *fall*	tuiteam (tooh-chəm) *falling*

7. All verbal nouns can be converted to infinitives by aspiration, e.g.:

 a bhualadh *to strike*
 a dh'òl *to drink*
 a dh'fhàgail *to leave*
 a ruith *to run*

VOCABULARY

a' leughadh (ə llā-ə<u>gh</u>) *reading*
a' sguabadh (ə skooəp-ə<u>gh</u>) *sweeping*
a' sgrìobhadh (ə skreev-ə<u>gh</u>) *writing*
a' càradh (ə kaar-ə<u>gh</u>) *mending*
a dh'iarraidh (ə yēər-ē) *to look for, to fetch*
is toigh le Alasdair (is toē lā a<u>l</u>-əst-ir) *Alasdair likes*
a bhith (ə vē) *to be*
a' togail (ə tōk-el) *lifting, raising, building*
feumaidh sinn (fām-ē shēnn) *we must* (defective verb)
a' dol (ə do<u>l</u>) *going*
a chruinneachadh (ə <u>ch</u>rooinn-ə<u>ch</u>-ə<u>gh</u>) *to gather*
a' cluinntinn (ə k<u>l</u>ooin-chin) *hearing*
cobhartaich (ko-ərst-ē<u>ch</u>) f. *barking*
a chosnadh (ə <u>ch</u>os-nə<u>gh</u>) *to earn*
ag innseadh, ag innse (ə kēnn-shə<u>gh</u>, ə kēnn-shə) *telling*
dhomh (<u>gh</u>o) *to me*
a' fàs (ə faas) *getting, growing*
ag amharc (ə ka-ərk) *looking*
uair (ooer) f. *time, hour, o'clock*
a chadal (ə <u>ch</u>at-əl) *to sleep*
inneal-buana (ēnn-ə<u>l</u> booən-ə) m. *reaping machine*
a' ceangal (ə keəng-gə<u>l</u>) *tying*
a' fosgladh (ə fosk-<u>l</u>ə<u>gh</u>) *opening*
a dhùsgadh (ə <u>ghōō</u>sk-ə<u>gh</u>) *to waken*
a' dòrtadh (ə dawrst-ə<u>gh</u>) *pouring*
bidh (bē)—shortened form of "bithidh"

a' dìreadh (ə jeer-əgh) *climbing*
a' bruich (ə brooēch) *boiling*
a' labhairt (ə ḷav-irsch) *speaking*
greas ort! (grēs orst) *hurry up!* (to one person)
a' feitheamh (a fāē-əv) *waiting*
riut (rūt) *to you, for you* (sing.)
a' cur (ə koor) *putting*
a' dùnadh (ə dōōn-əgh) *closing*
a' creidsinn (ə krāch-shin) *believing*
a' faicinn (ə fīchk-ēnn) *seeing* (irreg. verb)
ubhal (oo-əḷ) f. *apple*
ùbhlan (ōōḷ-ən) *apples*
orainsear (or-ən-sher) m. *orange*
orainsearan (or-ən-sher-ən) *oranges*
a' leum (ə llaym) *jumping*
a' rannsachadh (ə raun-səch-əgh) *searching*
cloinne (kḷoinn-ə) *of children*
a' fuine (ə fooinn-ə) *baking*
a' losgadh (ə ḷosk-əgh) *burning*
a' gearan (ə ger-ən) *complaining*
a' coimhead (ə koē-ət) *looking*
a' biadhadh (ə bēə-əgh) *feeding*
a' moladh (ə moḷ-əgh) *praising*
a dh'iasgach (ə yēəsk-əch) *to fish*
sgeòil (skeawil) *of a story*
mo charaid (mō char-ech) *my friend*
mo chàirdean (mō chaar-chən) *my friends*
a (a) *from*
Glaschu (gḷas-ə-chō) m. *Glasgow*
a' falbh (ə faḷ-əv) *going away*

Exercise 1

Read aloud and translate:

1. Tha Seònaid a' leughadh leabhair agus tha a
màthair a' sguabadh an làir. 2. Tha athair Seònaid a'
sgrìobhadh litreach anns an t-seòmar. 3. Tha Seumas

a' càradh na slaite. 4. Chaidh Calum do'n mhonadh a dh'iarraidh a' chruidh. 5. Is toigh le Alasdair a bhith a' cluich na pìoba. 6. Tha na fir a' togail nan seòl. 7. Feumaidh sinn a dhol a dh'iasgach am màireach. 8. Chaidh na cìobairean do'n mhonadh a chruinneachadh nan caorach agus nan uan. 9. Tha mi a' cluinntinn cobhartaich nan con. 10. Dé bha thu a' dèanamh an diugh? Bha mi trang a' leughadh agus a' sgrìobhadh. 11. Feumaidh mi a dhol a chosnadh airgid am màireach. 12. Bha Calum ag innseadh dhomh gu bheil fuachd aig Alasdair. 13. Tha a' ghaoth a' fàs mór. 14. Có tha ag amharc a mach air an uinneig? 15. Tha an uair agad a dhol a chadal. 16. Tha an t-inneal-buana math air ceangal nan sguab. 17. Có tha a' fosgladh na h-uinneig.* 18. Feumaidh mi a dhol a dhùsgadh na cloinne. 19. Tha e cunnartach a bhith a' dìreadh na beinne seo. 20. Tha Màiri a' bruich an éisg. 21. Bha na mnathan ag obair agus na fir a' labhairt ri càch-a-chéile. 22. Greas ort, tha Seònaid a' feitheamh riut. 23. Tha Calum a' cur a mach na geòla ach tha Alasdair a' snàmh aig oir na mara. 24. Chì mi cuideigin a' dùnadh nan dorsan. 25. Feumaidh mi glas a chur air an dorus seo. 26. Chan eil mi a' creidsinn sin. 27. Dé tha thu a' faicinn anns a' bhùth sin? Ùbhlan is orainsearan. 28. Tha mo charaid a' tighinn dhachaidh an nochd. 29. Seo Alasdair agus Iain, mo chàirdean, a Glaschu; bidh iad a' falbh am màireach.

* In a word of two or more syllables, the final "e" of the genitive singular feminine is optionally omitted.

Exercise 2

Put into Gaelic:

1. Closing the door. 2. Writing a letter. 3. Pouring water. 4. Searching the house. 5. Gathering the sheep.

6. Coming home. 7. Baking the bread. 8. I must go home. 9. Earning money. 10. Burning papers. 11. Telling a tale. 12. Drinking milk. 13. The cat went to drink the milk. 14. The children are running down the road. 15. They are complaining. 16. He is looking out at (on) the window. 17. I can (shall) see them leaving the house. 18. Are they swimming today? 19. What are they doing? 20. Building the house. 21. Going to sleep. 22. Feeding the hens. 23. Praising the poets. 24. Going fishing (going to fish). 25. Running and jumping. 26. The day is looking beautiful.

Prepositional Possessives and their Uses

NOTES

1. When the possessive pronouns, "mo" (mō) *my*, "do" (dō) *your*, "a" (ə) *his*, "a" (a) *her*, "ar" (ar) *our*, "ur" (oor) *your*, "an" (an) or "am" (am) *their*, are compounded with "aig" we get:

gam (gam)	*at my*	gar (gar)	*at our*
gad (gat)	*at your*	gur (goor)	*at your*
ga (ga)	*at his*	gan (gan)	*at their*
ga (ga)	*at her*	gam (gam)	*at their*

2. These prepositional possessives have important idiomatic uses with the verbal noun. For example, "he is striking me" in Gaelic is *tha e gam bhualadh* (lit. "he is at my striking"). Similarly:

Tha e gad bhualadh.	*He is striking you.*
Tha e ga bhualadh.	*He is striking him.*
Tha e ga bualadh.	*He is striking her.*
Tha e gar bualadh.	*He is striking us.*
Tha e gur bualadh.	*He is striking you.*
Tha e gam bualadh.	*He is striking them.*

Note in particular that only the possessives "mo", "do" and "a" (meaning *his*) aspirate.

3. Compounded with "ann", the possessive pronouns give us:

'nam (nam)	*in my*	'nar (nar)	*in our*
'nad (nat)	*in your*	'nur (noor)	*in your*

'na (na)   *in his*   'nan (nan)   *in their*
'na (na)   *in her*   'nam (nam)   *in their*

These contracted forms have many idiomatic uses,
 e.g.:

Tha mi 'nam sheasamh aig an dorus.
I am standing (lit. *in my standing*) *at the door.*

Tha thu 'nad chabhaig.
You are in a hurry.

Tha e 'na shuidhe.
He is sitting.

Tha i 'na suidhe.
She is sitting.

Tha sinn 'nar ruith.
We are running.

Tha sibh 'nur laighe.
You are lying down.

Tha iad 'nan cadal.
They are sleeping.

4. Note that these idioms express *continuous action.*

5. This method is also used to denote trades, pro-
 fessions, etc., e.g.:

Tha e 'na shaor.
He is a joiner.

Bha i 'na boireannach briagha.
She was a beautiful woman.

VOCABULARY

suidhe (sooē-ə) m.   *sitting*
seasamh (shās-əv) m.   *standing*
cadal (kat-əl) m.   *sleeping*
droch (dro<u>ch</u>)   *bad, evil* (precedes noun and aspirates
 it)

air ais (ār ash) *back, ago*

comain (kōm-en) f. *obligation, favour*

'nad chomain (nat <u>ch</u>ōm-en) *obliged to you.*

fada (fat-ə) *far, much*

airson (ār-son) *for* (stress on 2nd syllable; governs gen. case)

sgìos (skees) m. *fatigue*

cha mhór nach (<u>ch</u>a vōr na<u>ch</u>) *not much but, almost*

talamh (ta<u>l</u>-əv) m. *earth*

coinneachadh (koinn-ə<u>ch</u>-əgh) v.n., m. *meeting*

feumaidh mi an coinneachadh *I must meet them*

o'n talamh (on ta<u>l</u>-əv) *from the earth*

stèsean (steh-shən) m. *station*

'nar n-aghaidh (nar nə<u>gh</u>-ē) *against us*

gu robh e (goo ro e) *that he was*

trusadh (troos-ə<u>gh</u>) v.n., m. *gathering*

air dheireadh (ār yār-ə<u>gh</u>) *behind*

cuartachadh (kooərst-ə<u>ch</u>-əgh) *encircling, surrounding*

beanntan (beaunt-ən) *mountains*

fhéin (hān) *self, selves*

peile (pāl-ə) m. *pail*

lìonadh (lleeən-ə<u>gh</u>) v.n., m. *filling*

a h-uile (ə hool-ə) *every*

cuideachadh (kooch-ə<u>ch</u>-əgh) v.n., m. *helping*

ri taobh a chéile (rē toeuv ə <u>ch</u>ayl-ə) *beside each other*

faisg air a chéile (fashk ār ə <u>ch</u>ayl-ə) *near each other*

Exercise 1

Read aloud and translate:

1. Tha Calum 'na shuidhe ri taobh an teine. 2. Tha iad 'nan seasamh aig an dorus. 3. Tha a' chlann 'nan cadal. 4. Tha an droch rathad gar cumail air ais. 5. Tha mi fada 'nad chomain airson do litreach. 6. Thuit iad 'nan cadal leis an sgìos. 7. Cha mhór nach eil a'

ghaoth gam thogail o'n talamh. 8. Feumaidh mi an
coinneachadh aig an stèsean. 9. Tha a' ghaoth 'nar
n-aghaidh. 10. Tha an cat 'na shuidhe air a' bhalla.
11. Feumaidh sibh na leabhraichean a chruinneachadh
agus an cur anns a' phreasa. 12. Thubhairt e gu robh
e gan creidsinn. 13. Tha iad gam fhàgail air dheireadh.
14. Chaidh an cìobair a thrusadh nan caorach, agus
tha e gan cuartachadh leis a' chù. 15. Tha e gam
briseadh leis an òrd. 16. Tha na beanntan briagha agus
is toigh leam a bhith gan dìreadh. 17. Tha an cù gar
leantainn. 18. Tha an cù ga chumail fhéin blàth ri
taobh an teine. 19. Fhuair e peile agus chaidh e ga
lìonadh. 20. Tha mi ga faicinn a h-uile latha. 21. Tha
iad gan cuideachadh. 22. Bha iad gan iarraidh an dé.
23. Tha mi 'nam mhinistear. 24. Bha e 'na ghreasaiche
nuair a bha e 'na dhuine òg.

Exercise 2

Put into Gaelic:

1. He is striking me. 2. He is chasing me. 3. The cat is
sitting at the fire. 4. They are sleeping. 5. We are
looking for them. 6. They are keeping him back.
7. He does not believe me. 8. They are standing
beside each other. 9. He is lifting it. 10. She keeps us
right. 11. They are encircling us. 12. Why are you
leaving us? 13. They are sitting near each other. 14.
They are in a hurry. 15. He is lying on the floor.
16. She is sleeping. 17. He is gathering them. 18. Who
is helping them? 19. Who is playing them? 20. This
heavy coat is keeping me warm. 21. James was a
sailor, but he is now a farmer. 22. She is a foolish girl.

Adjectives;
Compound Prepositions

NOTES

1. As already noted, in Gaelic the adjective generally comes after the noun which it qualifies, e.g. with a masculine noun:

cat mór   *a big cat*   an cat mór   *the big cat*

2. When the noun is feminine, and singular, the qualifying adjective is aspirated, e.g.:

cearc mhór   *a big hen*
a' chearc mhór   *the big hen*

3. In the plural of one-syllable adjectives, the adjective agrees by adding a final "a" (a final "e" if the last vowel of the adjective is slender), e.g.:

cait mhóra   *big cats*
na cait mhóra   *the big cats*

cearcan móra   *big hens*
na cearcan móra   *the big hens*

fir ghlice   *wise men*
na fir ghlice   *the wise men*

Note that, when the last vowel in the *plural* noun is "i", the qualifying adjective is aspirated in the nominative and dative cases, e.g.:

cait bheaga   *small cats*
na coin dhubha   *the black dogs*

caoraich bhàna	*white sheep*
leis na cait bheaga	*with the small cats*
le coin dhubha	*with black dogs*
le caoraich bhàna	*with white sheep*

In all other nominative and dative plurals, there is no aspiration, e.g.:

cearcan bàna	*white hens*
caileagan beaga	*little girls*
gillean móra	*big boys*
le caileagan beaga	*with little girls*
leis na gillean móra	*with the big boys*

4. Note the agreement of adjective and noun:

(a) in the dative singular:

air cat mór   *on a big cat*
air a' chat mhór   *on the big cat*

air circ mhóir   *on a big hen*
air a' chirc mhóir   *on the big hen*

(b) in the genitive singular:

cait mhóir   *of a big cat*
a' chait mhóir   *of the big cat*

circe móire   *of a big hen*
na circe móire   *of the big hen*

(c) in the dative plural:

air cait mhóra   *on big cats*
air na cait mhóra   *on the big cats*

air cearcan móra   *on big hens*
air na cearcan móra   *on the big hens*

(d) in the genitive plural:

chat móra   *of big cats*
nan cat móra   *of the big cats*

chearcan móra   *of big hens**
nan cearcan móra   *of the big hens**

5. Adjectives of more than one syllable do not add "a" or "e" in the plural.

6. A few adjectives come before the noun which they qualify—e.g. "droch" (dro<u>ch</u>), "seann" (sheaun), "deagh" (jō), "sàr" (saar), "ath" (a), "fìor" (feeər)—and in that position generally aspirate the noun they qualify:

droch shìde   *bad weather*
seann chù   *an old dog*
deagh bhlas   *a good taste*
sàr dhuine   *an excellent man*
fìor Ghaidheal   *a true Gael*
an ath bhliadhna   *next year*

7. All compound prepositions—and the simple prepositions "thar" (har) *over*, "ré" (rā) *during*, "thun" (hoon) *to, towards*, "trìd" (treet) *through*, "tré" (trā) *through*, "timcheall" (chim-ə-<u>ch</u>yəl) *around, about*—govern the genitive case.

Other forms of "thun" are "chun" (<u>ch</u>oon), "chum" (<u>ch</u>oom) and "chon" (<u>ch</u>on). The form "chon" is the most common in colloquial speech.

8. In the following exercises, the learner should note the points of agreement with the above examples, reading the exercises often so that the general rules for agreement of adjective and noun may become established.

---

* It will be remembered that "of hens" is *chearc* and "of the hens" *nan cearc;* but, as a general rule, when an adjective follows the genitive plural of a feminine noun, whose nom. pl. ends in "an", then the gen. pl. takes the nom. pl. form.

VOCABULARY

ri taobh (rē toeuv) *beside*
am measg (əm misk or əm mesk) *among*
a dh'ionnsaidh (ə yoos-ē) *to, towards*
an déidh (ən jayē) *after*
os cionn (os kŭn) *above*
air uachdar (ār ooəchk-ər) *on top*
air sgàth (ār skaa) *for the sake of*
air feadh (ār fāəgh) *through, throughout*
as eugmhais (as āək-vish) *without*
air culaibh (ār koo|-iv) *behind*
air beulaibh (ār bāəl-iv) *in front*
an aghaidh (ən əgh-ē) *against*
a réir (ə rāir) *according to*
mu thimcheall (moo him-ə-chyəl) *round about*
air son (ār son) *for, for the sake of* (usually written "airson")
an ceann (ən keaun) *after, at the end of*
sheòl (hiawl) *sailed*
thar (har) *over, across* (governs gen. case)
na mara (na mar-ə) *of the sea* (from "muir")
bainnse (bain-shə) *of a wedding* (from "banais")
dh'oibrich (ghōip-rēch) *worked*
coibhneas (kōēv-nəs) m. *kindness*
coibhneis (kōēv-nēsh) *of kindness*
froise (frosh-ə) *of a shower* (from "fras")
duais (dooəsh) f. *reward*
toillteannas (toill-chən-əs) m. *merit, desert, reward*
gairm (gər-əm) *call* (root)
sìde (shee-chə) f. *weather*
turus (toor-əs) m. *journey*
turuis (toor-ish) *of a journey*
Gaidhealtachd (gī-əlt-əchk) f. *Highlands, Gaeldom*
a thoirt (ə horsch) *to take* (irreg.)
streapadair (strep-ət-er) m. *climber*
streapadairean (strep-ət-er-ən) *climbers*

seinn (shāēnn) f. *singing*
air teachd (ār cheachk) *has come* (lit. *after coming*)
's toigh leinn (stoē lēnn) *we like*
sneachda (shneachk-ə) m. *snow*
monaidhean (mon-ē-ən) *moors* (from "monadh")
bann (baun) m. *hinge*
lòsan (l̥aws-ən) m. *pane*
lòsain (l̥aws-en) *panes*
mu dheireadh (moo yār-əgh) *at last*
a' leigeil analach (ə llēk-el an-əl̥-əch) *taking a rest*
uiseag (oosh-ak) f. *lark*
an siud 's an seo (ən shoot sən sho) *here and there*
greis (grāsh) f. *a while*
tearnaich (cheaərn-ēch) *descend* (root)
air a shocair (ār ə hochk-ir) *leisurely, at his leisure*
còrd (kawrd) *agree* (root)
ceileir (kāl-er) *warble* (root)
a' ceileireadh (ə kāl-er-əgh) *warbling*

Exercise 1

Read aloud and translate:

1. Chaidh e a dh'ionnsaidh a' chladaich. 2. Coisich
chon an doruis. 3. Sheòl iad thar na mara. 4. Bha a'
chlann a' ruith timcheall na craoibhe. 5. A bheil thu
a' dol chon na bainnse? 6. Dh'oibrich iad gu trang ré
na bliadhna. 7. Tapadh leat airson do litreach, agus
airson do choibhneis. 8. Bha iad a' dol mu thimcheall
na cloiche. 9. Fàgaidh sinn an taigh an déidh na
froise. 10. Tha an iolair os cionn na creige móire. 11.
Gheibh iad duais a réir an toillteannais. 12. Leum an
cù air uachdar a' chait dhuibh. 13. Nì sinn seo air
sgàth na sìthe. 14. Tha na h-eòin bheaga a' ruith air
feadh an fheòir. 15. Tha mi a' cluinntinn nan
cìobairean a' gairm nan con anns a' mhonadh. 16. Tha
móran dhiubh as eugmhais gliocais. 17. Bha a'

gheòla bheag ri taobh na luinge. 18. Seasaidh na
gillean móra air an taobh seo de'n dorus. 19. Seo
leabhraichean nan gillean beaga. 20. A bheil leabhar
na caileige bige agad? 21. Chaidh iad do'n mhonadh
a dh'iarraidh a' chruidh. 22. Tha mi a' coimhead
airson na ba bàine. 23. Bha sìde mhath againn ré ar
turuis do'n Ghaidhealtachd. 24. Bha iad air oir na
tràghad gam blianadh fhéin ann am blàths na gréine.
25. Có tha a' fosgladh nan geatachan? 26. Ruith an
cù air feadh na coille. 27. Feumaidh mi am biadh seo
a thoirt a dh'ionnsaidh nan cearc. 28. Bha iad 'nan
seasamh ri taobh an rathaid mhóir. 29. Ràinig na
streapadairean mullach na beinne móire aig cóig
uairean feasgar. 30. Tha am seinn nan eun air teachd.
31. 'S toigh leinn còmhradh dhaoine glice. 32. Chì mi
caoraich bhàna air mullach a' chnuic àird. 33. Tha
sneachda air na monaidhean àrda.

Exercise 2

Put into Gaelic:

1. Towards the fire. 2. The top of the mountain. 3.
Above the house. 4. Behind the door. 5. About the
rock. 6. Without wisdom. 7. The singing of birds.
8. Throughout the week. 9. A black sheep. 10. Black
sheep (pl.). 11. Looking for the black sheep (sing.).
12. After the shower. 13. Heavy showers. 14. For the
sake of peace. 15. The top of the big mountain. 16. The
hinge of the big door. 17. Among the hills. 18. The
conversation of poets. 19. Big girls. 20. The books of
the big girls. 21. Sailing the little boat. 22. Sailing the
little boats. 23. Climbing the hills. 24. The crests of the
white waves. 25. The pane of the big window. 26. The
panes of the big windows. 27. Close the big windows.
28. Are the little girls in the school today? 29. The
big old men.

Exercise 3

Read aloud and translate:

(a) Bha Calum sgìth a' coiseachd air a' mhonadh, ach mu dheireadh ràinig e mullach na beinne. Bha càrn chlach air mullach na beinne. Chuir Calum clach air a' chàrn agus shuidh e ri taobh a' chùirn a' leigeil analach.

Bha Calum a nise toilichte gu leòr. Bha latha briagha ann agus bha a' ghrian a' deàrrsadh. Cha robh neul anns an adhar. Bha an uiseag a' seinn os cionn a chinn agus bha na h-eòin a' ceileireadh am measg nan creag. 'S toigh le Calum a bhith ag éisdeachd ris na h-eòin.

Bha an crodh blàth le teas na gréine agus bha iad 'nan seasamh anns na lochan beaga a bha an siud 's an seo air feadh a' mhonaidh. Bha na h-uain bheaga a' leum 's a' cluich mu thimcheall am màthraichean. Bha torman an uillt a' dèanamh ciùil ann an cluais Chaluim bhig.

An ceann greise dh'éirich Calum 'na sheasamh agus thearnaich e a' bheinn air a shocair. Chòrd an latha gu math ris ach bha an t-acras mór air nuair a ràinig e an taigh.

(b) *Ceist is Freagairt*

Màiri: Có bha anns a' mhonadh?
Seònaid: Bha Calum.
M.:   An do dhìrich Calum a' bheinn?
S.:   Dhìrich.
M.:   An do dhìrich thu fhéin beinn an diugh?
S.:   Cha do dhìrich.
M.:   Có dhìrich a' bheinn?
S.:   Calum.

Màiri: An robh Calum sgìth nuair a ràinig e
          mullach na beinne?
Seònaid: Bha.
M.:   Dé bha air mullach na beinne?
S.:   Bha càrn chlach.
M.:   An do chuir Calum clach air a' chàrn?
S.:   Chuir.
M.:   An do chuir thu fhéin clach air a' chàrn?
S.:   Cha do chuir.
M.:   Càit an robh an càrn?
S.:   Air mullach na beinne.
M.:   An ann air mullach na beinne a bha an càrn?
S.:   'S ann.
M.:   An e Calum a chuir a' chlach air a' chàrn?
S.:   'S e.
M.:   An do leig Calum anail nuair a ràinig e mullach
      na beinne?
S.:   Leig.
M.:   Càite?
S.:   Ri taobh a' chùirn.
M.:   An robh Calum toilichte nuair a ràinig e
      mullach na beinne?
S.:   Bha.
M.:   Dé seòrsa latha a bha ann?
S.:   Bha latha briagha ann.
M.:   An robh a' ghrian a' deàrrsadh?
S.:   Bha.
M.:   An robh an t-adhar glan?
S.:   Bha.
M.:   Dé bha os cionn Chaluim?
S.:   Bha an uiseag.
M.:   Dé bha an uiseag a' dèanamh?
S.:   Bha i a' seinn.
M.:   Có bha a' ceileireadh?
S.:   Na h-eòin.
M.:   An ann anns na craobhan a bha na h-eòin?
S.:   Chan ann.

Màiri: Càit an robh iad a' ceileireadh?

Seònaid: Am measg nan creag.

M.:   An toigh le Calum a bhith ag éisdeachd ris na
        h-eòin?

S.:   'S toigh.

M.:   Càit an robh an crodh?

S.:   Bha iad 'nan seasamh anns na lochan.

M.:   Càit an robh na lochan?

S.:   Air feadh a' mhonaidh.

M.:   Dé bha na h-uain a' dèanamh?

S.:   Bha iad a' leum 's a' cluich mu thimcheall am
        màthraichean.

M.:   Dé bha a' deànamh ciùil?

S.:   Bha torman an uillt.

M.:   Ciamar a thearnaich Calum a' bheinn?

S.:   Air a shocair.

M.:   An do chòrd an latha gu math ri Calum?

S.:   Chòrd.

M.:   Dé bha a' cur dragha air Calum nuair a ràinig e
        an taigh?

S.:   Bha an t-acras.

M.:   A bheil an t-acras ort fhein?

S.:   Tha.

M.:   A bheil thu sgìth?

S.:   Tha gu dearbh.

LESSON 29

The Comparison of Adjectives

NOTES

1. In addition to the simple form of the adjective, there are two degrees of comparison. These are the *first* and *second comparatives.*
   The first comparative takes the form of the genitive singular feminine of the adjective, e.g.:

beag	*small*	bige	*smaller*
bàn	*fair*	bàine	*fairer*

2. The first comparative is expressed in three ways:
   (a) by the use of "as" *who, which, that is,* the relative form of the verb "is"; e.g.:

   Is e Calum as bàine na Seumas.
   Calum is fairer than James (lit. *it is Calum who is fairer than James*).

   (b) by direct use of the comparative with the verb "is", e.g.:

   Is bàine Calum na Seumas.
   Fairer is Calum than James.

   (c) by the verb "tha", used in conjunction with the comparative particle "nas", e.g.:

   Tha Calum nas bàine na Seumas.
   Calum is fairer than James.

3. In the past tense the forms would be:
   (a) B'e Calum a bu bhàine na Seumas.
   It was Calum who was fairer than James.

(b) Bu bhàine Calum na Seumas.
   Fairer was Calum than James.

(c) Bha Calum na bu bhàine na Seumas.
   Calum was fairer than James.

4. The Gaelic comparative serves as both English
   comparative and superlative, e.g.:

   Is e Calum as sine de'n teaghlach.
   Calum is the oldest of the family.

   B'e Seumas a b'àirde de'n teaghlach.
   James was the tallest of the family.

5. What is known as the second comparative is some-
   times used, generally with the verb "is", e.g.:

   Is feàirrd thu siud.
   You are the better of that.

   Cha mhisd thu siud.
   You are none the worse of that.

6. The following adjectives, most of them in common
   use, are irregular in comparison and should be
   carefully noted:

Simple Form	1st Comparative	2nd Comparative
beag (bãǝk) *little*	bige (bĕk-ǝ) *or* lugha (lǝ-ǝ)	bigid (bĕk-ich) *or* lughaid (lǝ-ich)
mór (mōr) *big, great*	mó (mō) *or* motha (mo-ǝ)	móid (mohch)
làidir (laa-jir) *strong*	làidire (laa-jir-ǝ) *or* treasa (trãs-ǝ)	treasaid (trãs-ich)
math (ma) *good*	feàrr (feaar)	feàirrd (fearrch)
fagus (fagh-ǝs) *near,* or faisg (fashk) *near*	faisge (fashk-ǝ)	—
furasda (foor-ǝst-ǝ) *easy*	fasa (fas-ǝ)	—
goirid (gor-ich) *short,* or geàrr (geaar) *short*	giorra (giǝr-ǝ)	giorraid (giǝr-ich)
ionmhuinn (in-ǝ-vinn) *loved*	annsa (au-sǝ)	—
leathann (llã-ǝn) *broad*	leatha (llea-ǝ)	—
olc (olk) *bad,* or dona (dona) *bad*	miosa (mĕs-ǝ)	misde (mĕsh-chǝ) *or* misd (mĕshch)
teth (chã) *hot*	teotha (cho-ǝ)	teothaid (cho-ich)
tioram (chĕr-ǝm) *dry*	tiorma (chĕǝr-ǝm-ǝ)	—
milis (mĕl-ish) *sweet*	milse (meel-shǝ)	—
cumhang (koo-ǝngg) *narrow*	cuinge (kooing-gǝ)	cuingid (kooing-gich)
beò (beaw) *lively*	beotha (beaw-ǝ)	—
reamhar (rev-ǝr) *fat*	reamhra (rev-rǝ)	—

VOCABULARY

bàine (baann-ə) *fairer*

glice (glēchk-ə) *wiser*

òg (awk) *young*

òige (awik-ə) *younger*

de'n teaghlach (jen chəl-əch) *of the family*

dòigh (dawē) f. *way, method*

troimh'n (troin) *through the*

sean (shen) *old* (when used before the noun it takes the form "seann" (shaeun) and is so pronounced)

sine (shēn-ə) *older*

is ionmhuinn leam (is in-ə-vinn leəm) *I love*

is annsa leam (is au-sə leəm) *I prefer*

is feàrr leam (is feaar leəm) *I prefer*

as feàrr leam (as feaar leəm) *that I prefer*

is feàirrd thu (is feaarch oo) *you are the better of*

fidheall (fē-əl) f. *fiddle*

an fhidheall (ə nnē-əl) *the fiddle*

pìob-mhór (peeəp vōr) f. *bagpipe*

rùm (rōōm) m. *room*

té (chay) f. *one (feminine)*

beartas (beərs-chəs) m. *wealth*

beartach (beərs-chəch) *wealthy*

beartaiche (beərs-chēch-ə) *wealthier*

na'n (nan) *than the*

truime (trooēm-ə) *heavier*

cas (kas) *steep*

caise (kash-ə) *steeper*

àirde (aar-chə) *higher*

fad (fat) *long* (also "fada")

faide (fa-chə) *longer*

chan urrainn dhomh feitheamh (chan oor-inn gho fā-əv) *I cannot wait*

fìon (fēən) m. *wine*

sgrìob (skreeəp) f. *a walk*

Exercise 1

Read aloud and translate:

1. Tha Màiri bàn ach tha Seònaid nas bàine. 2. Is bàine Seònaid na Màiri. 3. Tha mise mór ach tha thusa nas motha. 4. Tha an cù bàn glic ach is e an cù dubh as glice. 5. Tha Mórag nas lugha na mise. 6. Tha an t-each donn làidir ach tha an t-each dubh nas treasa. 7. Is e Calum as òige. 8. Is tusa as òige de'n teaghlach. 9. Is feàrr gliocas na beartas. 10. Tha an taigh againne nas fhaisge air an eaglais na an taigh agaibhse. 11. Tha an dòigh sin furasda gu leòr ach seo dòigh as fasa. 12. Tha an rathad troimh'n choille nas giorra. 13. Tha mise sean ach is tusa as sine. 14. Is ionmhuinn leam an fhidheall ach is annsa leam a' phìob-mhór. 15. Is leatha an abhainn seo na an té mu dheireadh. 16. Bha an rathad dona an dé ach tha an rathad seo nas miosa. 17. Tha sin teth ach tha seo nas teotha. 18. Is mìlse a' mhil na'n siùcar. 19. Tha e nas tiorma an diugh na bha e an dé. 20. Tha Alasdair nas beartaiche na Calum. 21. Tha a' chlach seo móran nas truime. 22. Tha an rathad a nis nas caise agus nas cuinge. 23. Is àirde mise na Mórag ach tha Mórag nas àirde na Sìne. 24. Tha a' mhuc seo nas reamhra na an té sin. 25. Tha an t-slat agamsa nas faide na an t-slat agadsa. 26. Seo an leabhar as feàrr leam. 27. Is feàirrd thu sin. 28. Is feàrr leam blàths na fuachd. 29. Cha mhisd thu sgrìob a ghabhail.

Exercise 2

Put into Gaelic:

1. Calum is fair. 2. Mary is fairer. 3. Mary is fairer than Calum. 4. This room is larger. 5. He is smaller than I. 6. Janet is younger than James. 7. I am bigger than you. 8. The day is getting longer. 9. This is the best book. 10. I am the youngest of the family. 11. Our

house (i.e. the house at us) is nearer (on) the town.
12. This is the shorter road. 13. He is stronger than he
was. 14. This is a better way. 15. Whiter than snow.
16. This tree is taller. 17. He is worse today. 18. He
was better yesterday. 19. This stone is heavier. 20. I
cannot wait longer. 21. I prefer water to (than) wine.

Numerals

Cardinal Numbers, with a Noun

1. aon (fhear) (oeun er)   *one (man)*
2. dà (fhear) (daa er)   *two (men)*
3. trì (fir) (tree fēr)
4. ceithir (fir) (kā-ir fēr)
5. cóig (fir) (kōik fēr)
6. sia (fir) (shēa fēr)
7. seachd (fir) (sheachk fēr)
8. ochd (fir) (ochk fēr)
9. naoi (fir) (noeuē fēr)
10. deich (fir) (jāch fēr)
11. aon (fhear) deug (oeun er jāək *or* jēək)
12. dà (fhear) dheug (daa er yāək *or* yēək)
13. trì (fir) dheug
14. ceithir (fir) dheug, etc.
20. fichead (fear) (fēch-ət fer)
21. aon air fhichead (oeun ār ēch-ət), fear air fhichead,
    twenty-one (men)
22. dà (fhear) air fhichead
23. trì (fir) air fhichead
24. ceithir (fir) air fhichead, etc.
30. deich (fir) air fhichead
31. aon (fhear) deug air fhichead
32. dà (fhear) dheug air fhichead
33. trì (fir) dheug air fhichead
34. ceithir (fir) dheug air fhichead, etc.
40. dà fhichead (fear)
41. dà fhichead (fear) 's a h-aon (daa ēch-ət fer sə
    hoeun)

42. dà fhichead (fear) 's a dhà (daa ēch-ət fer sə ghaa)
43. dà fhichead (fear) 's a trì
44. dà fhichead (fear) 's a ceithir, etc.
50. dà fhichead (fear) 's a deich *or*
    leth-cheud (fear) (llā-chət fer)
51. dà fhichead (fear) 's a h-aon deug
52. dà fhichead (fear) 's a dhà dheug
53. dà fhichead (fear) 's a trì deug
54. dà fhichead (fear) 's a ceithir deug, etc.
60. trì fichead (fear)
61. trì fichead (fear) 's a h-aon, etc.
70. trì fichead (fear) 's a deich, etc.
80. ceithir fichead (fear), etc.
90. ceithir fichead (fear) 's a deich, etc.
100. ceud (fear) (kēəd *or* kāəd fer)—(*also spelt* ciad)
    or cóig fichead (fear)
101. ceud (fear) 's a h-aon, etc. *or*
    cóig fichead (fear) 's a h-aon, etc.
110. ceud (fear) 's a deich, etc. *or*
    cóig fichead (fear) 's a deich, etc.
120. sia fichead (fear)
130. sia fichead (fear) 's a deich
140. seachd fichead (fear)
150. seachd fichead (fear) 's a deich
160. ochd fichead (fear)
170. ochd fichead (fear) 's a deich
180. naoi fichead (fear)
190. naoi fichead (fear) 's a deich
200. dà cheud (fear)
300. trì ceud (fear)
400. ceithir ceud (fear)
500. cóig ceud (fear)
600. sia ceud (fear)
700. seachd ceud (fear)
800. ochd ceud (fear)
900. naoi ceud (fear)

1,000. mìle (fear) (meel-ə fer) *or*
       deich ceud (fear)
2,000. dà mhìle (fear)
3,000. trì mìle (fear)
10,000. deich mìle (fear)
100,000. ceud mìle (fear)
1,000,000. muillean (fear) (mooill-ən fer)

Cardinal Numbers, without a Noun

1. a h-aon
2. a dhà
3. a trì
4. a ceithir
5. a cóig
6. a sia
7. a seachd
8. a h-ochd
9. a naoi
10. a deich
11. a h-aon deug
12. a dhà dheug
13. a trì deug
14. a ceithir deug
15. a cóig deug
16. a sia deug
17. a seachd deug
18. a h-ochd deug
19. a naoi deug
20. a fichead
21. a h-aon air fhichead
22. a dhà air fhichead
23. a trì air fhichead, etc.
31. a h-aon deug air fhichead
40. dà fhichead

From 40, the numbers with a noun and without a noun
   are identical.

Ordinal numbers, with a Noun

a' cheud (fhear) (ə <u>ch</u>āət er)   *the first (man)*

an dara (fear) (ən dar-ə fer)   *the second (man), or*
an dàrna (fear) (ən daarn-ə fer)

an treas (fear) (ən trās fer)   *the third (man), or*
an trìtheamh (fear) (ən tree-əv fer)

an ceathramh (fear) (ən ker-əv fer)   *the fourth (man)*

an cóigeamh (fear) (ən kōik-əv fer)   *the fifth (man)*

an siathamh (fear) (ən shēa-əv fer)   *the sixth (man)*

an seachdamh (fear) (ən shea<u>ch</u>k-əv fer)   *the seventh
(man)*

an t-ochdamh (fear) (ən to<u>ch</u>k-əv fer)   *the eighth (man)*

an naoidheamh (fear) (ən noeuē-əv fer)   *the ninth
(man)*

an deicheamh (fear) (ən jā<u>ch</u>-əv fer)   *the tenth (man)*

an t-aona (fear) deug (ən toeun-ə fer jāək)   *the
eleventh (man)*

an dara (fear) deug   *the twelfth (man), etc.*

am ficheadamh (fear) (əm fē<u>ch</u>-ət-əv fer)   *the twentieth
(man)*

an t-aona (fear) fichead   *the twenty-first (man)*

an dara (fear) fichead   *the twenty-second (man), etc.*

an dà fhicheadamh (fear)   *the fortieth (man)*

an dà fhicheadamh (fear) 's a h-aon   *the forty-first
(man), etc.*

an leth-cheudamh (fear) (ən llā-<u>ch</u>ət-əv fear)   *the
fiftieth (man)*

an leth-cheudamh (fear) 's a h-aon   *the fifty-first (man)*

an ceudamh (fear) (kēət-əv)   *the hundredth (man)*

an ceudamh (fear) 's a h-aon   *the hundred and first
(man)*

an sia ficheadamh (fear) 's a h-aon   *the hundred and
twenty-first (man)*

am mìleamh (fear) (əm meel-əv fer)   *the thousandth
(man)*

Numerical Nouns

aonar (oeun-ər) f. *one person*
dithis (jē-ish) *two persons*
triùir (trūir) *three persons*
ceathrar (ker-ər) *four persons*
cóignear (kōik-nər) *five persons*
sianar (shē̆ə-nər) *six persons*
seachdnar (sheachk-nər) *seven persons*
ochdnar (ochk-nər) *eight persons*
naoinear (noeuē-nər) *nine persons*
deichnear (jä̆ch-nər) *ten persons*

NOTES

1. There are ten numerical nouns and they are used
   for persons only. From "dithis" upwards, they
   govern the genitive plural case, e.g.:

   dithis mhac *two sons*

2. The numerals come before the noun, e.g.:

   trì coin *three dogs*
   cóig cearcan *five hens*

3. The numbers 3 to 10 take a plural noun, although
   a few common nouns remain in the singular,
   e.g.:

   trì bliadhna *three years*
   ceithir latha deug *fourteen days*
   cóig duine deug *fifteen men*
   sia mìle air fhichead *twenty-six miles*

4. "Aon" aspirates all aspirable consonants except d,
   t and s, e.g.:

   aon chù *one dog*
   aon duine *one man*

5. "Dà" takes a form of the noun like the dative

singular aspirated; an adjective takes the nomin-
ative form aspirated, e.g.:

dà chù mhór   *two big dogs*
dà chirc bheag   *two little hens*

If the whole phrase is to be in the dative, the form
is:

le dà chù mhór   *with two big dogs*
le dà chirc bhig   *with two little hens*

If the whole phrase is to be in the genitive, the form
is:

an dà choin mhóir   *of the two big dogs*
na dà chirce bige   *of the two little hens*

6. "Deug" is aspirated:

(a) after "aon" if the noun is feminine and does
not end in d, t, s, l, n or r, e.g.:

aon chearc dheug   *eleven hens*
but, aon uair deug   *eleven hours, eleven o'clock*

(b) always after "dà"

(c) in numbers 13–19 if the noun introduces "i" in
its case formation, e.g.:

trì fir dheug   *thirteen men*
but, cóig craobhan deug   *fifteen trees*

7. "Fichead", "ceud" and "mìle" take the nominative
singular of the noun, e.g.:

fichead cù   *twenty dogs*
ceud cat   *a hundred cats*
mìle fear   *a thousand men*

8. With the ordinal numbers in particular, the form
with the preposition "thar" is often used, e.g.:

an trìtheamh salm thar an fhichead   *the 23rd psalm*
an trìtheamh salm thar an t-sia fichead   *the 123rd
psalm*

VOCABULARY

leasan (llās-ən) m. *lesson*
leasain (llās-en) *lessons*
glé dhoirbh (glay ghər-əv) *very difficult*
uile gu léir (ooil-ə goo llayr) *altogether, wholly*
aibidil (ap-ich-il) f. *alphabet*
connrag (kaun-rak) f. *consonant*
connragan (kaun-rak-ən) *consonants*
fuaimreag (fooām-rak) f. *vowel*
fuaimreagan (fooām-rak-ən) *vowels*
mìle (meel-ə) f. *mile*
caol (koeul) *narrow, slender*
dusan (doos-ən) m. *dozen*
rann (raun) m. *a verse*
rainn (rainn) *verses*
salm (saļ-əm) m. *a psalm*
nighean (nnē-ən) f. *daughter*
mart (marst) m. *cow*
còrr is (kawr is) *more than*
caibidil (kap-ich-il) f. *chapter*
mothaich (mo-ēch) *notice* (root)
a dh'aois (ə ghoeush) *of age*
clas (kļas) m. *class*
meur (māər) f. *finger*
meuran (māər-ən) *fingers*
piseagan (pēsh-ak-ən) *kittens*
anns an t-sabhal (auns ən tav-əļ) *in the barn*
Gàidhlig (gaal-ēk) *Gaelic*

Exercise 1

Read aloud and translate:

1. Tha dà chraoibh anns a' ghàradh agus trì craobhan móra anns an achadh. 2. Bha trì duine deug aig a' choinneimh. 3. Tha ceithir fichead caora agus dà fhichead uan anns a' phàirc. 4. Cia mhiad leabhar a

tha anns a' phreasa? Tha seachd air fhichead. 5. Seo
an ceathramh uair a chuir mi a mach am bàta. 6. Càit
a bheil sinn anns an leabhar seo? Tha sinn aig a'
chóigeamh leasan deug. 7. Bha an dara leasan deug
glé dhoirbh. 8. Tha seachd leasain air fhichead anns an
leabhar uile gu léir. 9. Cia mheud litir a tha anns an
aibidil Ghàidhlig? Tha ochd-deug—trì connragan deug
agus cóig fuaimreagan. Tha trì de na fuaimreagan
leathann (a, o, u), agus a dhà caol (e agus i). 10. Cia
mhiad ugh a tha ann an dusan? Tha a dhà-dheug. 11.
Cia mhiad uan a tha anns a' phàirc seo? Tha trì fichead
's a h-aon-deug. 12. Có tha seo? Seo Calum, an
ceathramh mac agam. 13. Cia mheud piuthar is
bràthair a tha aig Calum? Tha aon phiuthar agus
triùir bhràithrean. 14. Seinnidh sinn ceithir rainn anns
an naoidheamh salm deug thar a' chiad, o'n toiseach.
15. Tha dithis mhac agus triùir nighean aig an tuath-
anach. 16. Tha aon mhart deug aig an tuathanach
anns a' phàirc mhóir agus tha còrr is leth-cheud caora
aige ann am pàirc eile. 17. Tha sinn a nis aig an dara
leasan fichead. 18. Leughaidh sinn an t-ochdamh
caibidil deug. 19. Dh'éirich sinn aig sia uairean sa'
mhadainn, dh'fhàg sinn an taigh aig seachd uairean
agus bha sinn aig mullach na beinne aig aon uair deug.
20. Chuir sinn ceithir caoraich dheug a mach air a'
mhonadh an dé. 21. Mhothaich mi gu robh dithis
bhalach anns a' mhonadh a' cruinneachadh nan
caorach. 22. Tha mi ochd bliadhna deug a dh'aois.
23. Có fhuair an treas duais?

Exercise 2

Put into Gaelic:

1. There are three horses in the park. 2. The shepherd
has four dogs. 3. There are twenty-four lambs in the
field. 4. The fifth man fell. 5. There are ten boys and

twenty girls in this class. 6. This is the fifteenth lesson. 7. I saw three dogs in the field and five birds in the tree. 8. I have two brothers and three sisters. 9. The farmer bought five horses. 10. There are thirty lambs in the park. 11. How many fingers are on one hand? 12. We saw sixty sheep on the hill. 13. There are three cats and four kittens in the barn. 14. The man and his three sons were working in the field. 15. The fourth son is fishing. 16. The girl took twenty-five books out of the cupboard. 17. There are three men coming down the road; the first one has a black coat on, the second a white coat and the third a brown coat. 18. Janet got the first prize. 19. She has three sisters. 20. It is now eleven o'clock.

The Regular Verb—Imperative and Subjunctive Moods, Active Voice

NOTES

1. The imperative mood of the regular verb (e.g. "buail" *strike*) is as follows:

buaileam (booil-əm)	*let me strike*
buail (booil)	*strike (thou)*
buaileadh (booil-əgh) e, i	*let him, her strike*
buaileamaid (booil-ə-mich)	*let us strike*
buailibh (booil-iv)	*strike (ye)*
buaileadh iad	*let them strike*

2. The subjunctive mood of the regular verb is as follows:

bhuailinn (vooil-ēnn)	*I would strike*
bhuaileadh tu (vooil-əgh too)	*you would strike*
bhuaileadh e, i	*he, she would strike*
bhuaileamaid (vooil-ə-mich)	*we would strike*
bhuaileadh sibh	*you would strike*
bhuaileadh iad	*they would strike*

3. The imperative and subjunctive moods of the verb "to be" follow a similar pattern:

Imperative

bitheam (bē-əm)	*let me be*
bi (bē)	*be (thou)*
bitheadh (bē-əgh) e, i	*let him, her be*

bitheamaid (bē-ə-mich)   *let us be*
bithibh (bē-iv)   *be (ye)*
bitheadh iad   *let them be*

Subjunctive:

bhithinn (vē-ēnn)   *I would be*
bhitheadh (vē-əgh) tu   *you would be*
bhitheadh e, i   *he, she would be*
bhitheamaid (vē-ə-mich)   *we would be*
bhitheadh sibh   *you would be*
bhitheadh iad   *they would be*

4. "Na" (na) makes the imperative negative, e.g.:

Na buail an cù.
Do not strike the dog.
Na bitheamaid a' fuireach.
Let us not stay.

5. If the last vowel of the verb root is broad, the suffix begins with a broad vowel, e.g.:

togamaid   *let us build*
fàgaibh   *leave (ye)*
òladh e   *let him drink*
dh'iarramaid   *we would ask*

VOCABULARY

gu tric (goo trēchk)   *often*
nan (nan)   *if*
nam (nam)   *if* (before b, f, m, p)
cuir as (kooir as)   *put out*
soithichean (soē-ēch-ən)   *dishes, vessels*
suidheachan (sooē-əch-ən) m.   *seat*
cus (koos)   *too much*
bhiodh (vē-əgh)   *would be* (shortened form of "bhitheadh")
air falbh (ār faḷ-əv)   *away*

ullamh (ool̩-əv) *ready, finished*
cabhsair (kav-ser *or* kau-ser) m. *pavement*
las (l̩as) *light* (root)
paisg (pashk) *fold* (root)
tubhailtean (too-el-chən) *tablecloths*
luaithe (l̩ooī-ə) *quicker*
dùinte (dōōin-chə) *closed*
ur (oor) *your* (pl.) (shortened form of "bhur")

Exercise 1
Read aloud and translate:

1. Cuireamaid a mach am bàta. 2. Togamaid taigh air
a' chnoc seo. 3. Bhithinn a' dol gu tric do na bùthan.
4. Bhithinn toilichte nam faighinn do litir. 5. Glasam
an dorus. 6. Dùin an uinneag. 7. Cheannaichinn seo
nam bitheadh airgead agam. 8. Coisicheamaid
troimh'n choille. 9. Coisichibh air ur socair. 10.
Cumaibh ri oir an rathaid. 11. Fàgamaid na leabh-
raichean anns an sgoil an diugh. 12. Na cuir as an
teine. 13. Na fanaibh fada. 14. Lìonamaid na soithich-
ean le uisge. 15. Suidheamaid air an t-suidheachan
seo. 16. Nigheamaid na soithichean an dràsda. 17.
Cum an crodh anns a' phàirc agus dùin geata na
pàirce. 18. Seallaibh a mach air an uinneig. 19.
Éisdeamaid ris a' chaileig seo a' seinn. 20. Bruidh-
neamaid Gàidhlig. 21. Leughainn an leabhar seo nan
robh ùine agam. 22. Na cuireamaid dragh air duine
sam bith. 23. Cluinneam do ghuth. 24. Chan iarrainn
dhachaidh as an sgoil. 25. Cha ghlanainn am bòrd.
26. Na glanamaid am bòrd. 27. Na coisich air an
fheur. 28. Cuireamaid gu muir. 29. Na cuireamaid gu
muir an nochd. 30. Na cuir cus anns a' bhascaid. 31.
Nan lìonamaid am poca seo bhiodh an obair ullamh.
32. Éisdeadh iad ris an òran. 33. Seasadh iad an seo.
34. Bhithinn toilichte sin a dhèanamh. 35. Stadadh iad
aig oir a' chabhsair.

Exercise 2

Put into Gaelic:

1. Let me strike. 2. Let us strike. 3. Put water in the kettle. 4. Let us put up the sails. 5. Let us stay here. 6. Let the men put out the boat. 7. Let us build a house on this hill. 8. Do not light the fire. 9. Let us not light the fire. 10. Keep (ye) away from the fire. 11. Close the door. 12. Open the window. 13. Let us open the windows. 14. Do not throw that stone. 15. If you would listen, you would hear music. 16. Wash (ye) the dishes. 17. Let us fold the tablecloths. 18. Let us buy bread in this shop. 19. Let us not run to the other side of the street. 20. I would not strike the dog. 21. They would not believe me. 22. Let us sweep the floor. 23. Let us walk quickly. 24. Let us halt at the edge of the pavement. 25. Put on your coat. 26. Let them put on their coats. 27. Keep the doors closed. 28. We would not walk far. 29. I would not eat this bread. 30. The men would not leave the boat. 31. Listen to the sound of the wind. 32. I would not do that. 33. Let him sit on this chair. 34. He would not believe me.

The Regular Verb—Passive Voice

NOTES

1. The form of the regular verb "buail" *strike* in the past tense, passive voice, in all persons is "bhuaileadh" (vooil-əgh) *was struck*, e.g.:

   Bhuaileadh mi le bata.
   I was struck with a stick.

   Bhuaileadh an càr agamsa le càr eile.
   My car was struck by another car.

2. The future passive in all persons is "buailear" (booil-ər) *will be struck*, e.g.:

   Buailear an clag aig ochd uairean.
   The bell will be struck at eight o'clock.

3. The imperative mood, passive, in all persons is "buailtear" (booil-chər), e.g.:

   Buailtear iad le slatan.
   Let them be struck with rods.

4. The subjunctive passive in all persons is "bhuail-teadh" (vooil-chəgh), e.g.:

   Bhuailteadh iad le slatan.
   They would be struck with rods.

5. When the last vowel of the root verb is broad (a, o or u), the terminations are "adh" (past tense), "ar" (future tense), "tar" (imperative) and "tadh" (subjunctive), e.g.:

   Root: cum   *keep*

Chumadh air ais mi.
I was kept back.

Cumar air ais mi.
I shall be kept back.

Cumtar air ais mi.
Let me be kept back.

Chumtadh air ais mi.
I would be kept back.

6. One of the commonest ways of expressing the passive is by the use of the irregular verb "rach"* (ra<u>ch</u>) *go* with the possessive pronoun and the verbal noun, e.g.:

Chaidh mo chumail air ais.
I was kept back.

An deachaidh do chumail air ais?
Were you kept back?

Théid mo chumail air ais.
I shall be kept back.

An téid do chumail air ais?
Will you be kept back?

Rachadh do chumail air ais.
You would be kept back.

An rachadh do chumail air ais?
Would you be kept back?

7. The passive voice is also expressed with the verb "to be", used in conjunction with the verbal noun, the preposition "air" and a possessive pronoun, e.g.:

Tha mi air mo bhualadh.
I am struck.

In this context, "air" is the modern form of an old word "iar", meaning *after*.

8. The past participle is also used to express the passive, e.g.:

Tha mi buailte (booil-chə).
I am struck.

* See Appendix B.7.

VOCABULARY

rugadh (rook-əgh)   *was, were born*

thogadh (hōk-əgh)   *was, were raised, reared, built*

an Alba (ən al̹-ə-pə)   *in Scotland*

chaidh mo thogail (chaē mō hōk-el)   *I was raised*

chaidh iarraidh orm (chaē ēər-ē or-əm)   *I was asked*

drochaid (droch-ech) f.   *bridge*

os làimh (os l̹īv)   *in hand*

a dh'aithghearr (ə ghīch-ər)   *soon*

cluinnear (kl̹ooinn-ər)   *shall, will be heard*

sa' mhadainn (sə vat-ēnn)   *in the morning*

dèantar seo (jeən-tər sho)   *let this be done*

baile mór (bal-ə mōr) m.   *city*

deagh dhùrachd (jō ghōōr-əchk)   *good wishes, sincerity*

air mo chumail (ār mō choom-el)   *kept me* (lit. *after my keeping*)

a staigh (ə stī)   *in, inside*

a steach (ə scheəch)   *in (motion inwards)*

glaste* (gl̹as-chə)   *locked*

leònte* (llawn-chə)   *wounded*

thiginn (hēk-ēnn)   *I would come*

a rithist (ə rē-ishch)   *again*

ged (get)   *although*

rachamaid (rach-ə-mich)   *let us go*

ghoideadh (ghoich-əgh)   *has, have been stolen*

ma dh'fhàgar iad (ma ghaak-ər ēət)   *if they are* (*will be*) *left*

chanteadh* (chan-chəgh)   *would be said*

Exercise 1

Read aloud and translate:

1. Bhuaileadh mi le càr. 2. Chumadh air ais mi. 3.

* The violation of the spelling rule in past participles and the past subjunctive is not uncommon.

Bhriseadh na clachan seo leis an òrd. 4. Rugadh agus
thogadh mi an Alba. 5. Chaidh mo thogail anns a'
bhaile mhór. 6. Chaidh iarraidh orm an dorus a
dhùnadh. 7. Ma théid mi do'n bhùth, cumar air ais mi.
8. Togar an drochaid an ath bhliadhna. 9. Lìonar na
soithichean le uisge. 10. Théid na soithichean a
lìonadh le uisge. 11. Chaidh na soithichean a lìonadh
le uisge. 12. Gabhar an obair os làimh a dh'aith-
ghearr. 13. Cluinnear seinn nan eun tràth sa' mhad-
ainn. 14. Buailtear na clachan leis na h-ùird. 15.
Dèantar seo le deagh dhùrachd. 16. Nan robh Calum
an seo, chuirteadh suas na siùil. 17. Cha deachaidh an
càr a ghlanadh an dé ach théid a ghlanadh am
màireach. 18. Glanar an càr Di-luain. 19. Bha mi air
mo chumail air ais anns a' bhùth. 20. Tha mi air mo
ghlasadh a staigh. 21. Chaidh mo ghlasadh a staigh.
22. Tha an dorus seo glaste. 23. Thiginn a steach a
rithist ged a chuirteadh a mach mi. 24. Seòlar am
màireach. 25. Rachamaid do'n eaglais.

Exercise 2

Put into Gaelic:

1. Let him strike the nail with the hammer. 2. I was
born in this place. 3. This door was locked. 4. The
corn was reaped yesterday. 5. The money has been
stolen. 6. The fish will be divided. 7. A house will be
built on this hill. 8. The cattle will be kept in today. 9.
The books will be lost if they are (will be) left in this
place. 10. This castle was built a thousand years ago.
11. That would be said. 12. We would be sent home.
13. We shall be left behind. 14. Let a tree be planted
here. 15. The dogs would be called in. 16. He is
wounded.

The Vocative Case

NOTES

1. The vocative case (nominative of address) is mainly used with personal names and, in the case of masculine nouns, corresponds to the genitive case aspirated, e.g.:

   A Sheumais, thoir dhomh do leabhar.
   James, give me your book.

   A Chaluim, càit a bheil thu dol?
   Calum, where are you going?

   A bhalaich bhig, thoir dhomh do làmh.
   Little boy, give me your hand.

2. With feminine nouns, the affinity of the vocative case is with the nominative case aspirated, e.g.:

   Ciamar a tha thu, a Mhórag?
   How are you, Morag?

   Greas ort, a Mhàiri!
   Hurry up, Mary!

   A chaileag ghòrach, na creid sin.
   Foolish girl, do not believe that.

3. The vocative plural of all nouns whose nominative plural is the same as their genitive singular (e.g. "balach", "bàrd", "giomach") is formed by aspirating the *nominative singular* and adding a final "a", e.g.:

   A bhalacha beaga!
   O little boys!

In the vocative plural, the qualifying adjective is *unaspirated*.

4. In all other instances, the vocative plural is the same as the nominative *plural*, with the noun aspirated, e.g.:

A chearcan móra!	*O big hens!*
A shlatan móra!	*O great rods!*
A ghillean beaga!	*O little boys!*
A chaileagan beaga!	*O little girls!*

5. When the last vowel of the adjective is slender, the increase in the plural is not "a" but "e", e.g.:

A dhaoine glice!	*O wise men!*
A chaileagan còire!	*O kind girls!*

6. Nouns beginning with a vowel or "f" followed by a vowel have no "a" in front, e.g.:

Ciamar a tha thu, Alasdair?
How are you, Alasdair?

Iain, càit a bheil thu?
John, where are you?

VOCABULARY

gràdh (graaəgh) m. *love*
a ghràidh (ə ghraaē) *love* (voc. case)
thig (hēk) *come* (root, irreg.)
dhiot (yēət) *off* (you)
eudail (āt-el) f. *dear*
O gheatachan (ō yeat-əch-ən) *O gates*
sa' chreideamh (sə chrāch-əv) *in the faith*
far (far) *where*
Fhir-na-cathrach (ēr na kar-əch) (*Mr.*) *Chairman*
a mhnathan (ə vna-ən) *ladies* (voc. case)
a dhaoin' uaisle (ə ghoeun ooəsh-lə) *gentlemen* (voc. case)

cum air falbh (koom ār faḷ-əv) *keep away* (root)
seall (sheauḷ) *look* (root)
suidhich (sooē-ēch) *set* (root)
dèan (jeən) *make, do, compose* (root, irreg.)
éisdibh ri (aysh-chəv rē) *listen* (*ye*) *to*
trobhad (trō-ət) *come* (*thou*) *here* (defect. vb.)
Ealasaid (eaḷ-as-ech) f. *Elizabeth*
Anna (an-ə) f. *Ann*
Coinneach (koinn-əch) m. *Kenneth*
a Choinnich (ə choinn-ēch) *Kenneth* (voc. case)
a Sheumais (ə hām-ish) *James* (voc. case)
a Chaluim (ə chaḷ-im) *Malcolm* (voc. case)
a Mhàiri (ə vaa-rē) *Mary* (voc. case)
a Dhòmhnaill (ə ghaw-nil) *Donald* (voc. case)
a Sheònaid (ə heawn-ech) *Janet* (voc. case)
fheara (er-ə) *men* (voc. case)
a Shìne (ɔ heen-ɔ) *Jean* (voc. case)
bhur (voor) same as "ur" *your* (pl.)
a null (ə nōōl) *over, thither*

Exercise 1

Read aloud and translate:

1. A Mhàiri, càit an do chuir thu mo leabhar? 2. Alas-
dair, am faca tu leabhar Chaluim? 3. Càit a bheil thu
a' dol, a Choinnich? 4. A Sheumais, cuir thusa na pinn
anns a' bhocsa seo, agus, a Shìne, cuir thusa na
leabhraichean anns a' phreasa. 5. Trobhad, a Mhàiri,
a ghràidh, agus tiormaich na soithichean. 6. A
chaileag ghòrach, na creid na chluinneas tu. 7. A
ghealach bhòidheach, ràinig iad thu mu dheireadh. 8.
A mach as mo rathad, a chata beaga! 9. Thig a steach,
a Dhòmhnaill, agus cuir dhiot do chòta. 10. A bheil an
t-acras ort, eudail? 11. An cuala tu siud, a bhalaich?
12. Cumaibh a null, a bhalacha beaga. 13. Thigibh a
steach, a chaileagan òga. 14. Fanaibh far a bheil sibh,

a chlann. 15. A dhorsan móra, na fanaibh dùinte. 16.
Togaibh, O gheatachan, bhur cinn! 17. Tha sibhse, a
shruthan brasa, a' ruith gu luath gu cuan! 18. Fuir-
ichibh rium, a pheathraichean. 19. Fheara agus a
bhràithrean, bithibh làidir sa' chreideamh. 20. Eòin
bhig, tha do sgiath briste. 21. Fhir na cathrach, a
mhnathan agus a dhaoin'uaisle.

Exercise 2

Put into Gaelic:

1. Calum, keep this up. 2. You are late, James. 3.
Hurry up, dear. 4. Foolish girl, why did you do that?
5. Come here, Alasdair. 6. Little boy, keep away from
the rocks. 7. Look out of the window, Mary. 8. Janet,
put coal on the fire. 9. Where are you going, John?
10. Put out the boat, friends. 11. Set the table, Eliz-
abeth. 12. Little Ann, sit at the fire. 13. O great poets,
compose songs! 14. I believe, friends, that you are
tired. 15. Walk, little girl, to the other side of the
street. 16. Little children, listen to the songs of the
birds.

LESSON 34
Irregular and Defective Verbs

NOTES

1. There are only ten irregular and a few defective verbs in Gaelic. The following exercises should give the learner a working knowledge of these verbs, all of which are very common in everyday speech. They are given in full, with phonetics, in Appendices B and C.

VOCABULARY

abair (ap-ir)   *say*
abair ri (ap-ir rē)   *say to*
beir (bār)   *catch* (root)
cluinn (klooinn)   *hear* (root)
dèan (jean)   *make, do, compose* (root)
faic (fīchk)   *see* (root)
faigh (fī)   *find, get* (root)
rach (rach)   *go* (root)
ruig (rooēk)   *reach* (root)
thoir (hoir)   *give, take, bring* (root)
thoir leat (hoir leət)   *take with you*
thoir dhomh (hoir gho)   *bring me*
thig (hēk)   *come* (root)
gu faic mi (goo fīchk mē)   *that I shall see*
an dubhairt iad (ən doo-ərsch ēət)   *did they say?*
an ceann-uidhe (an keaun ooē-ə)   *their destination*
rium (rioom)   *to me*
beiridh tu (bār-ē too)   *you will overtake*
innte (ēn-chə)   *in her, in it*
gu faigh duine (goo fī doonn-ə)   *that a man* (person) *will get*
sealladh (sheaḷ-əgh) m.   *view*

do'n uaimh (don ooī)   *to (into) the cave*

pòs (paws)   *marry* (root)

gun (goon)   *that*

gun liubhair e (goon lū-ir e)   *that he will deliver*

ma dhùisgeas tu (ma gho͞oishk-əs too)   *if you will waken*

ceilearadh (kāl-ər-əgh) m.   *warbling, singing*

an tug thu leat (ən took oo leət)   *did you take with you?*

dhut (ghoot)   *to you*

arsa (ars-ə)   *said* (def. vb.)

bheir mi dhut (vār mē ghoot)   *I shall give you*

tiugainn air sgrìob (chook-ēnn ār skreeəp)   *come for a walk*

an tàinig an gual (ən taan-ik ən gooəl)   *has the coal come?*

ceannaiche (kyan-ēch-ə) m.   *merchant*

tunna (toon-ə) m.   *ton*

còmhla rium (kawl-ə rioom)   *along with me*

gu sàbhailte (goo saav-el-chə)   *safely*

theab mi tuiteam (hāp mē too-chəm)   *I almost fell*

a chagair (ə chak-ir)   *dear* (term of endearment)

siuthad (shoo-ət)   *go on*

feumaidh mi falbh (fām-ē mē fal-əv)   *I must go*

lasadan (las-ət-ən) m.   *match*

b'eudar dhomh (bāt-ər gho)   *I had to*

bu chòir dhut (boo chawir ghoot)   *you ought to*

an urrainn dhut (ən oor-ēnn ghoot)   *can you?*

's urrainn (soor-ēnn)—affirmative answer to "an urrainn?"

chunnacas (choon-əchk-əs)   *was seen* (a form of past passive found only with some of the irregular verbs; see Appendix B)

chan fhacas (chan achk-əs)   *was not seen*

a nall (ə naul)   *over, hither*

Exercise 1

Read aloud and translate:

1. Abair ri Iain gu faic mi e am màireach. 2. An dubhairt iad gu robh iad a' tighinn dhachaidh an nochd? Thubhairt. 3. Cuin a ruigeas iad an ceann-uidhe? 4. Their iad gu bheil iad sgìth. 5. An abair mi sin ri Calum? Abraidh, ach chan abair thu e ri Iain. 6. Cha dubhairt e facal rium. 7. Beir air seo. 8. An d'rug thu air? Cha d'rug mise air ach rug Iain air. 9. Thoir leat an càr agus beiridh tu air Alasdair aig an drochaid mhóir. 10. Is e cù glé luath a bheireas air maigheach. 11. Faigh do chòta agus cuir ort e. 12. An d'fhuair thu do chòta? Fhuair. 13. Am faigh mi peann anns a' bhùth seo? Gheibh, ach chan fhaigh thu aran innte. 14. Tha iad ag ràdh gu faigh duine sealladh briagha o mhullach na beinne seo. 15. Ma gheibh mi **ugh ann an nead** na circe bàine, ithidh mi e anns a' mhadainn. 16. Rach a steach. 17. An deachaidh tu a steach? Chaidh. 18. An deachaidh Calum a steach do'n uaimh? Cha deachaidh. 19. Am faca tu na féidh? Chan fhaca. 20. Am faca tu na caoraich? Chunnaic. 21. Càit am faca tu iad? Air mullach na beinne. 22. Chì mi Calum ag obair gu trang anns an achadh. 23. Am faic thu a' gheòla? Chì. 24. Am faic thu có tha anns a' gheòla. Chan fhaic. 25. An cuala tu gun do phòs Alasdair? Cha chuala. 26. Ma dhùisgeas tu tràth anns a' mhadainn, cluinnidh tu ceilearadh nan eun. 27. An cluinn thu ceòl na pìoba? Cluinnidh. 28. An tug thu leat na slatan? Thug. 29. Bheir mi dhut sgillinn air. 30. Cha toir mi dà sgillinn air. 31. Thig a mach agus tiugainn air sgrìob. 32. An tàinig an gual? Cha tàinig ach tha an ceannaiche ag ràdh gun liubhair e tunna am màireach. 33. An téid thu còmhla rium gu mullach na beinne? Théid. 34. Ràinig sinn an cala gu sàbhailte anns an fheasgar. 35. An d'ràinig sibh taobh

eile an locha? Cha d'ràinig. 36. Dèan mar a dh'iarr mi ort. 37. An d'rinn thu mar a dh'iarr mi ort? Rinn. 38. An dèan mi an tì? Nì, gun tcagamh. 39. "Theab mi tuiteam," arsa Màiri. 40. Trobhad, a chagair. 41. Siuthad, greas ort. 42. Feumaidh mi falbh. 43. Am feum thu coiseachd? Chan fheum. 44. Faodaidh tu na siùil a chur suas. 45. Am faod mi lasadan a chur ris an teine? Faodaidh. 46. Feumaidh mi éirigh tràth am màireach. 47. B'eudar dhomh coiseachd dhachaidh. 48. Am b'eudar dhut coiseachd? B'eudar. 49. Bu chòir dhut an leabhar seo a leughadh. 50. An urrainn dhut seo a dhèanamh? 'S urrainn. 51. Dh'fheumainn fuireach anns a' bhaile gus am màireach. 52. Am feumainn falbh tràth anns a' mhadainn? Dh'fheumadh. 53. Chan fhacas solus air a' mhuir ach chunnacas solus air taobh eile an locha.

Exercise 2

Put into Gaelic:

1. Shall I see you tomorrow? Yes. 2. Did you say that Calum is ill? No. 3. Take your coat with you. 4. Did you get my letter? Yes. 5. "I am tired," said he. 6. Shall I get milk in this shop? No. 7. I shall get a good price for (on) this horse. 8. Did you see Alasdair today? No. 9. Will you see him tomorrow? Yes. 10. Did you hear the noise? Yes. 11. I took the rods with me. 12. Come over tomorrow. 13. Will you come to fish in the morning? Yes. 14. He says that he will give me this book. 15. Go to the church today. 16. Will you go to the town tomorrow? Yes. 17. Did you do it? Yes. 18. I almost fell. 19. Can you count? Yes. 20. I ought to go to the school tomorrow. 21. You ought to be wise. 22. I would have to walk home. 23. May I light the fire? Yes. 24. Did you do as I told you? Yes. 25. I must sell the black horse.

Dé'n uair a tha e?—What time is it?

Exercise 1

Read aloud and translate:

1. Tha e uair.
2. Tha e dà uair.
3. Tha e trì uairean.
4. Tha e aon uair deug.
5. Tha e dà uair dheug.
6. Tha e deich uairean.
7. Tha e cóig mionaidean an déidh deich.
8. Tha e deich mionaidean an déidh deich.
9. Tha e cairteal (karsh-chəl) an déidh deich.
10. Tha e fichead mionaid an déidh deich.

11. Tha e cóig mionaidean fichead an déidh deich.
12. Tha e leth-uair (llā-ooir) an déidh deich.
13. Tha c cóig mionaidean fichcad gu aon uair deug.
14. Tha e fichead mionaid gu aon uair deug.
15. Tha e cairteal (ceathramh) gu aon uair deug.
16. Tha e deich mionaidean gu aon uair deug.
17. Tha e cóig mionaidean gu aon uair deug.

Exercise 2

Put into Gaelic:

1. Two o'clock. 2. Three o'clock. 3. Five minutes to five. 4. Twenty minutes to six. 5. Twenty minutes past three. 6. Twenty-five minutes to four. 7. Twenty-three minutes to nine. 8. Half-past ten. 9. Seventeen minutes to eleven. 10. Twelve o'clock. 11. Half-past twelve. 12. A quarter to eight. 13. A quarter-past eight. 14. Fourteen minutes to seven. 15. Three minutes to one.

Exercise 3

Memorise:

A. Làithean na seachdaine (the days of the week)
  1. Di-luain (jē ḷooin) m. *Monday*
  2. Di-màirt (jē maarsch) m. *Tuesday*
  3. Di-ciadain (jē kēǝt-inn) m. *Wednesday*
  4. Di-ardaoin (jēǝr doeunn) m. *Thursday* (stress on last syllable)
  5. Di-haoine (jē hoeunn-ǝ) m. *Friday*
  6. Di-sathurna (jē sa-ǝrn-ǝ) m. *Saturday*
  7. Di-dòmhnaich (jē dawn-ēch) m. *Sunday*
     Là na Sàbaid (ḷaa na saap-ech) m. *the Sabbath day*

B. Mìosan na bliadhna (the months of the year)
  1. am Faoilteach (ǝm foeul-chǝch) m. *January*
  2. an Gearran (ǝn ger-ǝn) m. *February*

3. am Màrt (əm maarst) m. *March*
4. an Giblean (ən gēp-lin) m. *April*
5. an Céitean (ən kaych-en) m. *May*
6. an t-Òg-mhios (ən tawk-vēəs) m. *June*
7. an t-Iuchar (ən chūch-ər) m. *July*
8. an Lùnasdal (ən lōōn-əs-dəl) f. *August*
9. an t-Sultainn (ən tool-tinn) f. *September*
10. an Damhar (ən dav-ər) m. *October*
11. an t-Samhainn (ən tav-inn) f. *November*
12. an Dùdlachd (ən dōōd-lachk) f. *December*

C. Raidhean na bliadhna (the seasons of the year)

an t-earrach (ən chear-əch) m. *the spring*
an samhradh (ən saur-əgh) m. *the summer*
am foghar (əm fō-ər) m. *the autumn*
an geamhradh (ən geaur-əgh) m. *the winter*

D. Làithean àraidh (special days)

Nollaig (nol-ik) f. *Christmas*
Latha Nollaige (la-ə nol-ik-ə) m. *Christmas Day*
Oidhche Challainn (əēch-ə chal-inn) *Hogmanay*
a' Bhliadhn' Ùr (ə vlēən ōōr) f. *the New Year*
Là na Bliadhn' Ùire (laa na blēən ōōir-ə) m. *New Year's Day*
a' Chàisg (ə chaashg) f. *Easter*
Di-haoine na Càisge (jē hoeunn-ə na kaashg-ə) *Good Friday*
Oidhche Shamhna (əēch-ə haun-ə) f. *Hallowe'en*

VOCABULARY

dé'n uair a tha e? (jay nooir ə ha e) *what time is it?*
aon uair deug (oeun ooir jāək) *eleven o'clock*
dà uair dheug (daa ooir yāək) *twelve o'clock*
mionaid (mēn-ech) f. *minute*
mionaidean (mēn-ech-ən) *minutes*
cairteal (karsh-chəl) m. *a quarter*

ceathramh (ker-əv) m.   *a quarter, a fourth*
leth-uair (llā-ooir) f.   *half an hour*
làithean (l̤aaē-ən)   *days*
mìos (meeəs) f.   *month*
mìosan (meeəs-ən)   *months*
ràidh (raaē) f.   *season, quarter of a year*
ràidhean (raaē-ən)   *seasons*
àraidh (aar-ē)   *special*
oir (oir)   *for* (conjunction)
fada gun éirigh (fat-ə gə nnayr-ē)   *late in rising*
cairteal na h-uarach (karsh-chəl̤ na hooər-əch)   *a
    quarter of an hour*
deiseil (jāsh-el)   *ready*
staidhre (stīr-ə) f.   *stair*
bracaist (bra̲chk-eshch) f.   *breakfast*
sa' mhadainn (sə vat-inn)   *in the morning*
obair an tighe (ōp-ir ən tī-ə)   *housework*
seachad (she̲ch-əd)   *over, past*
cead (kāət) m.   *interval, permission*
mar sin (mar shēn)   *thus*
uair gu leth (ooir goo llā)   *an hour and a half*
biadh feasgair (bē̆əgh fāsk-ir)   *evening meal*
leasain (llās-en)   *lessons*
a laighe (ə l̤ī-ə)   *to bed* (i.e. *to lying down*)
air a chois (ār ə chōsh)   *up, afoot* (of a masculine
    subject)
's e sin as coireach (she shēn əs koir-əch)   *that is why*
cho ... ri (chō ... rē)   *as ... as*
cho math ri (chō ma rē)   *as good as*

Exercise 4

Read aloud and translate:

Dh'éirich Màiri agus Calum tràth anns a' mhadainn
an diugh, oir bha aca ri dhol do'n sgoil. Dh'éirich
Màiri aig deich mionaidean an déidh seachd, ach cha

do dh'éirich Calum gus an robh e fichead mionaid gu
ochd.

Ged a bha Calum fada gun éirigh, cha tug e ach
cairteal na h-uarach air faighinn deiseil, agus thàinig
e a nuas an staidhre gu a bhracaist aig cóig mionaidean
gu ochd. Thàinig Màiri a nuas an staidhre aig deich
mionaidean gu ochd.

Dh'éirich athair na cloinne agus màthair na cloinne
aig sia uairean sa' mhadainn. Thòisich am màthair
air obair an tighe aig fichead mionaid an déidh sia,
agus chaidh an athair a mach a bhiadhadh a' chruidh
aig leth-uair an déidh sia.

Bha am bracaist ullamh aig cóig mionaidean gu
ochd, agus shuidh iad uile aig a' bhòrd aig ochd
uairean. Bha am bracaist seachad eadar leth-uair an
déidh ochd is cóig mionaidean fichead gu naoi.

'S e an Dùdlachd a bha ann agus bha e fhathast
dorcha nuair a dh'fhàg a' chlann an taigh, ach ràinig
iad an sgoil gu sàbhailte aig cóig mionaidean gu naoi.
Chaidh an sgoil a staigh aig naoi uairean.

Fhuair an sgoil a mach airson cead beag* aig cóig
mionaidean gu aon uair deug, agus chaidh i a staigh a
rithist aig deich mionaidean an déidh aon uair deug.

Fhuair iad a mach aig am dinnearach aig cairteal
an déidh dà uair dheug agus, an déidh am dinnearach,
chaidh an sgoil a staigh aig cairteal gu dhà. Mar sin,
bha uair gu leth aca airson an dinnearach.

Bha cead beag eile aca o chóig mionaidean gu trì gu
cóig mionaidean an déidh trì. Fhuair an sgoil a mach
airson an latha aig ceithir uairean.

Ràinig a' chlann an taigh aig fichead mionaid an
déidh ceithir. Bha iad a' coimhead air telebhisean o
chóig uairean gu deich mionaidean gu sia. Ghabh iad
am biadh feasgair aig sia uairean.

Bhà iad aig an leasain o leth-uair an déidh sia gu

* Indeclinable nouns do not decline their adjectives.

seachd uairean. Chaidh Màiri a laighe aig cóig
mionaidean an déidh ochd, ach dh'fhan Calum air a
chois gus an robh e faisg air naoi uairean. 'S e sin as
coireach nach eil Calum cho math ri Màiri air éirigh
anns a' mhadainn.

ADDITIONAL READING EXERCISES AND THE 1970 ORDINARY GRADE GAELIC (LEARNERS) QUESTION PAPERS

TEAGHLACH ALASDAIR MHÓIR

1

A' Dol Do'n Bhaile Mhór

Tha Alasdair Mór agus Màiri a bhean a' fuireach ann an taigh mór briagha faisg air Dun Eideann. Tha triùir chloinne aca—Calum, Anna agus Seumas. 'S e Calum as sine de'n teaghlach: tha e deich bliadhna. Tha Anna dà bhliadhna nas òige na Calum agus 's e Seumas as òige de'n teaghlach. Tha Seumas ceithir bliadhna.

Tha Calum glé choltach ri athair. Tha falt donn air, mar a tha air athair. 'S ann ri a màthair a tha Anna coltach. Tha falt briagha bàn oirre, mar a tha air a màthair. Chan eil Seumas idir coltach ri càch: tha falt ruadh air. Bidh athair ag ràdh gu bheil e coltach ri Billy Bremner! Tha Calum agus Anna a' dol do'n sgoil ach cha bhi Seumas a' dol do'n sgoil gus am bi e còig bliadhna. 'S toigh le Seumas a bhith a' cluich le ball.

Tha cabhag mhór orra uile an diugh, oir tha iad a' dol do'n bhaile mhór. 'S toigh leis a' chloinn agus le am màthair a bhith a' dol do'n bhaile mhór ach 's fheàrr le an athair a bhith a' fuireach aig an taigh. Tha móran obrach aige ri dhéanamh anns a' ghàradh. Tha e eòlach gu leòr air Dun Eideann, oir sin far a bheil e ag obair a h-uile latha de'n t-seachdain ach Di-sathurna agus Di-dòmhnaich.

VOCABULARY

Dun Eideann	*Edinburgh*
coltach	*like*
ruadh	*red*
ball	*a ball*
eòlach	*acquainted*

2
Anns a' Bhaile Mhór

On a tha iad a' dol do'n bhaile mhór, dh'éirich
athair agus màthair na cloinne tràth anns a' mhadainn
an diugh. Dh'éirich Alasdair aig leth-uair an déidh sia
agus dh'éirich Màiri aig seachd uairean. Dhùisg iad a'
chlann aig leth-uair an déidh seachd agus shuidh iad
uile aig am bracaist aig ochd uairean.

Nuair a bha am bracaist seachad, chaidh Alasdair
Mór a mach agus thug e an càr gu bialaibh an taighe.
Ciamar a nis a shuidheadh iad anns a' chàr? Bha
Anna airson suidhe ri taobh a h-athar ann an toiseach
a' chàir agus rinn i sin. Shuidh Màiri ann an cùl a'
chàir còmhla ri Calum agus Seumas. Bha Seumas ag
ràdh gu suidheadh esan an toiseach a' chàir ri taobh
athar air an rathad dhachaidh agus nach bitheadh an
ùine fada co-dhiù gus am bitheadh càr aige fhéin.

Ràinig iad Dun Eideann gu sàbhailte aig beagan an
déidh naoi agus chuir Alasdair Mór an càr ann am
pàirc chàraichean. Bha na bùthan uile fosgailte agus
choisich Alasdair is Màiri agus an triùir chloinne air
an socair suas an t-sràid a' coimhead a staigh air na
h-uinneagan. Bha rudan briagha anns na h-uinneagan
agus bha Seumas airson an ceannach uile gu léir.

Bha Màiri airson a dhol gu marcait mhór a bha air
taobh eile na sràide ach cha robh e soirbh faighinn a

null leis an trabhaig a bha a' ruith sios is suas air an
t-sràid. Chum iad orra a' coiseachd gus an d' ràinig
iad soluis na trabhaig. Nuair a thionndaidh na soluis
gu dearg fhuair iad cothrom air a dhol a null chon an
taoibh eile. Bha iad toilichte gun d'ràinig iad taobh
eile na sràide gu sàbhailte agus chaidh iad a steach
do'n mharcait.

VOCABULARY

on	*since*
bialaibh	*front*
a nis	*now*
toiseach	*front*
marcait	*market*
tionndaidh	*turn*
trabhaig	*traffic*
cothrom	*chance, opportunity*
co-dhiù	*anyhow*
a null	*over, across*

3

Anns a' Mharcait

Chan fhaca Seumas bùth cho mór seo riamh
roimhe agus chum e greim teann air làmh a mhàthar,
oir bha eagal air gun rachadh e air chall.

Fhuair Calum bascaid agus chaidh iad timcheall na
marcait. Mar a bha iad a' dol air adhart bha iad a'
cruinneachadh rudan a bha dhìth orra airson an
taighe. Cheannaich iad ùbhlan is orainsearan, ìm is
càise, tì is cofi, suiteis is briosgaidean, uighean is feòil,
agus iomadh rud riatanach eile.

Air an rathad air ais gu pàirc nan càraichean,
thàinig iad gu bùth mhór agus na h-uinneagan aice
làn de rudan airson cloinne. Bha beagan airgead-

pòcaid aig a' chloinn agus cha robh iad fada ga chosg.
As déidh sin chaidh iad do bhùth aodaichean agus
cheannaich Màiri briogaisean do na gillean agus froca
bòidheach flùranach do Anna. Cha do stad iad
tuilleadh gus an d'ràinig iad pàirc nan càraichean.
Bha iad toilichte na pasganan uile a chur ann an sàil a'
chàir, oir bha feadhainn dhiubh glé throm.

Bha Seumas beag a nise a' gearan gu robh e gu
bhith marbh leis an acras agus chaidh iad uile gu
taigh-bìdh far an do ghabh iad an dinneir. Anns an
fheasgar chuir iad cuairt air té de phàircean a' bhaile
far am faca iad leapaichean briagha fhlùraichean agus
far an d'fhuair a' chlann cothrom air cluich.

Air an rathad dhachaidh dhiochuimhnich Seumas
suidhe ri taobh athar ann an toiseach a' chàir. Bha e
'na shuain chadail an cùl a' chàir.

VOCABULARY

cho mór seo	*as big as this*
air chall	*lost*
timcheall	*round, round about*
air adhart	*forward*
a bha dhìth orra	*that they needed*
feòil	*meat*
iomadh	*many*
airgead-pòcaid	*pocket-money*
aodaichean	*clothes*
froca	*frock*
flùranach	*floral*
gu bhith	*on the point of being, almost*
taigh-bìdh	*restaurant*
cuairt	*a tour*
leapaichean	*beds*
flùraichean	*flowers*
diochuimhnich	*forget*
'na shuain chadail	*sound asleep*

riamh roimhe	*ever before* (with neg. verb *never before*)
greim	*grip*
teann	*tight, firm*
cofi	*coffee*
riatanach	*necessary*
sàil	*boot (of car)*

4

Air an Tràigh

B'e seo Di-sathurna. Bha an sgoil dùinte agus a' ghrian a' deàrrsadh air an t-saoghal mun cuairt. Bha Alasdair Mór saor o obair agus thubhairt e gun toireadh iad leotha biadh ann am bascaid agus gun cuireadh iad seachad an latha air an tràigh. Gu dearbh, chòrd seo ris a' chloinn.

Dh'fhàg iad an taigh aig deich uairean agus bha iad air tràigh mhóir, mhìn, ghil aig aon-uair-deug. Bha móran dhaoine air an tràigh—fireannaich is boireannaich is clann—gu h-àraidh clann. Bha feadhainn a' snàmh anns a' mhuir agus feadhainn eile 'nan sìneadh air an tràigh gam blianadh fhéin anns a' ghréin.

Bha Calum agus Anna math air snàmh (dh'ionnsaich iad seo anns an sgoil) agus cha b'fhada gus an robh iad a' snàmh còmhla ris a' chloinn eile beagan a mach o oir na mara. Mus deachaidh iad a mach, fhuair iad rabhadh bho am màthair agus bho an athair gun a dhol ro fhada bho thìr. Cha deachaidh Seumas a shnàmh idir: bha e ag ràdh gu robh a' mhuir ro mhór agus ro fhuar. Dh'fhuirich esan còmhla ri athair a' dèanamh chaisteal anns a' ghainmhich.

Bha Màiri trang fad na seachdain agus bha i a nise

glé thoilichte anail a ghabhail air an tràigh. Fhuair i
cathair-tràghad agus bha i 'na suidhe oirre a' gabhail
bcachd air na bha dol air adhart mun cuairt.

Fada muigh, am meadhon a' bhàigh, bha bàtaichean
luatha, aig astar mór, a' tarraing sgithearan-uisge as
an déidh, a' cur chuairtean air a' bhàgh agus a'
fàgail strìochan móra de chaoir ghil as an déidh. Bha
seo a' còrdadh ri Màiri. Bha i a' smaoineachadh, nan
robh i beagan na b'òige, gum bu toigh leatha fhéin
sgithearachd-uisge ionnsachadh: bha iad uile a' coimh-
ead cho grinn a' seòladh cho soirbh 's cho aotrom
air uachdar na mara, ach cha robh i idir cho cinnteach
nuair a chunnaic i té-eigin a' dol an comhair a cinn
anns a' mhuir, a ceann foidhpe agus a casan anns an
adhar!

Taobh a muigh nan sgithearan bha bàtaichean-
sheòl air ais 's air adhart fo ghiùlan na gaoithe. Bha
iad a' coimhead bòidheach leis na siùil àrda—air
iomadh dath—geal is dearg is gorm is uaine. Bha
iongnadh air Màiri gu robh na bàtaichean beaga seo
a' dol cho math an aghaidh na gaoithe.

Fada muigh air druim a' chuain, chitheadh Màiri
smùid ag éirigh o longan móra air an turus do
dhùthchannan céine. 'S dòcha latha air choireigin,
nuair a dh'fhàsadh an teaghlach suas, gun rachadh
i-fhéin agus Alasdair thar a' chuain gu dùthchannan
céine air té de na longan móra seo.

Ach a nise bha Seumas beag a rithist a' gearan gu
robh an t-acras air agus b'fheudar do Mhàiri dùsgadh
as a bruadar agus a' bhascaid fhosgladh.

VOCABULARY

mun cuairt	*about, round about*
saor	*free*
gun	*that* (conj.)
mìn	*smooth*

fireannaich	*men*
ionnsaich	*learn*
cha b'fhada	*it was not long*
rabhadh	*a warning*
gun a dhol	*not to go*
gainmheach	*sand*
cathair-tràghad	*beach-chair*
am meadhon	*in the middle*
strìochan	*streaks*
caoir	*foam*
a' smaoineachadh	*thinking*
gum	*that (conj.)*
sgithearachd-uisge	*water-skiing*
grinn	*graceful*
aotrom	*light*
an comhair a cinn	*head foremost*
sgithearan	*skiers*
giùlan	*carrying*
iongnadh	*wonder*
smùid	*smoke*
céin	*foreign*
's dòcha	*perhaps*
b'fheudar	*it was necessary*
bruadar	*dream*
móran dhaoine	*many people*
mus	*before*
a nise	*now*

5

Air an Rathad gu na h-Eileanan Siar

Ged is ann faisg air Dun Eideann a tha Alasdair
Mór a' fuireach 's ann do Leódhas a bhuineas e agus
's ann do Na Hearadh a bhuineas Màiri a bhean. Mar
sin, tha Gàidhlig aca le chéile agus tha Gàidhlig aig a'
chloinn cuideachd. 'S e Gàidhlig a bhitheas iad a'

bruidhinn anns an dachaidh. Aig ceithir bliadhna chan
eil facal Beurla aig Seumas ach tha a glé fhileanta anns
a' Ghàidhlig. A h-uile samhradh bithidh iad uile a'
dol do Na Hearadh agus do Leódhas a choimhead air
na seanairean agus air na seanmhairean.

A nise tha an samhradh air tighinn, tha an sgoil air
dùnadh, agus, an déidh móran cabhaig is pacaigeadh
is othail, tha Alasdair Mór 's an teaghlach anns a'
chàr air an rathad thun nan Eileanan Siar—rud a bha
a' còrdadh gu math riutha oir bha fios aca gun
rachadh fàilte mhór chridheil a chur orra agus gu
faigheadh iad spòrs gu leòr nuair a ruigeadh iad Na
Hearadh agus Leódhas.

Ràinig iad Caol Lochaillse aig uair feasgar ach,
mar is àbhaist, bha sreang mhór chàraichean is char-
badan a' feitheamh ri faighinn seachad air a' Chaol.
Bha e trì uairean mus d'fhuair iad an t-aiseag gu Caol
Acain. Bha Alasdair a' gearan gu làidir mun dàil seo
agus bha e ag ràdh nach cuireadh daoine suas le seo
an àite sam bith eile air an t-saoghal!

A Caol Acain ghabh iad an rathad gu Port-rìgh
agus a Port-rìgh gu Uig an taobh an iar an Eilein
Sgitheanaich, far an d'fhuair iad bat-aisig nan
càraichean gu Tairbeart Na Hearadh. A' dol thairis
air a' Chuan Sgìth bha am bat-aisig a' dèanamh cùrsa
dìreach air dol fodha na gréine. Bha am feasgar ciùin
blàth agus bha na ceudan a bh'air a' bhat-aisig ag
ràdh nach fhaca duine riamh, an ceàrn sam bith de'n
t-saoghal, sealladh na bu bhriagha na dol fodha na
gréine anns a' Chuan Shiar air feasgar sàmhach
samhraidh.

Bha Seumas a' tuiteam 'na chadal nuair a ràinig iad
an Tairbeart, ach bha e 'na làn dhùisg nuair a chunn-
aic e a sheanair 's a sheanmhair a' feitheamh air a'
cheidhe. Cha robh guth a nise air sgìos no air cadal:
bha iad anns na h-Eileanan Siar, àite, bha Màiri ag

ràdh, as bòidhche air an t-saoghal, agus cha b'fhada
gus am bitheadh i anns an taigh far an d'rugadh i agus
far an d'fhuair i a h-àrach òg.

VOCABULARY

siar	*western*
Leódhas	*Lewis*
buin	*belong*
Na Hearadh	*Harris (Isle of)*
le chéile	*both*
dachaidh	*home*
fileanta	*fluent*
pacaigeadh	*packing*
othail	*tumult, excitement*
fàilte	*welcome, greetings*
cridheil	*hearty, cheerful, warm*
spòrs	*sport, fun*
Caol Lochaillse	*Kyle of Lochalsh*
mar is àbhaist	*as usual*
carbadan	*vehicles*
aiseag	*ferry*
Caol Acain	*Kyleakin*
daoine	*people*
Port-rìgh	*Portree*
Uig	*Uig*
sam bith	*any*
An t-Eilean Sgitheanach	*Skye (Isle of)*
bat-aisig	*ferry-boat*
Tairbeart Na Hearadh	*Tarbert Harris*
thairis	*over, across*
An Cuan Sgìth	*The Minch*
cùrsa	*course*
dìreach	*straight, direct*
dol fodha na gréine	*sunset*
ciùin	*calm*
ceàrn	*corner, region, quarter*

sàmhach	*quiet*
'na làn dhùisg	*fully awake, wide awake*
ceidhe	*quay, pier*
àrach	*rearing, upbringing*

TURUSACHD ANNS NA h-EILEANAN SIAR

6

An diugh, tha dùthchannan an t-saoghail a' dèanamh móran saothrach gus turusachd a bhrosnachadh 's a neartachadh, oir tha fios aca gu bheil airgead anns an obair seo. Mar a tha na bliadhnachan a' dol seachad, tha barrachd is barrachd dhaoine, eadhon as an dùthaich seo fhéin a' dol "air tòir na gréine", agus tha gu h-àraidh, dùthchannan a tha an cois Muir Meadhon Tìre a' dèanamh oidhirpean móra gus luchd-turuis a tharraing thuca fhéin.

Ach tha cuid de luchd-turuis nach eil idir déidheil air taighean-òsda nan dùthchannan céine no air tràighean gainmhich a tha air an dòmhlachadh le mór-shluagh nan saor-laithean. Am bitheantas, tha iad seo a' coimhead airson àiteachan far a bheil sìth is socair agus caithe-beatha air nach eil iad eòlach. Mar sin, tha iad a' dol, bliadhna an déidh bliadhna, do na h-Eileanan Siar.

Tha iomadh toil-inntinn anns na h-Eileanan seo. Ged a tha taobh an ear Na Hearadh creagach, cruaidh, tha tràighean móra de ghainmhich mhìn ghil air an taobh an iar—tràighean air a bheil farsaingeachd gu leòr airson cluich cloinne agus coiseachd inbheach. A bharrachd air seo, faodaidh am fear-turuis breac a ghlacadh anns na lochan air feadh a' mhonaidh, no a dhol a mach air bàta gu iasgach na mara. Agus nuair a bhitheas sinn anns Na Hearadh, na dèanamaid diochuimhn air a dhol gu Ròdal, far a bheil seann eaglais Chliamhain a tha a nise fo chùram an Urrais Nàiseanta.

Ged a tha Leódhas agus Na Hearadh ceangailte ri chéile, tha iad an iomadh seadh glé eadar-dhealaichte. Nuair a bhitheas am bàrd a' moladh Na Hearadh 's e "beanntan Na Hearadh" a bhitheas e a' toirt fo ar comhair, ach nuair a bhitheas e a' moladh Eilean Leódhais 's e "Eilean an Fhraoich" a chanas e. Agus tha sin ceart. Tha beanntan agus creagan gu leòr anns Na Hearadh ach tha monaidhean Leódhais còmh-daichte le fraoch.

'S ann ann an Leódhas a tha an "Clò Hearach" air a dhèanamh. Mar tha fios againn uile, tha an clò seo ainmeil air feadh an t-saoghail gu léir. Bidh móran dhaoine cuideachd a' tighinn a Leódhas a h-uile bliadhna a choimhead air Clachan Chalanais.

Ged nach eil a' ghrian an còmhnaidh a' deàrrsadh anns na h-Eileanan tha iomadh rud annta a chòrdas ris an fhear a tha air a chlaoidh le cabhag is ùprait a' bhaile mhóir. Tha Alasdair Mór co-dhiù agus an teaghlach ag ràdh nach eil dad as fheàrr air an t-saoghal na fàile glan nan gaothan tlàtha a tha a' tighinn a steach o fharsaingeachd a' Chuain Shiar.

VOCABULARY

turusachd	*tourism*
brosnaich	*encourage*
neartaich	*strengthen*
eadhon	*even*
an cois	*near to, bordering on*
Muir Meadhon Tìre	*Mediterranean Sea*
oidhirpean	*efforts*
gus	*in order to*
luchd-turuis	*tourists*

déidheil air	*keen on, enthusiastic about*
taighean-òsda	*hotels*
a tha air an dòmhlachadh	*that are crowded*
mór-shluagh	*multitude, host*
saor-laithean	*holidays*
am bitheantas	*frequently, as a general rule*
caithe-beatha	*way of life*
toil-inntinn	*pleasure, pastime*
ear	*east*
creagach	*rocky*
farsaingeachd	*width, space*
inbheach	*adult, grown-up person (here gen. pl.)*
fear-turuis	*tourist*
no	*or*
na dèanamaid diochuimhn	*let us not forget*
Ròdal	*Rodil*
seann	*old, ancient*
Cliamhain	*Clement (Saint)*
cùram	*care*
Urras Nàiseanta	*National Trust*
ceangailte	*tied*
ri chéile	*together, to each other*
an iomadh seadh	*in many ways, in many senses*
eadar-dhealaichte	*different, unlike*
comhair	*attention*
còmhdaichte	*covered*
Clò Hearach	*Harris Tweed*
ainmeil	*famous*
a	*to*
gu léir	*altogether, entirely (the whole)*
Clachan Chalanais	*Callernish Stones*

an còmhnaidh	*always*
air a chlaoidh	*exhausted*
ùprait	*confusion, uproar*
fàile	*scent, smell*
tlàtha	*gentle*
An Cuan Sìar	*the Western Ocean, the Atlantic*

Scottish Certificate of Education

1970 Examination

Gaelic—Oral Proficiency Test

Learners—Ordinary Grade

Oral Reading Passage

AN SIONNACH

1   Gheibhear an sionnach cha mhór anns gach
ceàrn de'n domhain. Buinidh e do'n aon seòrsa
ris a' mhadadh. Tha a dhath donn, a bheul
biorach, a chluasan àrd agus dìreach, agus a
5   earball fada, dosach, agus breac. Tha an toll anns
a bheil e a' gabhail còmhnaidh am bitheantas fo
'n talamh no ann an sgoran chreag. Chan fhàg e
a gharadh gu feasgar agus an sin théid e a mach
air feadh nan coilltean agus an fhearainn air son
10 cobhartach, agus fanaidh e a muigh gu madainn.
Is e biadh dha a' mhaigheach, an coinean, cear-
can, agus eunlaith de gach seòrsa. Ithidh e mar
an ceudna faimh, radain, agus luchaidh, agus tha
e ro dhéidheil air ùbhlan agus gach gnè meas.

December, 1969

SCOTTISH CERTIFICATE OF EDUCATION

GAELIC (LEARNERS)

Ordinary Grade—(Paper (a))

AURAL COMPREHENSION TEST

Tuesday, 26th May—2.30 p.m. to 3.0 p.m.

This paper must not be seen by any candidate.

INSTRUCTIONS TO THE TEACHER

1. Use the ten minutes preceding the beginning of the test to make yourself thoroughly familiar with the passage to be read.

2. When so· instructed by the Invigilator, read to the candidates the "Instructions to Candidates" given overleaf.

3. Then read the passage aloud to the candidates, speaking clearly and naturally, and taking not more than **four minutes** to the reading.

4. After this reading inform the candidates that they may now turn over the printed question papers, and that they will have three minutes in which to study the questions. Remind the candidates that they may make notes during this interval of three minutes, but only on the sheets provided for the answers. You yourself will not be allowed to see the questions which are to be answered by the candidates.

[117]

TE&S 70/117 6/701
1970 Scottish Certificate of Education

5. When so instructed by the Invigilator, read the passage a second time, in exactly the same manner as on the first occasion and taking the same amount of time.

6. Remind the candidates that the questions are to be answered in English.

INSTRUCTIONS TO CANDIDATES

1. Listen carefully to the following passage with a view to answering questions on its content.

2. The questions are to be answered in English.

3. You are on no account to touch the printed question paper or to do any writing until you are told to do so.

4. The procedure will be as follows:—

    (*a*) The passage will be read twice with an interval of three minutes between the readings.

    (*b*) After the first reading you will be allowed to turn over the printed question paper and you will have three minutes in which to study the questions.

    (*c*) After the second reading you will write your answers on the sheet provided for this purpose.

5. All writing during the first and second readings is **strictly forbidden.** Notes may be made during the interval between the readings, but only on the sheet provided for the answers.

6. You may not ask for the repetition of any word or phrase.

An uair a thig a' chlann agamsa dhachaidh agus a bhitheas iad ag innse dhomh mar a thachair aig cleasan na sgoile, bithidh mo smaointean a' falbh air chuairt leam agus ag ùrachadh dhomh latha nan cleasan agus cuirm-chnuic sgoil Bàgh a' Chaisteil, an uair a bha mise 'nam sgoilear.

'S ann am mìos mhaiseach a' Chéitein a dh'innseadh a' Bhan-sgoilear againn dhuinn gu robh na cleasan agus a' chuirm-chnuic a' dol a bhith againn agus gum b'fheàrr dhuinn tòiseachadh air ruith agus leum gus a bhith sùbailte air an latha sin, ach 's e bu mhotha bhitheadh a' cur dragh oirnne an t-aodach a chuireamaid oirnn agus có a b'fheàrr a bhitheadh air a chur air dòigh.

Ged nach robh airgead cho pailt 's a tha e 'n diugh bhitheadh gach bean a bha 's a' bhaile a' dèanamh a dìchill gus a' chlann a bhith air an éideadh gu math an latha sin, leis gach fasan ùr a bha ann am "Bùth Annag Ailein".

Bhitheadh sinn a' cruinneachadh aig an tigh-sgoile 's a' mhadainn, agus an uair a chuireadh iad sinn 'nar sreathan air an rathad mhór bhitheadh Ruairidh Dòmhnallach a' cur suas na pìoba-móire agus le port aotrom, aighearach, bha sinn a' coiseachd gu faiche nan cleasan. Bha Ruairidh 'na phìobaire 's a' Chogadh Mhór, agus abair gum b'fheàrr leis a bhith falbh gu cuirm-chnuic leis a' chloinn na bhith a' cur ratreut air na Gearmailtich.

An uair a bha sinn gu toirt thairis a' ruith 's a' leum agus an t-acras a' tighinn oirnn, bha a' chuirm-chnuic deiseil air ar son agus cha robh móran air fhàgail 'sna pocan ann an ùine ghoirid.

An uair a bha na duaisean air an roinn bha sinn a' toirt greis a' dannsa air a' chnoc, agus an uair a bha am feasgar a' tighinn bha sinn a' dèanamh deiseil air son tilleadh dhachaidh. 'S e latha nan cleasan aon de na làitheaň saor, sona a chuir mi seachad ann an Eilean Bharraidh far an d'fhuair mi m'àrach òg.

[END OF PASSAGE]

SCOTTISH CERTIFICATE OF EDUCATION

GAELIC (LEARNERS)

Ordinary Grade—(Paper (a))

AURAL COMPREHENSION TEST

Tuesday, 26th May—2.30 p.m. to 3.0 p.m.

Answers are to be written on the sheet provided for the purpose, on which are also to be written any notes made between the readings.

QUESTIONS

		Marks
1.	What reminded the writer of sports day at her old school?	1
2.	Where was this school?	1
3.	During which month of the year was sports day held by the writer's old school?	1
4.	What advice did the schoolmistress give to the children?	2
5.	What caused most concern to the children?	1
6.	What special effort was made by the mothers?	2
7.	Describe how the children were taken to the sports field.	3
8.	What are we told of Roderick's earlier life?	1
9.	What happened after the sporting events had taken place?	3
		(15)

[END OF QUESTIONS]

[118]

SCOTTISH CERTIFICATE OF EDUCATION

GAELIC (LEARNERS)

Ordinary Grade—(Paper (*b*))

Tuesday, 26th May—9.30 a.m. to 11.45 a.m.

Marks may be deducted for bad spelling and bad punctuation, and for writing that is difficult to read.

The value attached to each question is shown in the margin.

[119]

TE&S 70/119 6/1051
1970 Scottish Certificate of Education

1. Translate into English:—

Oidhche gheamhraidh 's neòil dhorcha a' ruagadh a chéile air aghaidh na speur dh'fhalbh mi a dh'fhaicinn caraid domh a bha mu mhìle gu leth a dh'astar bhuam. Ghabh mi air mo thurus gu sunndach ach cha deach mi ro-fhada nuair a thug lùb de 'n rathad an sealladh na mara mi, agus ciod a b'iongantaiche leam fhaicinn na cruth mór, coltach ri duine, eadar mi 's a' mhuir agus dìreach anns an rathad a bha mi a' gabhail. Cha luaith' chunnaic e mi na thilg e làmhan an àird 'san adhar 's a' sealltainn, a réir coltais, nan rachainn ceum na b'fhaide air m'aghaidh gun éireadh na bu mhiosa dhomh.

Sheas mi mar a bha mi greis a' coimhead mun cuairt. Bha'n abhainn air an dara taobh dhiom 's bha balla cloiche, seachd no ochd troighean air àirde, air an taobh eile. Smaointich mi nach bu mhisd' an gnothach am balla cloiche bhith eadar mi 's am fear a bha romham. Streap mi thar a' bhalla is thill mi gu sàmhach air m'ais gus an d'ràinig mi an t-àite 'san do dh'fhàg mi an *taibhse. Bha mi nis is m'anail am uchd ach mu dheireadh thug mi sùil fhaicilleach eadar clachan mullaich a' bhalla 's ciod a chunnaic mi, an àite an nì ris an robh dùil agam, ach craobh is dhà no trì mheanglain mu cheann 's iad a' crathadh anns a' ghaoith.　(25)

　* *taibhse*; apparition, ghost.

[Turn over

2. Carefully read the passage given below, then answer the questions which follow it.

N.B.—The passage is NOT to be translated.

'Sann an slochd mór, domhainn a stad mi: slochd car coltach ri uamha is sruthan a' ruith troimhe 'sa' dol á sealladh ann an toll air taobh thall na h-uamha.

Thug mi sùil os mo chionn agus thàinig fallus fuar orm—bha mullach na h-uamha àrd, gu math na b'àirde na ruiginn. Cha robh dòigh air faighinn as.

Bha mi greis a' coiseachd a null 'sa nall nuair smuainich mi air an t-sruthàn—càite àn robh é a' dol? An ann an lochan dubh, dorcha domhainn fo'n talàmh à bha e stad air neo a robh e a' ruith a mach gu taobh na beinne, beagan shlos fòdhàm?

Chaidh mi null chun an tuill. Cha robh ach mu ochd òirlich dheug de'n sgoltadh os cionn an uisge. Leis an dorchadas chan fhaicinn dé bha romham is bhuail an t-eagal mi a rithist ach bhrùth mi mo chom a steach do'n sgoltadh. An toiseach chaidh dhomh gu math ach cha b'fhada gu'm b'fheudar dhomh gabhail air mo shocair oir bhuail mi mo cheann uair no dhà air a' chloich a bha os mo chionn. Bha an turus a' sìor fhàs doirbh agus mu dheireadh chan fhaighinn na b'fhaide. Bha a' chreag a' bruthadh a nuas air mo cheann 's nuair a dh'fheuch mi ri beagan putaidh a dhèanamh le m' chasan chan fhaighinn òirleach na b'fhaide air adhart. Chuir mi mo làmhan fodham air ùrlar an t-sruthain agus dh'fheuch mi ri mi-fhéin a phutadh air ais. Dh'fheuch mi rithist is a rithist agus uair eile. Cha do ghluais mi òirleach; chan fhaighinn air ais no air adhart!

QUESTIONS

Note to Candidates.

The answers to the following questions may be in either Gaelic or English, except when otherwise indicated.

Marks

1. Describe the place where the author is. — **4**

2. (a) In what position does he find himself? — **3**

   (b) How is his fear shown? — **1**

3. To what two outlets did he consider the stream might lead? — **4**

4. Give a brief description of the hole through which the stream flowed out. — **3**

5. Tell

   (a) how the author progressed at first; — **1**

   (b) why his rate of progress altered. — **2**

6. (a) Describe in detail the author's efforts to extricate himself when he discovered he could get no further. — **5**

   (b) What was the outcome? — **2**

   (25)

3. Translate into Gaelic:—

   (i) When you see Donald tell him I want to see him.

   (ii) Twenty boys and fourteen girls from our school are going on a cruise this Summer.

   (iii) Listen! What was that strange noise inside the house?

   (iv) Will you give this book to your father, please?

   (v) Your coat is shorter than mine, and my mother says mine is too short. **(15)**

[**Turn over**

4. Write, **in Gaelic**, a continuous story based on the following outline and complete it in your own way. Give it a title.

> Feasgar foghair—thu leat fhéin ag iasgach air loch—ceò is dorchadas a' tuiteam—fuaim neònach aig ceann àrd an locha—bheir thu do chasan leat—air chall—.

OR

Write, **in Gaelic**, an essay on **one** of the following subjects:—

(*a*) Anns an sgoil an t-seachdain roimh an Nollaig no roimh làithean saora an t-samhraidh.

(*b*) Turus ainmeil air muir no air tìr.

(*c*) Thoir cunntas air *aon* diubh so:

> mo mhàthair; fear nam fiacall; an dotair; am ministear; fear na bùtha.

(*d*) Bu toigh leam . . . . .

(*e*) Am Baile Mór—mo bharail air.   (20)

Your composition should be from 150 to 200 words long.

[*END OF QUESTION PAPER*]

APPENDIX A

BI (bē) *be*

Verbal Noun: bith (bē)
Infinitive: a bhith (ə vē)

Active Voice

Indicative:

Past:
bha (va) mi, thu, *etc.*

an, cha, nach, mura, nan, ged
nach, gu, robh (ro) mi, thu,
etc.

ma, ged a, a, bha mi, thu, *etc.*

Present:
tha (ha) mi, thu, *etc.*

a, mura, gu, bheil (vāl) mi, thu,
etc.

chan, nach, mur, ged nach, eil
(āl) mi, thu, *etc.*

ma, ged a, a, tha mi, thu, *etc.*

Future:
bithidh (bē-ē) mi, thu, *etc.*

am, nach, mura, ged nach,
gum, bi (bē) mi, thu, *etc.*

cha bhi (vē) mi, thu, *etc.*

ma, ged a, a, bhitheas (vē-əs)
mi, tu, *etc.*

Subjunctive: Past:

bhithinn (vē-ēnn)
bhitheadh (vē-əgh) tu, e, i
bhitheamaid (vē-ə-mich)
bhitheadh sibh, iad
am, nach, nam, mur, ged nach,
gum, bithinn, *etc.*
cha, ged a, bhithinn, *etc.*
a bhitheadh *that would be*
(used impersonally)

nach bitheadh   *that would not be* (used impersonally)

Imperative: bitheam (bē-əm)
                     bi (bē)
                     bitheadh (bē-əgh) e, i
                     bitheamaid (bē-ə-mich)
                     bithibh (bē-iv)
                     bitheadh iad

The following are impersonal forms of the verb:

thatar (ha-tər) *or* thathar (ha-ər); thatas (ha-təs) *or* thathas (ha-əs)   *it is being*

bhatar (va-tər) *or* bhathar (va-ər); bhatas (va-təs) *or* bhathas (va-əs)   *it was being*

bitear (bē-chər) *or* bithear (bē-ər); bitheas (bē-əs) *it will be*

APPENDIX B

The Irregular Verbs

1. ABAIR (ap-ir) *say*

Verbal Noun: ag ràdh (ə graa)
Infinitive: a ràdh (ə raa)

Active Voice

Indicative:
Past: thubhairt (hoo-ərsch) mi, thu, *etc.*

an, nach, ged nach, cha, mur, gun, nan, d'thubhairt *or* dubhairt (doo-ərsch) mi, thu, *etc.*

ma, ged a, thubhairt mi, thu, *etc.*

Future: their (hār) mi, thu, *etc.*; *or* abraidh (ap-rē) mi, thu, *etc.*

an, nach, ged nach, chan, mur, gun, abair mi, thu, *etc.*

ma, ged a, their mi, thu, *etc.*

Subjunctive: Past: theirinn (hār-ēnn), *etc.*

an, nach, ged nach, chan, gun, nan, mur, abairinn, *etc.*

ged a theirinn, *etc.*

Imperative:
abaiream (ap-ir-əm)
abair
abradh (ap-rəgh) e, i
abramaid (ap-rə-mich)
abraibh (ap-riv)
abradh iad

Passive Voice

Indicative:
- Past: thubhairteadh (hoo-ərsch-əgh)
- Future: theirear (hār-ər) *or* abrar (ap-rər)

Subjunctive: Past: theirteadh (hār-chəgh) mi, thu, *etc.*

Imperative   abairtear (ap-ir-chər)

2. BEIR (bār) *bear, catch*

      Verbal Noun: a'breith (ə brāē)
      Infinitive: a bhreith (ə vrāē)

Active Voice

Indicative:
- Past:
  - rug (rook) mi, thu, *etc.*
  - an, nach, ged nach, cha, nan, mur, gun, do rug mi, thu, *etc.*
  - ma, ged a, rug mi, thu, *etc.*
- Future:
  - beiridh (bār-ē) mi, thu, *etc.*
  - am, nach, ged nach, mur, gum, beir mi, thu, *etc.*
  - cha bheir (vār) mi, thu, *etc.*

Subjunctive: Past:
- bheirinn (vār-ēnn), *etc.*
- am, nach, ged nach, nam, mur, gum, beirinn (bār-ēnn), *etc.*
- ged a, cha, bheirinn *etc.*

Imperative: beiream (bār-əm), *etc.*

Passive Voice

Indicative:
- Past: rugadh (rook-əgh) mi, thu, *etc.*
- Future: beirear (bār-ər) mi, thu, *etc.*

Subjunctive: Past: bheirteadh (vār-chəgh) mi, thu,
                       etc.

Imperative: beirtear (bār-chər) mi, thu, *etc.*

3. CLUINN (kḷooinn) *hear*

Verbal Noun: a' cluinntinn (ə kḷooinn-chinn)
Infinitive: a chluinntinn (ə chḷooinn-chinn)

Active Voice

Indicative: Past: chuala (chooəl-ə) mi, thu, *etc.*
                        an, nach, ged nach, mur an,
                        gun, nan, cuala (kooəl-ə) mi,
                        thu, *etc.*
                        cha, ma, ged a, chuala mi, thu,
                        etc.

All other tenses of this verb are regular.

4. DÈAN (jeən) *make, do*

Verbal Noun: a' dèanamh (ə jeən-əv)
Infinitive: a dhèanamh (ə yeən-əv)

Active Voice

              ⎧ Past: rinn (rīnn) mi, thu, *etc.*
              ⎪   an, nach, ged nach, cha, mur,
              ⎪   gun, nan, d'rinn (drīnn) mi,
              ⎪   thu, *etc.*
Indicative: ⎨   ma, ged a, rinn mi, thu, *etc.*
              ⎪ Future: nì (nee) mi, thu, *etc.*
              ⎪   an, nach, ged nach, cha, mur,
              ⎪   gun, dèan mi, thu, *etc.*
              ⎩   ma, ged a, nì mi, thu, *etc.*

Subjunctive: Past:.   dhèanainn (yeən-ēnn), *etc.*

Subjunctive: Past: an, nach, ged nach, cha, mur, gun, nan, dèanainn (jeən-ēnn), *etc.*
ged a dhèanainn, *etc.*

Imperative: dèanam (jeən-əm), *etc.*

Passive Voice

Indicative: {
Past: rinneadh (rīnn-əgh) mi, thu, *etc.*
Future: nithear (nē-ər) mi, thu, *etc.*
}

Subjunctive: Past: dhèantadh (yeən-təgh) mi, thu, *etc.*

Imperative: dèantar (jeən-tər) mi, thu, *etc.*

5. FAIC (fīchk) *see*

Verbal Noun: a' faicinn (ə fīch-kēnn)
Infinitive: a dh'fhaicinn (ə ghīch-kēnn)

Active Voice

Indicative: {
Past: chunnaic (choon-ik) mi, thu, *etc.*
am, mur, nam, gum, faca (fachk-ə) mi, thu, *etc.*
chan, ged nach, fhaca (achk-ə) mi, thu, *etc.*
Future: chì (chee) mi, thu, *etc.*
am, mur, gum, faic mi, thu, *etc.*
chan, ged nach, fhaic (īchk) mi, thu, *etc.*
}

Subjunctive: Past: chithinn (chē-ēnn), *etc.*
am, mur, gum, nam, faicinn, *etc.*

Subjunctive: Past:　　chan, nach, ged nach, fhaicinn
　　　　　　　　　　　　(īch-kēnn), *etc.*
　　　　　　　　　　　　ged a chithinn, *etc.*

Imperative:　　　　　　faiceam (fīchk-əm), *etc.*

Passive Voice

Indicative:
　　Past:　　chunnacas (choon-əchk-əs) mi,
　　　　　　　thu, *etc.*; *or* facas (fachk-əs)
　　　　　　　mi, thu, *etc.*
　　Future:　chithear (chē-ər) mi, thu, *etc.*

Subjunctive: Past:　　chiteadh (chē-chəgh) mi, thu,
　　　　　　　　　　　　etc.; *or* faicteadh (fīch-chəgh)
　　　　　　　　　　　　mi, thu, *etc.*

Imperative:　　　　　　faictear (fīch-chər) mi, thu, *etc.*

6. FAIGH (fī)　*get, find*

　　Verbal Noun: a' faighinn (ə fī-ēnn) *or* a' faotainn
　　(ə foeu-tēnn)
　　Infinitive: a dh'fhaighinn (ə ghī-ēnn) *or* a
　　dh'fhaotainn (ə ghoeu-tēnn)

Active Voice

Indicative:
　　Past:　　fhuair (hooer) mi, thu, *etc.*
　　　　　　　an, nach, ged nach, cha, mura,
　　　　　　　nan, d'fhuair (dooer) mi,
　　　　　　　thu, *etc.*
　　　　　　　ma, ged a, fhuair mi, thu, *etc.*
　　Future:　gheibh (yāv) mi, thu, *etc.*
　　　　　　　am, mur, gum, faigh mi, thu,
　　　　　　　etc.
　　　　　　　nach, ged nach, fhaigh (ī) mi,
　　　　　　　thu, *etc.*
　　　　　　　ma, ged a, gheibh mi, thu, *etc.*

Subjunctive: Past: gheibhinn (yāv-ēnn), *etc.*
                          am, mur, nam, gum, faighinn,
                             etc.
                          nach, ged nach, chan, fhaighinn
                             (ī-ēnn), *etc.*
                          ged a, gheibhinn, *etc.*

Imperative: faigheam (fī-əm), *etc.*

Passive Voice

                ⎧Past: fhuaras (hooər-əs) mi, thu, *etc.*;
Indicative: ⎨   *or* fhuaradh (hooər-əgh) mi,
                ⎩   thu, *etc.*
                 Future: gheibhear (yāv-ər) mi, thu, *etc.*

Subjunctive: Past: gheibhteadh (yāv-chəgh) mi,
                             thu, *etc.*

Imperative: faightear (fī-chər) mi, thu, *etc.*

7. RACH (rach) *go*
        Verbal Noun: a' dol (ə dol)
        Infinitive: a dhol (ə ghol)

Active Voice

                ⎧Past: chaidh (chaaē) mi, thu, *etc.*
                ⎪   an, cha, nach, ged nach, mur,
                ⎪   nan, gun, deachaidh (jech-ē)
                ⎪   mi, thu, *etc.*
                ⎪   ma, ged a, chaidh mi, thu, *etc.*
Indicative: ⎨Future: théid (hāēch) mi, thu, *etc.*
                ⎪   an, cha, nach, ged nach, mura,
                ⎪   gun, téid (chāēch) mi, thu,
                ⎪   *etc.*
                ⎩   ma, ged a, théid mi, thu, *etc.*

Subjunctive: Past: rachainn (ra<u>ch</u>-ēnn), *etc.*

an, cha, nach, ged nach, mur, nan, gun, ged a, rachainn, *etc.*

Imperative: racham (ra<u>ch</u>-əm), *etc.*

Passive Voice—none

8. RUIG (rooēk) *reach*

Verbal Noun: a' ruigsinn (ə rooēk-shēn) *or* a' ruigheachd (ə rooē-ə<u>ch</u>k)

Infinitive: a ruigsinn (ə <u>r</u>ooēk-shēn) *or* a ruigheachd (ə <u>r</u>ooē-ə<u>ch</u>k)

Active Voice

	Past:	ràinig (<u>r</u>aan-ik) mi, thu, *etc.*
		an, nach, ged nach, mur, nan, cha, gun, d'ràinig (draan-ik) mi, thu, *etc.*
		ma, ged a, ràinig mi, thu, *etc.*
Indicative:	Future:	ruigidh (rooēk-ē) mi, thu, *etc.*
		an, nach, ged nach, mur, cha, gun, ruig (rooēk) mi, thu, *etc.*
		ma, ged a, ruigeas (rooēk-əs) mi, tu, *etc.*

Subjunctive: Past: ruiginn (rooēk-ēnn), *etc.*

an, nach, ged nach, mura, nan, cha, gun, ruiginn, *etc.*

ged a ruiginn, *etc.*

Imperative: ruigeam (rooēk-əm), *etc.*

Passive Voice

Indicative:
  {
    Past: ràinigeadh (r̠aan-ik-əg̱ẖ) mi,
             thu, *etc.*
    Future: ruigear (rooēk-ər) mi, thu, *etc.*
  }

Subjunctive: Past: ruigteadh (r̠ooēk-chəg̱ẖ) mi,
                      thu, *etc.*

Imperative: ruigtear (rooēk-chər) mi, thu,
                      etc.

9. THIG (hēk) *come*

Verbal Noun: a' tighinn (ə chē-ēnn)
Infinitive: a thighinn (ə hē-ēnn)

Active Voice

Indicative:
  {
    Past: thàinig (haan-ik) mi, thu, *etc.*
             an, cha, nan, nach, ged˙nach,
             mur, tàinig (taan-ik) mi, thu,
             etc.
             ma, ged a, thàinig mi, thu, *etc.*
    Future: thig (hēk) mi, thu, *etc.*
             an, cha, nach, ged nach, mura,
             gun, tig (chēk) mi, thu, *etc.*
             ma, ged a, thig mi, thu, *etc.*
  }

Subjunctive: Past: thiginn (hēk-ēnn), *etc.*
                      an, cha, nach, ged nach, mur,
                      nan, gun, tiginn (chēk-ēnn),
                      etc.
                      ged a, thiginn, *etc.*

Imperative: thigeam (hēk-əm), *etc.*

Passive Voice—none

10. THOIR (hoir) *or* TABHAIR (tav-ir) *give, take,
    bring*

> Verbal Nouns: a' toirt (ə toirsch), a' tabhairt
> (ə tav-irsch)
> Infinitives: a thoirt (ə hoirsch), a thabhairt (ə
> hav-irsch)

Active Voice

Indicative:
- Past:
  - thug (hook) mi, thu, *etc.*
  - an, nach, ged nach, cha, nan, gun, mur, tug (took) mi, thu, *etc.*
  - ma, ged a, thug mi, thu, *etc.*
- Future:
  - bheir (vār) mi, thu, *etc.*
  - an, nach, ged nach, cha, gun, mura, toir (toir) mi, thu, *etc.*
  - ma, ged a, bheir mi, thu, *etc.*

Subjunctive: Past:
- bheirinn (vār-ēnn), *etc.*
- an, nach, ged nach, cha, nan, gun, mur, toirinn (toir-ēnn) *or* tugainn (took-ēnn), *etc.*
- ged a bheirinn, *etc.*

Imperative:
- thoiream (hoir-əm), *etc.*; *or* tabhaiream (tav-ir-əm), *etc.*

Passive Voice

Indicative:
- Past:
  - thugadh (hook-ə<u>gh</u>) mi, thu, *etc.*; *or* thugas (hook-əs) mi, thu, *etc.*
- Future: bheirear (vār-ər) mi, thu, *etc.*

Subjunctive: Past: bheirteadh (vār-chəgh) mi, thu,
                          etc.

Imperative: thoirtear (hoirs-chər) mi, thu
                          etc.

APPENDIX C

Defective Verbs

Arsa (ar-sə)   *said*—Past Indicative only, e.g.:

    arsa mise   *said I* (emphatic form of pronoun used)
    arsa Màiri   *said Mary*

Ar (ar) *think, thought; seems, seemed*—Present and Past Indicative only, and used with the prepositional pronoun, e.g.:

    ar leam   *it seems (seemed) to me*
    ar leinn   *we think (thought)*

Theab (hāp)   *had almost*—Past Indicative only, e.g.:

    theab Calum tuiteam   *Calum almost fell*
    theab mi falbh   *I almost went*
    theab mi a dhol ceàrr   *I almost went wrong*

    There are also impersonal forms: theabadh, theabas.

Trobhad (trō-ət), trobhadaibh (trō-ət-iv)   *come here*—Active Imperative only, e.g.:

    trobhad, a Mhàiri   *come here, Mary*

Thugad (hook-ət), thugadaibh (hook-ət-iv)   *look out*—Active Imperative only

Tiugainn (chūk-ēnn), tiugainnibh (chūk-ēnn-iv)   *come*—Active Imperative only

Siuthad (shū-ət), siuthadaibh (shū-ət-iv)   *proceed, go on*—Active Imperative only

Defective Auxiliary Verbs

Indicative Present	*Subjunctive*
faodaidh (foeu-tē) mi, *etc.* *I may*	dh'fhaotainn (ghoeu-tēnn), *etc.* *I might*
am faod (foeut) mi, *etc.* *may I?*	am faotainn (foeu-tēnn), *etc.* *might I?*
feumaidh (fām-ē mi), *etc.* *I must*	dh'fheumainn (yām-ēnn), *etc.* *I would need to*
am feum (fām) mi, *etc.* *must I?*	am feumainn (fām-ēnn), *etc.* *would I need to?*

Indicative Past

is eudar (*or* fheudar) (āt-ər) dhomh, *etc.* *I must*	b'eudar (*or* b'fheudar) (bāt-ər) dhomh, *etc.* *I had to*
an eudar dhomh, *etc.* *must I?*	am b'eudar (*or* b'fheudar) dhomh, *etc.* *had I to?*
is còir (kawir) dhomh, *etc.* *I am right to, I ought to*	bu chòir (<u>ch</u>awir) dhomh, *etc.* *I was right to, I ought to*
an còir dhomh, *etc.* *am I right to? ought I to?*	am bu chòir dhomh, *etc.* *was I right to? ought I to?*
is urrainn (oor-inn) dhomh, *etc.* *I can*	b'urrainn (boor-inn) dhomh, *etc.* *I could*
an urrainn dhomh *can I?*	am b'urrainn dhomh *could I?*

"Feumaidh" and "faodaidh" take an unaspirated form of the infinitive, e.g.:

Feumaidh mi falbh.
I must go away.
Faodaidh tu fuireach far a bheil thu.
You may stay where you are.

But the form "feumaidh mi a dhol" is also used.

The Prepositional Pronouns

Prepositions	Singular 1st (mi)	2nd (tu)	3rd (e)
Aig *at*	agam (ak-əm) *at me*	agad (ak-ət) *at you*	aige (ek-ə) *at him*
Air *on*	orm (or-əm)	ort (oʀst)	air (ār)
Ann *in*	annam (an-əm)	annad (an-ət)	ann (aun)
As *out of*	asam (as-əm)	asad (as-ət)	as (as)
Bho ⎱ *from*	bhuam (vooəm)	bhuait (vooəch), bhuat (vooət)	bhuaithe (vooă-ə)
O ⎰ *from*	uam (ooəm)	uait (ooəch), uat (ooət)	uaithe (ooă-ə)
De *of, off*	diom (jēəm) dhiom (yēəm)	diot (jēət) dhiot (yēət)	deth (je) dheth (ye)
Do *to*	domh (do) dhomh (g͟ho)	duit (dooch), dut (doot) dhuit (g͟hooch), dhut (g͟hoot)	da (da) dha (g͟ha)
Eadar *between*	—	—	—
Fo *under*	fodham (fō-əm)	fodhad (fō-ət)	fodha (fō-ə)
Gu ⎱ *to*	thugam (hook-əm)	thugad (hook-ət)	thuige (hooi-kə)
Thun / Chun ⎰ *to*	chugam (c͟hook-əm)	chugad (c͟hook-ət)	chuige (c͟hooi-kə)
Le *with*	leam (leəm)	leat (leət)	leis (lāsh)
Mu *about*	umam (oom-əm)	umad (oom-ət)	uime (ooim-ə)
Ri *to, with*	rium (rioom)	riut (rioot)	ris (rĕsh)
Roimh *before*	romham (rō-əm)	romhad (rō-ət)	roimhe (roĕ-ə)
Troimh *through*	tromham (trō-əm)	tromhad (trō-ət)	troimhe (troĕ-ə)
Thar *over*	tharam (har-əm)	tharad (har-ət)	thairis (har-ish) **air**
Emphatic forms	agamsa, *etc.*	agadsa, *etc.*	aigesan, *etc.*

DIX D

		Plural	
3rd *(i)*	*1st* *(sinn)*	*2nd* *(sibh)*	*3rd* *(iad)*
aice (e<u>ch</u>-kə) *at her*	againn (ak-ēnn) *at us*	agaibh (ak-iv) *at you*	aca (a<u>ch</u>k-ə) *at them*
oirre (oir-ə)	oirnn (oir-inn)	oirbh (oir-iv)	orra (or-ə)
innte (ēn-chə)	annainn (an-ēnn)	annaibh (an-iv)	annta (aun-tə)
aisde (esh-chə)	asainn (as-ēnn)	asaibh (as-iv)	asda (as-tə)
bhuaipe (vooā-pə)	bhuainn (vooānn)	bhuaibh (vooāv)	bhuapa (vooa-pə) bhuatha (vooa-ə)
uaipe (ooā-pə)	uainn (ooānn)	uaibh (ooāv)	uapa (ooa-pə), uatha (ooa-ə)
dith (jē)	dinn (jēnn)	dibh (jēv)	diubh (jū)
dhith (yē)	dhinn (yēnn)	dhibh (yēv)	dhiubh (ū)
di (jē)	duinn (dooinn)	duibh (dooēv)	daibh (dīv)
dhi (yē)	dhuinn (<u>gh</u>ooinn)	dhuibh (<u>gh</u>ooēv)	dhaibh (<u>gh</u>īv)
—	eadarainn (āt-ər-ēnn)	eadaraibh (āt-ər-iv)	eatorra (āt-ər-ə)
foidhpe (fōi-pə)	fodhainn (fō-ēnn)	fodhaibh (fō-iv)	fodhpa, fopa (fō-pə)
thuice (hooi<u>ch</u>-kə)	thugainn (hook-ēnn)	thugaibh (hook-iv)	thuca (hoo<u>ch</u>-kə)
chuice (<u>ch</u>ooi<u>ch</u>-kə)	chugainn (<u>ch</u>ook-ēnn)	chugaibh (<u>ch</u>ook-iv)	chuca (<u>ch</u>oo<u>ch</u>-kə)
leatha (lea-ə)	leinn (lēnn)	leibh (lēv)	leotha (leaw-ə), leo (leaw)
uimpe (ooim-pə)	umainn (oom-ēnn)	umaibh (oom-iv)	umpa (oom-pə)
rithe (rē-ə)	ruinn (rooinn)	ribh (rēv)	riutha (riooə), riu (rioo)
roimhpe (roē-pə)	romhainn (rō-ēnn)	romhaibh (rō-iv)	romhpa (ro-pə)
troimhpe (troē-pə)	tromhainn (trō-ēnn)	tromhaibh (trō-iv)	tromhpa (tro-pə)
thairte (hars-chə)	tharainn (har-ēnn)	tharaibh (har-iv)	tharta (har-tə)
aicese, *etc.*	againne, *etc.*	agaibhse, *etc.*	acasan, *etc.*

KEY TO EXERCISES

Exercise 1

1. a dog; a cat; a door; a fire; an eagle. 2. the dog; the cat; the door; the fire; the eagle. 3. The dog is black. 4. The cat is white. 5. The dog is black but the cat is white. 6. The dog is big. 7. The cat is small. 8. The dog is big but the cat is small. 9. The dog is at the door. 10. The cat is at the fire. 11. The dog is at the door and the cat is at the fire. 12. The door is big and the fire is big. 13. There is heat (heat is) in the fire. 14. Mary is small. 15. Calum is big. 16. Mary is small but Calum is big. 17. Mary is working. 18. Calum is working. 19. Mary and Calum are working. 20. Mary and Calum are working in the field today. 21. Mary and Calum are busy today: they are working in the field. 22. Mary is tired. 23. She is tired working in the field. 24. Calum is tired: he is working busily in the field. 25. I am busy. 26. You (sing.) are busy. 27. We are busy. 28. You (pl.) are busy working in the field and you are tired. 29. It is cold today. 30. They are cold working in the field today.

Exercise 2

1. cat; cù; teine; dorus; iolair. 2. an cat; an cù; an teine; an dorus; an iolair. 3. Tha Màiri beag. 4. Tha Calum mór. 5. Tha Màiri beag agus tha Calum mór. 6. Tha an cat bàn. 7. Tha an cù dubh. 8. Tha an cat bàn ach tha an cù dubh. 9. Tha an teine mór. 10. Tha an cat aig an teine. 11. Tha an dorus mór. 12. Tha an cù aig an dorus agus tha an cat aig an teine. 13. Tha Màiri agus Calum ag obair. 14. Tha iad ag obair anns

an achadh. 15. Tha i trang. 16. Tha e trang. 17. Tha thu trang. 18. Tha sibh sgìth. 19. Tha e fliuch an diugh. 20. Tha Màiri agus Calum fliuch agus fuar.

LESSON 1a

Exercise 1

1. a black dog; a white cat; little Mary; a big door; a big eagle; a big fire; fair hair; the big black dog; fair-haired little Mary; the little white cat; the big eagle. 2. The black dog is at the door. 3. The little white cat is at the fire. 4. Big Calum and little Mary are working busily in the field today. 5. Calum has black hair but Mary has fair hair (black hair is on Calum but fair hair is on Mary). 6. Little Mary is tired. 7. We are busy working. 8. Fair-haired Mary is in the field today and she is working busily. 9. I am cold and I am tired. 10. They are cold in the field today.

Exercise 2

1. Màiri bheag; Màiri bheag bhàn; cù dubh; an cù dubh; falt bàn; an dorus mór; an iolair mhór; an cat beag bàn. 2. Tha mi trang an diugh. 3. Tha thu ag obair. 4. Tha sinn trang anns an achadh. 5. Tha Màiri bheag fuar. 6. Tha sibh aig an teine. 7. Tha Màiri bheag aig an dorus. 8. Tha falt bàn air Màiri. 9. Tha falt dubh air Calum. 10. Chunnaic sinn iolair mhór an diugh.

LESSON 2

Exercise 1

1. Is the dog black? Yes. 2. Are you working? Yes. 3. Are you tired? No. 4. Has James fair hair? No. 5. Is the man wearing a coat (i.e. is a coat on the man)? Yes. 6. Has James a big head (i.e. is a big head on

James)? Yes. 7. Is the day cold? Yes. 8. Are you wet? No. 9. Is it raining (i.e. is the rain in it)? No; it is a good day today (i.e. a good day is in it today). 10. Is the dog fast? Yes indeed; the dog is very fast. 11. Where is the little boy today? He is in the school. 12. Is the school big? Yes. 13. Is Janet in the school today? No. Where is she? She is in the house. 14. Where is the white cat today? It is in the house along with Janet. 15. What is Janet doing in the house? She is playing on the floor. 16. Is the cat playing (along) with Janet on the floor? No. Where is the cat? It is at the fire. 17. What is on the fire? There is coal on the fire (i.e. coal is on the fire). 18. Is the dog at the fire? No. Where is he? He is in the field today. 19. Is this room warm? Yes indeed; the room is very warm. 20. What is James doing today? He is working busily in the field. 21. Is James not working today? Yes. 22. Are you not tired? Yes; I am very tired. 23. This room is not warm. 24. Janet is not in the field along with James; she is in the house.

Exercise 2

1. A bheil Seumas mór? Tha; tha Seumas glé mhór. 2. A bheil sibh trang? Chan eil; chan eil sinn trang an diugh. 3. A bheil an duine ag obair anns an achadh? 4. A bheil an cù dubh anns an achadh còmhla ris an duine? 5. Chan eil an cù dubh anns an achadh an diugh; tha e anns an taigh. 6. A bheil an t-uisge ann an diugh? 7. A bheil an gille beag anns an sgoil? Tha an gille beag anns an sgoil ach tha Seònaid aig an taigh. 8. Dé tha Seònaid a' dèanamh? Tha i a' cluich. 9. A bheil Seònaid a' cluich air an làr? Tha. 10. A bheil an cat còmhla ri Seònaid anns an taigh? Tha. 11. Càit a bheil an cat? Tha an cat aig an teine. 12. A bheil an cù anns an achadh an diugh? Tha. 13. Càit a bheil an gual? Air an teine. 14. Càit a bheil

Seumas ag obair? Tha e trang ag obair anns an achadh. 15. A bheil an seòmar blàth? Tha; tha an seòmar glé bhlàth. 16. Nach eil Calum agus Màiri anns an sgoil an diugh? Tha. 17. Chan eil a' chaileag bheag anns an sgoil. 18. Chan eil uisge ann; tha latha briagha blàth ann.

General Reading

The dog is big, but the cat is small. Is the dog big? Yes. Is the dog black? Yes. Is this dog swift? Yes. Where is the dog? The dog is along with Calum in the field today.

Is the cat big? No. Is the cat white? Yes. Where is the cat? The cat is at the fire.

The boy is big but the girl is small. This is the boy and this is the girl. Where is the boy? The boy is at the door. Where is the girl? She is in the house. What is she doing? She is playing. Where is she playing? She is playing on the floor. Who is playing on the floor? The girl. Is the boy playing? No.

Expressions

This is the boy. This is the cat. This is the dog. This is Mary. This is Calum.

This is cold. This is hot. This is good. That is not good. This is black but that is white.

How are you? I am well, thank you.

LESSON 3

Exercise 1

1. The man is on (in) the moor with the dog. 2. Where is the dog? He is along with Calum. 3. Where is Mary today? She is in the town. 4. Is water in the kettle?

Yes. Where is the kettle? The kettle is on the gas. 5.
Was Calum fishing on the loch yesterday? Yes. Who
was fishing on the loch? Calum (was). 6. Where are
you staying? I am staying in the village. 7. Where is
the book? The book is on the table. 8. What is wrong
with (on) this boy? His head is sore. Was he in (the)
school today? No, he was in the house all day. 9. Who
was fishing today? Alasdair (was). Where was
Alasdair fishing? He was fishing on the river. 10. What
is in that box? There are eggs in the box (i.e. eggs are
in the box). Where is the box? The box is on the table.
Who put the box on the table? Mary (put). 11. Was
the mason working on the wall all day yesterday?
Yes. Is the wall high? Yes. 12. What is this? A bottle
(is). Is there anything in the bottle? Yes. What is in
the bottle? There is milk in the bottle. 13. This hill is
high. What is on the hill? There is a big house on the
hill. 14. Was there not a book in that box? Yes, a
Bible was in it. 15. Was not Calum staying in the
village? Yes indeed.

Exercise 2

1. am bàta; am bodach; am fear; am bata; am poca;
am balach; am maide; am Bìobull; am fasgadh; am
fuachd; am mol; am balla; am blas; am bocsa; am
paipear; am bòrd; am bailc; am monadh. 2. anns a'
bhàta; leis a' bhata; anns a' phoca; anns a' Bhìobull;
anns a' bhocsa; air a' bhòrd; anns a' bhaile; air a'
mhonadh; air a' bhalla. 3. Tha am bàta air a' chladach.
4. Tha am bodach anns a' mhonadh leis a' chù. 5. Tha
an cat anns a' phoca. 6. An robh Seumas anns a'
bhaile an diugh? Bha. 7. Bha am bocsa air a' bhòrd.
8. An robh thu a' fuireach anns a' chlachan? 9. Dé
bha anns a' bhocsa? Bha uighean anns a' bhocsa.
10. Càit a bheil an taigh mór? Tha an taigh mór air a'
chnoc àrd. 11. Nach robh bainne anns a' bhotul? Bha.

12. Nach robh Calum agus Màiri a' cluich còmhla ris a' chù? Cha robh, bha iad anns a' bhaile. 13. Cha robh sinn a' cluich anns an taigh.

General Reading

I was on (in) the moor yesterday. I saw sheep and cattle on the moor. The sheep were up on the side of the mountain but the cattle were near the loch.

I was at the shore today. I saw boats on the sea and children swimming in the sea. There was a little boat on the shore. There was no one (not a man) in the boat. It was a beautiful day and the sun was shining.

I came home in the evening. I was tired when I reached the house.

Questions on General Reading

Where was I yesterday? (Anns a' mhonadh.)
What did I see on the moor? (Caoraich agus crodh.)
Where were the sheep? (Air cliathach na beinne.)
Where was I today? (Aig a' chladach.)
Where were the boats? (Air a' mhuir.)
What were the children doing? (A' snàmh anns a' mhuir.)
Where was the little boat? (Air an tràigh.)
Was there anyone (a man) in the boat? (Cha robh.)
Was it a beautiful day? (Bha.)
Was the sun shining? (Bha.)

LESSON 4

Exercise 1

1. I have a dog. 2. Mary has a cat. 3. Calum has Gaelic. 4. Alasdair has Gaelic and English. 5. Do you speak (have) Gaelic? I speak (have) Gaelic and

English. 6. Has Calum a dog? Yes indeed; Calum has a big black dog and Mary has a pretty little cat. 7. Where is Mary's cat? 8. It is sitting beside the fire. 8. Where is Calum's dog. He is along with Calum in the field. 9. Were little James and little Janet in (the) school yesterday. No. Why were they not in school? They had a cold and they had to stay in the house all day. 10. Where are you going now? We are going to the shop. 11. Why are you going to the shop? We have to buy bread and butter and cheese in the shop. 12. Have you money, James? I have sixpence. 13. Have *you* money, Mary? I have only threepence.

Exercise 2

1. Tha peann agam. 2. Tha peansail aig Màiri. 3. Tha Gàidhlig aig Calum. 4. Tha Beurla aig Màiri. 5. Tha aig Seumas ri dhol do'n sgoil. 6. Tha aig Calum ri dhol do'n achadh. 7. Dé tha agad anns an sporan? Tha airgead agam anns an sporan. 8. Tha agam ri dhol do'n bhùth. 9. Tha aig Màiri ri aran is ìm a cheannach anns a' bhùth. 10. Bha fuachd aig Seumas beag agus aig Seònaid bheag an dé agus bha aca ri fuireach anns an taigh.

Conversation between Calum and Mary

Calum: How are you today, Mary?
Mary: I am well, thank you.
C.: Were you in school yesterday?
M.: No.
C.: Why were you not in school?
M.: I had a cold.
C.: Did you have to stay in the house?
M.: Yes. I had to stay in the house all day yesterday.
C.: Was James in school yesterday?
M.: No.
C.: Why?

Mary: He also had a cold.
Calum: Where are you going now?
M.:   I am going to the shop. I have to buy bread and
        butter and cheese in the shop.
C.:   Goodbye, Mary.
M.:   Goodbye.

LESSON 5

Exercise 1

1. This is Calum. Is this Calum? Yes. 2. This is the
dog. 3. That is the cat. 4. Is this your dog? Yes. 5. Is
that Mary's cat? Yes. 6. Is today Monday? Yes. Is
today Tuesday? No. 7. What is this? A book. Where
is the book? The book is on the floor. Is it on the
floor that the book is? Yes. Is it Calum who put the
book on the floor? No. Who put the book on the
floor? Mary (put). 8. Mary, does this red book belong
to you? No. That is James's book. My book is blue
(it is blue that my book is). 9. Do you like (the) school,
John? I like the school very well but I do not like
counting. Do you like counting, Alasdair? I like
counting but I prefer reading. 10. Whose is this book?
That book belongs to James. 11. It was Calum who
was working yesterday. 12. Was it yesterday that
Calum was working in the field? Yes. 13. Was it you
I saw in the boat? Yes (it was I). 14. Would you like
to go fishing (to fish) tonight? No. 15. It was not you
who was in the boat. 16. It was not white that the
house was. 17. It is not James who is working.

Exercise 2

1. Is e seo an cù (*or* seo an cù). 2. Seo an cat bàn. 3. An
e seo an cù agadsa? 4. Chan e; is le Calum an cù sin.
5. An e seo an cat aig Màiri? 'S e. 6. An ann aig an

teine a tha an cat aig Màiri? 'S ann. 7. An ann aig an
teine a tha an cù? Chan ann; tha an cù aig an dorus.
8. An e sin an leabhar agamsa? Chan e; tha an
leabhar agadsa air a' bhòrd. 9. Is leamsa an sgian sin
(*or* is ann leamsa a tha an sgian sin), 10. Có leis am
peansail seo? 11. Nach ann leatsa a tha am peansail
seo? 'S ann; is e sin am peansail agamsa. 12. Am bu
tusa a bhuail an cù? Cha bu mhi. 13. Am b'e Calum a
cheannaich an leabhar seo? B'e. 14. B'ann an dé a
thàinig e dhachaidh. 15. Nach ann le Màiri a tha an
leabhar seo? 'S ann. 16. Cha bu mhi a chunnaic am
bàta. 17. Chan e Calum a tha mór, is e Seumas.

Exercise 3
Questions to (on) Alasdair and John

Mary: What is this?
Alasdair: A spoon.
M.: Is this the spoon?
A.: Yes.
M.: Where is the spoon?
A.: The spoon is on the table.
M.: Is it on the table that the spoon is?
A.: Yes.
M.: Is this the cup?
A.: Yes.
M.: Where is the cup?
A.: The cup is in the saucer.
M.: Is it in the saucer that the cup is?
A.: Yes.
M.: Is this the saucer?
A.: Yes.
M.: What is this?
A.: A knife.
M.: Where is the knife?
A.: The knife is on the floor.
M.: Is it on the floor that the knife is?

Alasdair: Yes.

Mary: Is that your knife?

A.:   No. That knife belongs to Calum.

M.:   Whose is this book?

A.:   It belongs to John (or, it is John's).

M.:   John, does this book belong to you?

John: Yes.

M.:   Alasdair, this is your book, isn't it?

A.:   Yes.

M.:   Who put the tablecloth on the table?

J.:   I did.

M.:   Is this the tablecloth?

J.:   Yes.

M.:   Is this tablecloth white (is it white that this tablecloth is)?

J.:   No.

M.:   What is the colour of the tablecloth (what the colour that is on the tablecloth)?

J.:   Blue (it is a blue colour).

M.:   Alasdair, is it blue that the tablecloth is?

A.:   Yes.

M.:   Are you sure?

A.:   Yes.

M.:   Are *you* sure, John?

J.:   Yes.

LESSON 6

Exercise 1

1. the girl; the corner; the lock; the sea; the milkmaid; the chair; the tree; the hen; the pot; the comb; the ear; the trousers; the biscuit; the chalk; the honey; the rock.

2. on the girl; in the corner; with the lock; in the sea; along with the milkmaid; in the chair; in the tree; on

the hen; with the comb; with the ear; in the trousers; on the biscuit; with the chalk; in the honey; on the rock.

3. on a girl; in a corner; with a lock; in a sea; along with a milkmaid; in a chair; in a tree; on a hen; with a comb; with an ear; with trousers; on a biscuit; with chalk; in honey; on a rock.

4. This girl is wearing a black coat but it is a red coat that Mary is wearing (i.e. there is a black coat on this girl but it is a red coat that is on Mary). 5. Who is in the tree? The little boy (is). 6. Who is in the chair tonight? Big Alasdair. 7. Is it Calum who put the box in this corner? Yes. 8. What is in the pot? Broth. 9. Where is my comb? Your comb is on the dressing-table (lit. mirror-table). 10. There is something wrong with this lock. 11. He was talking in (the) Gaelic. 12. Two men were on the moon this year. 13. Where is the meal? The meal is in the chest. Is this the chest? Yes. 14. When is the meeting starting? At seven o'clock tonight. Are you going to the meeting? Yes. 15. The girl is playing on the harp. 16. Where is the fly? The fly is on the glass. 17. He told the truth in the poem that he composed. 18. I saw broth in a pot. 19. They were at a meeting yesterday. 20. There is meal in a chest.

Exercise 2

1. craobh; poit; cuileag; cearc; creag; cathair; clàrsach; coinneamh; caileag; glas.

2. a' chraobh; a' phoit; a' chuileag; a' chearc; a' chreag; a' chathair; a' chlàrsach; a' choinneamh; a' chaileag; a' ghlas.

3. anns a' chraoibh; anns a' phoit; air a' chirc; air a' chreig; anns a' chathair; anns a' choille; anns a' chluais; leis a' ghlais; air a' chaileig; aig a' choinneimh.

4. ann am poit; air cathair; le clàrsaich; aig coinneimh; le creig; air glais; le min; le cailc; le cluais; gu cùil; ann an geòla.

5. Có tha anns a' chathair aig a' choinneimh? Tha Calum. 6. A bheil a' chaileag a' cluich air a' chlàrsaich? Tha. 7. Càit a bheil a' bhanarach? Tha i anns a' bhàthaich. 8. Tha a' ghealach làn an nochd. 9. Càit a bheil a' gheòla? Tha a' gheòla air a' mhuir. 10. Có chuir a' mhin anns a' chiste? Chuir Màiri. 11. An robh Iain agus Màiri aig a' bhanais an dé? Bha. 12. Càit a bheil a' bhó? Tha a' bhó anns a' phàirc. 13. Tha a' chaileag a' cluich air clàrsaich. 14. Chunnaic mi eun beag ann an craoibh agus iolair air creig.

Exercise 3

1. bhanarach.
2. craobh.
3. mhuir.
4. chailc.
5. chraoibh.
6. chiste, chùil, phoit, etc.
7. dithis . . . ghealaich.
8. gheòla.
9. mhin.
10. banais.

LESSON 7

Exercise 1

1. This girl sang a song at the *ceilidh*. 2. That kept me late. 3. James set the fire in the morning. 4. He put the book on the table. 5. I wrote a letter to Calum yesterday. 6. Mary locked the door. 7. Alasdair cut his hand. 8. He stretched out his hand and the car stopped.

9. Calum caught a trout in this pool. 10. I ran like the deer. 11. They sat on the hill. 12. Mary stood at the door. 13. Calum sold the cow. 14. The dog followed me to the moor. 15. I bought this for (on) sixpence. 16. Alasdair steered the boat to harbour. 17. The little boy washed his hands. 18. I left my book in the school. 19. We did not write on the wall. 20. Mary did not stay at the shore; she ran home.

Exercise 2

1. Did you take your food? Yes. 2. Did you sing a song? No. 3. Did Calum put the cattle to the moor? Yes. 4. Did you write the letter? Not yet. 5. Did Calum leave the dog at the house? Yes. 6. Did you lock the door? Yes. 7. Did you close the door? Yes. 8. Who cut the cheese? Mary. 9. Did you catch fish last night? No. 10. Did the girl run to the school? Yes. 11. Where did Calum sit? Calum sat on the chair. 12. Did Mary stand at the window? Yes. 13. Did you sell the dog? No. 14. Who sang a song at the *ceilidh*? Alasdair. 15. Is it Calum who reaped the corn? Yes. 16. Did you wash your face? Yes. 17. Did you leave your book in the school? No. Where did you leave your book? I left my book on the table. 18. Did the cat drink the milk? Yes. 19. Did you not put water in the kettle, John? Yes. 20. Did you not drink your tea? No; you did not put sugar in it.

Exercise 3

1. Dùin an dorus. 2. An do dhùin Màiri an dorus? Cha do dhùin. 3. Dh'fhàg Màiri an dorus fosgailte. 4. Suidh aig an teine. 5. An do shuidh a' chaileag aig an teine? Shuidh. 6. Lean an càr sin. 7. An do lean thu an càr? Lean. 8. Seas aig a' bhòrd. 9. An do sheas e aig a' bhòrd? Sheas. 10. An do ruith e dhachaidh? Cha do ruith. 11. An do dh'fhan Màiri aig an taigh

an diugh? Cha do dh'fhan; chaidh Màiri do'n sgoil
anns a' mhadainn. 12. Reic Seumas an càr. 13. An do
reic Seumas an càr? Reic. 14. Las do phìob. 15. An do
las an duine a phìob? Las. 16. Có ghlas an dorus?
Ghlas Màiri. 17. An do chuir thu bainne agus siùcar
anns an tì? Cha do chuir. 18. Chuir mi siùcar anns an
tì ach cha do chuir mi bainne ann. 19. An do lean an
cù dhachaidh thu? Lean. 20. An do sgrìobh Calum
dhachaidh? Cha do sgrìobh. 21. Có stiùir am bàta?
Stiùir Calum. 22. Nach do chuir thu siùcar anns an
tì? 23. Nach do dh'fhàg Màiri an dorus fosgailte?
24. Bha an latha fuar agus cha do dh'fhàg sinn an
taigh.

LESSON 8

Exercise 1

1. I shall take my food (meal) now. 2. I shall keep on
this road. 3. I shall set the fire in the morning. 4. Calum
will put the cattle to the moor. 5. I shall sit on this
chair, thank you. 6. I shall run to the shop now. 7.
Mary will cut the bread. 8. This girl will sing a song.
9. We shall follow this road. 10. I shall sell this cow
next year. 11. I will not write the letter tonight. 12. I
will not walk to the town.

Exercise 2

1. Will you take milk in the tea? Yes, if you please.
2. Will you take a cup of tea? No, thank you. 3. Shall
I close the door? Yes. 4. Shall I write a letter to Calum?
Yes. 5. Shall I buy this? No. 6. Shall I sit on this
chair? Yes. 7. Shall I ask Calum to go to the shop?
No. 8. Shall I cut (reap) the corn? Yes. 9. Shall I put
sugar in the tea? No. 10. Shall we wash the dishes?
Yes.

Exercise 3

1. Will you be at the *ceilidh* tonight? No. 2. Will Calum be on the moor tomorrow? Yes. 3. Will the children be coming home from the school at four o'clock? Yes. 4. Will you be happy in the school? Yes. 5. Will the moon be full tonight? No. 6. James will not be at home (at the house). 7. I will not be working tomorrow. 8. Will the boat not be in the harbour? Yes.

Exercise 4

1. Who will be first? 2. I shall take tea if you will put milk and sugar in it. 3. Who will lift this? 4. Put in it what (all that) it will take. 5. There is no-one here who will take my advice. 6. When will Calum put the cattle to the moor? (He will) tomorrow. 7. Put on your coat. 8. Don't shut the door. 9. Don't be late tonight. 10. Sit at the table and drink tea.

Exercise 5

1. Cumaidh mi an leabhar seo. 2. An cuir thu gual air an teine? Cuiridh. 3. An ruith Màiri do'n bhùth? 4. An gabh thu cupa tì? 5. An gabh thu siùcar agus bainne anns an tì? Gabhaidh, tapadh leibh. 6. An sgrìobh thu litir dhachaidh an nochd? Sgrìobhaidh. 7. Am buain Calum an t-arbhar am màireach? Cha bhuain. 8. An iarr mi aran anns a' bhùth? Iarraidh. 9. An cuir mi a mach am bàta? Cha chuir. 10. Có a sgrìobhas an litir seo? Sgrìobhaidh Màiri i. 11. Có a bhitheas aig a' bhùth air thoiseach? 12. Cuin a bhitheas Calum dhachaidh? 13. Cuin a bhitheas a' ghealach làn? Cha bhi gus am màireach. 14. Leanaidh sinn an rathad seo. 15. An lean sinn an rathad seo? Leanaidh. 16. An suidh mi air a' chathair seo? Suidhidh. 17. Reicidh mi an cù an ath bhliadhna. 18. Bithidh Calum anns a' mhonadh am màireach ma bhitheas an aimsir

math. 19. Seas air a' chloich sin, Iain. 20. Na bi fuar, cuir ort do chòta. 21. Seinnibh òrain.

Exercise 6

Question and Answer

Calum: Did you take your food?
Alasdair: Yes.
C.:   Did James put out the boat?
A.:   No.
C.:   Will you take milk in the tea?
A.:   Yes, thank you.
C.:   Shall I put coal on the fire?
A.:   Yes, please.
C.:   Did you write the letter?
A.:   Yes.
C.:   Shall I lock the door?
A.:   Yes.
C.:   Shall I close the window?
A.:   No.
C.:   Did they catch fish last night?
A.:   No.
C.:   Will you run to the shop?
A.:   Yes.
C.:   Shall I sit on this chair?
A.:   Yes.
C.:   Shall I stand at the window?
A.:   Yes.
C.:   Did the little boy stand at the window?
A.:   Yes.
C.:   Is it the little boy who stood at the window?
A.:   Yes.
C.:   Is it at the window that the little boy stood?
A.:   Yes.
C.:   Who stood at the window?
A.:   The little boy.

Calum: Did you buy anything in the shop?
Alasdair: No.
C.:   Will this girl be going to school every day?
A.:   Yes.
C.:   Is this the girl who will be going to school every
        day?
A.:   Yes.
C.:   Did the dog follow you to the town?
A.:   No.
C.:   Will the dog follow you to the moor?
A.:   Yes.
C.:   Was the dog along with James on the moor
        yesterday?
A.:   Yes.
C.:   Is it on the moor that James and the dog were
        yesterday?
A.:   Yes.
C.:   Where did James build the house?
A.:   On the hill.
C.:   Is it James who built the house on the hill?
A.:   Yes.
C.:   Is it on the hill that James built the house?
A.:   Yes.
C.:   Shall we walk to the school?
A.:   Yes.
C.:   Who will keep my book?
A.:   I shall.
C.:   Did you keep my book?
A.:   Yes.
C.:   Will you set the fire?
A.:   Yes.
C.:   Did you keep the door open?
A.:   No.
C.:   Where did you put my book?
A.:   On the table.
C.:   Did you walk to the school today?

Alasdair: Yes.
Calum: Do you like the school?
A.:   Yes.
C.:   Does this knife belong to you?
A.:   Yes.
C.:   Is this your knife?
A.:   Yes.
C.:   Shall I put on the television?
A.:   Yes.
C.:   Did you put on the television?
A.:   Yes.

LESSON 9

Exercise 1

1. the gold; the hunger; the bird; the name; the sky; the stream; the egg; the fish; the fisherman; the speed; the butter; the water; the load; the fear; the spring; the face; the knowledge; the skirt; the top; the youth; the terror; the lamb; the island; the hammer; the horse; the money; the time; the father; the iron; the chicken; the workman; the song.

2. with the gold; with gold; with the hunger; with hunger; on the bird; on the name; in the sky; in the stream; in the egg; on the fish; along with the fisherman; with the speed; in the butter; in the water; with the load; with the fear; with fear; in the spring; on the face; in the knowledge; with knowledge; with the skirt; in the cream; on the youth; on a youth; with terror; with the terror; on the lamb; on a lamb; in the island; with the hammer; with a hammer; on the horse; on a horse; with the money; with money; at the time; as hard as the iron; along with the chicken; at the workman; in the song.

3. The corn is ripe. 4. The cattle are in the corn. 5. Are you hungry (is the hunger on you)? 6. I am weak

with (the) hunger. 7. What is your name (what the name that is on you)? Calum (is). 8. The burn is in spate (there is a flood in the burn). 9. I saw the bird in the tree. 10. The sky is looking dark today. 11. Did you see an egg in the nest? Yes. 12. There is a white in the egg. 13. Did you eat the egg? Yes. 14. Did you get fish last night? Yes. 15. The distance was long and we are tired. 16. Put the bread on the table 17. Did you put butter on the bread? 18. Where is the butter? The butter is on the plate. 19. We took fright when we saw the bull. 20. Are you afraid (is there fear on you)? 21. We were on the island yesterday. 22. What song did you sing? 23. He struck the nail with the hammer. 24. That load is big. 25. Did you lose the money? No.

Exercise 2

1. an t-each; an t-òr; an t-airgead; an t-adhar; an t-allt; an t-iasgair; an t-eilean; an t-òrd; an t-òganach; an t-uisge.

2. air an each; anns an uisge; air an aran; le ìm; leis an ìm; leis an òrd; anns an adhar; air an eilean; leis an òran; leis an ugh; le ugh.

3. Chan eil an t-arbhar abaich. 4. Tha taigh air an eilean. 5. Tha an t-eilean mór. 6. Tha an t-òrd trom. 7. Cuir salann air an iasg. 8. Chunnaic mi an t-iasgair anns a' bhàta. 9. Am faca tu an t-eun? 10. A bheil an t-acras ort? 11. A bheil an t-uisge ann an diugh? 12. Chunnaic mi an t-uan anns an achadh. 13. Tha an t-eagal orm. 14. Tha an t-earrach air tighinn. 15. Thuit e anns an allt.

LESSON 10

Exercise 1

1. The weather was warm this year. 2. There was

nothing wrong with the weather this year. 3. The cattle are grazing in the meadow. 4. The sky is growing dark. 5. This cave is big. 6. There is a dove in the cave. 7. The window is closed. 8. Look out of the window. 9. Did you put the key in the lock? 10. That work is heavy. 11. I cut my thumb. 12. There is a cut on my thumb. 13. The boat is in the anchorage. 14. I can (will) see the eagle on the rock. 15. We have plenty of time. 16. Did you put the oil in the car? 17. Were you in the church yesterday? 18. Who is fishing on the river? 19. I found this feather on the moor. 20. Did you put anything into this oil? No.

Exercise 2

1. an aimsir; an innis; an iarmailt; an uamh; an uinneag; an òla; an iuchair; an òrdag; an obair; an ùine.

2. anns an aimsir seo; anns an innis; anns an iarmailt; anns an uaimh; aig an uinneig; anns an òla; leis an iuchair; air an òrdaig; leis an obair; anns an ùine.

3. Tha am bàta anns an acarsaid. 4. Tha gearradh air m'òrdaig. 5. Bha mi ag iasgach air an abhainn an dé. 6. Dé tha thu a' dèanamh leis an ite? 7. Seas aig an uinneig. 8. Tha Calum air a' chreig. 9. A bheil rud sam bith anns an uaimh? 10. Tha mi sgìth le obair.

LESSON 11

Exercise 1

1. The soldier is wearing a brown coat (there is a brown coat on the soldier). 2. The soldier came home yesterday. 3. The joiner is busy working on the house. 4. The joiner has a hammer. 5. The world is round. 6. There is trouble in the world. 7. There is a sail on the boat. 8. There is wind in the sail. 9. This room is big.

10. There is no-one in the room. 11. I saw a fox on the moor. 12. The fox was afraid (there was fear on the fox) when he saw the hunter. 13. The hunter has a gun. 14. The summer is warm. 15. We are happy in the summer. 16. Mary put salt in the salt-cellar. 17. Calum dried his hands with the towel. 18. The seed is in the bag. 19. The bag is heavy with the seed. 20. This pit is deep. 21. There is water in the pit. 22. Here is the sugar. 23. Put a spoon in the sugar. 24. I am well acquainted with (on) that type.

Exercise 2

1. an salann; anns an t-salann; an seanair; air an t-seanair; an sìol; anns an t-sìol; an seòrsa; leis an t-seòrsa; an sloc; anns an t-sloc; an snàth; leis an t-snàth.

2. Chuir Màiri salann anns an t-sùgh. 3. Tha thu anns an t-solus. 4. Tha an sùgh seo math. 5. Suidh air an t-suidheachan seo. 6. Tha solus math anns an t-seòmar seo. 7. Tha dragh anns an t-saoghal. 8. Càit a bheil an saighdear? 9. Tha còta mór air an t-saighdear. 10. Tiormaich thu-fhein leis an t-searbhadair seo. 11. Tha an suidheachan seo ro àrd air mo shonsa. 12. Tha an snàth seo dearg.

LESSON 12

Exercise 1

1. the street; the needle; the supper; the rod; the spark; the heel; the week; the servant; the bottle (flask); the weather; the shell; the journey (way); the string; the nose; the eye.

2. on the street; in the needle; at the supper; on the rod; with the spark; on the heel; in the week; at the servant (i.e. in the possession of the servant); in the

flask; with the weather; in the shell; on the journey; with the string; on the nose; in the eye.

3. This street is long. 4. There is no one on the street. 5. Mary put thread in the needle. 6. Calum was fishing with the rod. 7. Mary went to the town along with the servant. 8. What is this? (It is) a flask. What is in the flask? There is water in the flask. 9. Is the weather good today (is good weather in it today)? The weather is very good today. 10. The journey is not long. 11. Tie the parcel with this string. 12. There is something in my eye. 13. The spark set fire to the house. 14. Calum and Mary are walking up the street. 15. Calum's nose is big. 16. There is a cut on my nose.

Exercise 2

1. an t-slat; air an t-slait; an t-snàthad; anns an t-snàthaid; an t-sàil; air an t-sàil; an t-sràid; air an t-sràid; an t-searrag; anns an t-searraig; an t-sreang; leis an t-sreing; an t-sùil; leis an t-sùil; an t-sròn; air an t-sròin; an t-sòbhrach; air an t-sòbhraich.

2. Chaidh iad sios an t-sràid. 3. Tha uisge anns an t-searraig. 4. Ceangail seo leis an t-sreing. 5. Bha iad aig an t-suipeir an raoir. 6. Càit a bheil an t-snàthad? 7. An do chuir thu snàth anns an t-snàthaid? 8. Tha an t-slighe fada. 9. Chaidh iad leis an t-searbhanta do'n bhaile. 10. Tha Calum ag iasgach air an loch leis an t-slait. 11. Fhuair mi an t-slige seo air a' chladach. 12. Tha rudeigin anns an t-slige seo. 13. Cuir an t-searrag air a' bhòrd. 14. Tha mi a' dol dhachaidh air an t-seachdain seo. 15. Tha an t-sùil aig Calum goirt.

LESSON 13

Exercise 1

1. the dogs; the stones; the houses; the fires; the

books; the saucers; the spoons; the cups; the knives; the chairs; the girls; the grandfathers; the pots; the anchors; the songs; the boats; the walking-sticks; the opinions; the wives; the cows; the old men; the old women; the shops; the feet (legs); the heads; the hens; the shepherds; the shores; the nuts; the birds; the showers; the noises; the feathers; the eagles; the nests; the bushes; the buttons; the scholars (pupils); the hillocks; the windows.

2. on the dogs; in the houses; on the saucers; in the cups; with the knives; in the pots; to the girls; in the boats; with the walking-sticks; to the old men; on the birds; in the bushes; at the windows.

3. Who put the stones on these cairns? Calum. 4. The boats were at sea yesterday and the sailors saw seals on the reefs and cormorants on the rocks. 5. The farmers were working busily in the field yesterday. 6. Put stamps on those letters and post them. 7. Did the shepherds gather the sheep? Yes, but they lost many of the lambs. 8. Cats and kittens are on the lawn. 9. Mary put cups and saucers on the tables. 10. Did you clean the windows? Yes.

Exercise 2

1. na spàinean; na cait; na coin; na daoine; na caileagan; na frasan; bàtaichean; cearcan; cnothan; na h-òrain; na mnathan; na fuaimean; taighean; eich; cailleachan; bodaich; leabhraichean.

2. leis na caoraich; air na neadan; leis na spàinean; air na casan; anns na preasan; còmhla ris na seòladairean; anns na beachdan sin; anns na sàsaran seo.

3. An do chuir thu na sgeanan air a' bhòrd? 4. An do nigh thu na soithichean? 5. Càit a bheil na tuathanaich an diugh? 6. Tha na taighean seo faisg air an rathad.

7. Tha na creagan seo cunnartach. 8. Tha na clachan sin mór. 9. Glan na poitean agus na panaichean seo. 10. Fosgail na h-uinneagan.

Exercise 3

(a) Mary and James were on the moor yesterday. James took the fishing-rod with him and Mary took (with her) food in a basket. They left the house early in the morning. The day was warm, and the birds were singing in the trees.

When they reached the moor, the shepherds were at the fank (sheep-fold) and Mary stopped (for) a minute or two looking at the sheep and (at the) lambs.

They came to a burn and James started fishing. James did not catch a trout but Mary found a nest in the heather. There were three pretty eggs in the nest. A hare jumped out of the grass and it ran swiftly up the slope.

When Mary and James were hungry, they sat on a hillock and they took the food that Mary had in the basket. They were very tired when they came home in the evening.

(b) *Questions to Calum*

Jean: Where were Mary and James yesterday?
Calum: On the moor.
J.:   What did James take with him from the house?
C.:   A fishing-rod.
J.:   Did Mary take a fishing-rod with her?
C.:   No.
J.:   Did Mary take anything with her?
C.:   Yes.
J.:   What did she take with her?
C.:   She took food in a basket.
J.:   When did they leave home (the house)?
C.:   Early in the morning.

Jean: What kind of day was it?

Calum: The day was warm.

J.:   Where were the birds singing?

C.:   In the trees.

J.:   Where were the shepherds?

C.:   At the sheep-fold.

J.:   What was in the sheep-fold?

C.:   Sheep.

J.:   Who stopped at the sheep-fold?

C.:   Mary.

J.:   Why did Mary stop at the sheep-fold?

C.:   She was looking at the sheep and (at the) lambs.

J.:   What did James do when they came to a burn?

C.:   He started fishing.

J.:   Did James catch a trout?

C.:   No.

J.:   What did Mary find in the heather?

C.:   Mary found a nest in the heather.

J.:   Did anything leap out of the grass?

C.:   Yes.

J.:   What leaped out of the grass?

C.:   A hare.

J.:   Did the hare run up the slope?

C.:   Yes.

J.:   What did James and Mary do when they were
       hungry?

C.:   They sat on a hillock.

J.:   Did they take their food?

C.:   Yes.

J.:   Where was the food?

C.:   In the basket.

J.:   Were they tired when they came home?

C.:   Yes.

J.:   When did they come home?

C.:   They came home in the evening.

LESSON 14

Exercise 1

1. This water is cold. 2. This is Calum and that is Mary.
3. That is the pen. 4. This is the tablecloth and that is
the plate. 5. This is difficult but that is easy. 6. Mary
lives (stays) in that house. 7. Whose is this house? That
is Calum's house. 8. Is this the lad who ran to the shop?
Yes. 9. Who are not going to the church today?
10. This is the boy who was not in the school yester-
day. 11. Who will lift this stone? 12. They divided what
fish they caught (what they caught of fish). 13. This is
the girl who was ill yesterday. 14. He spent what (all
that) he had of money in the purse. 15. Who will put
up the mast in the boat? 16. The journey was long and
there was no one who was not tired. 17. Put what you
bought in the basket. 18. They gathered what there was
of apples on the tree. 19. These were late today.
20. This is the pail into which you will put the milk.
21. These are busy working but those are not working.
22. If it is (will be) raining tomorrow I shall not be in
the school. 23. We shall get fish here if we set (will set)
the nets. 24. This is the river on which I was fishing
yesterday and this is the pool in which I caught the
trout.

Exercise 2

1. Dé tha sin? 2. Dé tha seo? 3. Tha e seo (*or* am fear
seo) mór ach tha e sin (*or* am fear sin) beag. 4. An e seo
an gille a bha fadalach an diugh? 5. Is e (*or* i) seo
Màiri agus is e sin Calum (*or simply* seo Màiri agus sin
Calum). 6. Tha caoraich air a'bheinn ud. 7. Có
chuireas lasadan ris an teine? 8. Tha na craobhan seo
àrd ach tha iad sin beag. 9. An e seo am fear a chaill a
chù? 10. Seo an càr a cheannaich mi an dé. 11. Thug e
dhachaidh na fhuair e. 12. Faigh bascaid a chumas iad

seo. 13. Seo an gille a bhitheas cóig bliadhna am
màireach. 14. Càit a bheil an gille nach robh anns an
sgoil an dé? 15. Is iad seo na gillean (*or* na balaich) a
bha ag iasgach an diugh.

LESSON 15

Exercise 1

1. Who is this? 2. Who is yonder? 3. Who is that?
4. Who is at the door? 5. Who went to the shop?
6. Who put up the sail? Calum. 7. Were James and
Janet in the school today? Yes. Which of them came
home early? Janet. 8. Were the children playing
today? Yes. Which of them were playing in the field?
The boys. 9. Whose is this hat? It is Alasdair's.
10. Did you see who was in the car? Yes, it was John
who was in the car. 11. Did you see who was along
with Calum in the church yesterday? No. 12. How
many eggs are in the nest? There are three eggs in the
nest. 13. See (look) who is at the door. 14. How many
cows has Calum this year? 15. Who has the black
dog? Calum. 16. Who has a knife? I have a knife.
17. Who knows what these men will do? 18. How
many apples are in the basket? There are five apples
in the basket. 19. Who is wearing (on whom is) the
red coat? Mary. 20. Do you know who built this
house? No. 21. Did you see who gathered the sheep?
Yes. 22. What will you bet (what wager will you put)?
I'll not bet (put a wager) at all. 23. What time is it? It
is three o'clock.

Exercise 2

1. Có tha sin? 2. Dé tha seo? 3. Có tha siud? 4. Có i?
5. Có e? 6. Có iad? 7. Có aca a tha anns an achadh?
8. Có leis an cù seo? Cia mheud eun a tha air an
lianaig? 10. A bheil Seumas agus Seònaid a muigh a'

cluich? Tha. Có dhiubh a chaidh do'n bhùth? Chaidh
Seònaid. 11. Dé tha Alasdair a' dèanamh an diugh?
Tha e ag obair anns an achadh. 12. A bheil fios agad
có bhris an uinneag? Chan eil. 13. Dé an uair a tha e
a nis? Tha e sia uairean. 14. Có leis an t-each anns
a' phàirc seo? 15. Ca mhiad fiadh a mharbh na
sealgairean?

LESSON 16

Exercise 1

1. Calum and Mary came home but where are the
rest? The rest are playing in the field. 2. They were
competing with each other. 3. Some are wise and some
foolish. 4. Some are in search of money and others in
search of power. 5. This is my share and that is your
share. 6. Someone said Alasdair was fishing. 7. Can
(will) you see someone coming down the road? Yes.
8. I can see someone (f.) coming out of the shop.
9. Where are the sweets? There is none in this box.
10. The boys were chasing each other. 11. What do you
want? Nothing (not anything). 12. Whoever said that,
he was not right. 13. Anyone who believes that is very
foolish. 14. They are all on the way to school. 15. It is
not everyone who can (will) sail a boat. 16. All know
that men have reached the moon. 17. There is some-
thing wrong with this dog. 18. Someone is singing in
the hall. 19. I heard something moving in the wood.
20. What thing broke the window? I do not know, but
something broke it. 21. Some of the boys are playing
in the field: the rest are in school. 22. Someone must
do this. 23. Anyone who will do that is in danger.
24. Are all the boys at the shore? No; some of them
are in the school.

Exercise 2

1. A bheil na gillean uile a' snàmh an diugh? 2. Càit a bheil càch? 3. Tha feadhainn dhiubh anns an sgoil. 4. Tha cuideigin anns an taigh seo. 5. ('S e) seo mo chuid-sa. 6. Tha a' chlann a' ruith càch-a-cheile anns a' phàirc. 7. A bheil fear sam bith aig an dorus? 8. Tha cuideigin (feareigin) air a' chnoc ud. 9. Tha té-eigin a' tighinn a nuas an rathad. 10. Chan eil gin anns a' bhùth. 11. Tha càch a' dol dhachaidh. 12. Tha a h-uile fear trang an diugh. 13. Có-air-bith a thubhairt sin, bha e ceàrr. 14. Tha na h-uile ceàrr uaireannan. 15. Cha chreid fear-sam-bith sin. 16. Tha fios aig na h-uile air sin. 17. Cha robh iad uile fadalach. 18. Feumaidh cuideigin an obair a dhèanamh. 19. Tha rudeigin anns an toll seo. 20. Chan eil càil (dad) ceàrr air Iain.

LESSON 17

Exercise 1

1. The cat's leg is broken. 2. Clean the cats' paws. 3. This is the poet's book. 4. I saw the poets' books on the table. 5. A seal's head rose out of the sea. 6. I can (shall) see the reef of the seals. 7. There is something wrong with the lock of this door. 8. This is the fold of the lambs. 9. The lamb's tail is long. 10. We climbed to the top of the fort. 11. The colour of (the) gold is on the sky just now. 12. He walked to the door. 13. Did you see the old man's walking-stick? 14. I found the joiner's hammer. 15. Is this the Scotsman's bonnet? No; that is the Englishman's bonnet. 16. Where did you put the boys' books? 17. Are these the boy's shoes? Yes. 18. The waves of the ocean are breaking on the shore. 19. Is this the horse of the MacDonald? Yes. 20. The little boy got a piece of bread. 21. We can get women's baskets in this shop. 22. Where is this

woman's basket? 23. The sheep were on Heather Hill.
24. They were at lobster-fishing. 25. The lobster's
claws are big. 26. I saw the shining of the light. 27. This
is Calum's horse. 28. This is the rod of James, the
fisherman, and this is the dog of Calum, the farmer.

Exercise 2

1. Spòg a' chait. 2. Spògan nan cat. 3. Cluas an uain.
4. Ceann bàird. 5. Ceann a' bhàird. 6. Cinn nam bàrd.
7. Casan an uain. 8. Mullach an dùin. 9. Glas an
doruis. 10. Tonnan a' chuain. 11. Fonn an òrain seo.
12. Còta an Albannaich. 13. Ad an t-Sasunnaich.
14. Greim arain. 15. Spòg a' ghiomaich. 16. Aois an
t-saoghail. 17. Òran a' bhàird. 18. Òrain nam bàrd.
19. Iuchair an doruis. 20. Sgiathan nan calman. 21.
Gunnachan an airm.

LESSON 18

Exercise 1

1. This is the cairn. 2. Calum sat on the top of the
cairn. 3. This burn is big. 4. The children are playing
beside the burn. 5. I like the murmur of the burns.
6. That song has a beautiful tune (there is a beautiful
tune on that song). 7. They are raising the tune
(chorus). 8. This table is big. 9. Raise the leaf of the
table. 10. The girls are setting the tables. 11. Ring
(sound) the bell. 12. I heard the sound of the bell. 13.
That hill is high. 14. Calum is standing on the top of
the hill. 15. Calum likes to be traversing the hills.
16. There are cattle in the fold. 17. Alasdair went for
(to seek for) the cattle. 18. That hammer is heavy.
19. Where is the shaft of the hammer? 20. This hole is
big. 21. We stood at the mouth of the hole. 22. I can
(will) see a seagull on the crest of the wave. 23. I came
near the sea and I heard the sound of the waves.

24. Mary has lovely hair. 25. Mary is combing her hair. 26. What is wrong with the back of your hand (fist)? 27. The argument came to fisticuffs (striking of fists). 28. This fist is hard with work.

Exercise 2

1. Seo am bòrd. 2. Shuidh Calum ri taobh a' bhùird. 3. Casan nam bòrd. 4. Ri taobh a' chùirn. 5. Ri taobh an uillt. 6. Tha Alasdair a' cunntas nam bonn. 7. Torman an uillt. 8. Bàrr an tuinn. 9. Mullach a' chnuic. 10. Geumnich a' chruidh. 11. Cas an ùird. 12. Casan nan òrd. 13. Fuaim nan tonn. 14. Cùl an dùirn. 15. Eagal an uilc.

LESSON 19

Exercise 1

1. This bird is pretty. 2. There is something wrong with the beak of this bird. 3. There is plenty of grass here. 4. The cattle are eating the grass. 5. This horse is big. 6. This is the saddle of the horse. 7. This castle is ancient. 8. This is Castlebay (the bay of the castle). 9. The Gael is good on the moor. 10. This is the country of the Gaels. 11. That cockerel is beautiful. 12. The cockerel's comb is on the top of his head. 13. It is Calum who caught the trout. 14. What is the price of the trout? 15. I am going to the trout-fishing (the fishing of the trout) this year. 16. I got the news by word of mouth.

Exercise 2

1. Gob an eòin. 2. A' gearradh an fheòir. 3. Dath an fheòir. 4. Ceann an eich. 5. Sgiath eòin. 6. Itean a' choilich. 7. Mullaich nan ceann. 8. Le facal beòil. 9. Éideadh a' Ghaidheil. 10. Cinn nan each. 11. Móran

pheann. 12. Goban nam peann. 13. Gob a' phinn. 14. A' sileadh dheur. 15. Itean an fhithich.

LESSON 20

Exercise 1

1. The deer is on the mountain. 2. I saw the antlers of the deer. 3. There is fish (or, a fish) in the boat. 4. The fishermen were dividing the fish. 5. This is Neil. 6. This is Neil's book. 7. The fishermen went to sea to set the nets. 8. There is seed in that bag. 9. The farmer was sowing the seed. 10. The ship of the sails. 11. There is a small banner on the point of the sail. 12. I heard the sound of the music. 13. He is setting the net. 14. They are lifting the creels.

Exercise 2

1. Ceann an fhéidh. 2. Ceann an éisg. 3. A' cur an lìn. 4. A' cur an t-sìl. 5. Fuaim a' ciùil. 6. Bàrr an t-siùil. 7. Long nan seòl. 8. A' togail a' chléibh. 9. A' roinn an éisg. 10. Leabhar Nèill. 11. A' lìonadh nan cliabh.

LESSON 21

Exercise 1

1. The shoemaker is mending the shoe. 2. This is the shoe shop. 3. The shoemakers are mending shoes. 4. The branch of the tree. 5. The branches of the trees. 6. I hear the sound of the wind. 7. The back of my hand. 8. Work of the hands. 9. This is Calum's rod. 10. Calum broke the point of the rod. 11. They are rod fishing (at the fishing of rods). 12. The eye of the needle. 13. Above the knee. 14. This coat is above the knees. 15. He was sitting beside the bank. 16. The rabbit was running among the banks. 17. This is the hat shop. 18. That hat is nice. 19. This is the hat-box.

20. These are long trousers. 21. The tailor is mending the trousers. 22. That question is difficult. 23. The answer to (of) that question is not easy. 24. The mare's pool. 25. The meal settled on the bottom of the pot. 26. We were cleaning the pots. 27. They are binding the sheaves. 28. Have you the keys of the locks? 29. I lost the key of the lock. 30. The honeymoon. 31. We reached land. 32. The story went throughout the land. 33. The hair of that maiden is lovely. 34. This is the pig-sty (the house of the pigs). 35. Bacon (flesh of a pig). 36. The farmers are thatching stacks. 37. The bird is on the top of the stack. 38. Fishing line (line of rods). 39. The girl's book. 40. The other side of the pool. 41. The girls' books. 42. The depth of the pools. 43. The maidens' pens.

Exercise 2

1. Meanglan na craoibhe. 2. Barall na bròige. 3. Tha na craobhan sin àrd. 4. Tha duilleach nan craobh uaine. 5. Fuaim na gaoithe am measg nan craobh. 6. Cùl na làimhe. 7. Bàrr na slaite. 8. Barran nan slat. 9. Bàrr na sròine. 10. Crò na snàthaide. 11. Casan nan tuagh. 12. Casan thuagh. 13. Cas na tuaighe. 14. Fuaim na h-adhairce. 15. Dath na gruaidhe. 16. Taigh na muice. 17. Taigh nam muc. 18. Móran mhuc. 19. Maise na gnuise. 20. Dòchas na sìthe. 21. A' togail na cruaiche. 22. A' fuasgladh na ceiste. 23. A' càradh na h-aide. 24. Làmh na poite. 25. Làmhan nam poitean. 26. Latha na féise. 27. Laithean nam féisean.

LESSON 22

Exercise 1

1. The calf of the leg. 2. The handful (the fill of the palm). 3. Throwing the stone. 4. They are lifting the stones. 5. These are the children's books. 6. The

children are playing on the beach. 7. There are great showers. 8. My feet are sore. 9. These stones are heavy. 10. Fear of the shower. 11. This is the hen-house (the house of the hens). 12. The feathers of the hen. 13. The appearance of anger. 14. A look of anger is on that man. 15. They were basking in the heat of the sun. 16. The point of the wing. 17. The eagle has a big wing (a big wing is on the eagle). 18. That knife is sharp. 19. The blade (iron) of the knife. 20. (The) telling (of) lies. 21. The bird is on the point of the twig. 22. The birds sat on the points of the twigs. 23. This is the boundary wall (the wall of the boundary). 24. I can (shall) see the sail of the ship. 25. This is the Harbour of the Ships. 26. Put the knives on the table.

Exercise 2

1. A' chas. 2. A' bhas. 3. A' chlach. 4. A' chlann. 5. An fhras. 6. A' chearc. 7. An sgiath. 8. Na coise. 9. Na boise. 10. Na cloiche. 11. Na cloinne. 12. Na froise. 13. Na circe. 14. Na sgèithe. 15. Nan cas. 16. Nam bas. 17. Nan clach. 18. Nam fras. 19. Nan cearc. 20. Nan sgiath. 21. Nan geug. 22. Ôrain nan caileag.

LESSON 23

Exercise 1

1. The leg of the chair. 2. The legs of the chairs. 3. Legs of chairs. 4. We made much delay. 45. There was a big delay in the matter. 6. The law of right. 7. The key-hole. 8. Where are the keys? 9. Post the letters. 10. The envelope (case of the letter). 11. The shortness of breath. 12. We took plenty of rests on the way. 13. A tuft of rushes. 14. The grass of the plain. 15. The cattle are on the plain. 16. The head of the serpent. 17. The fluke of the anchor. 18. The substance of the opinion. 19. He

gave us his opinion. 20. Dinner-time. 21. They built the house with much labour. 22. The helm of the rudder. 23. Keep your hand on the rudder. 24. After the supper. 25. The key-holes. 26. The letter-box. 27. The grass of the plains. 28. The heads of the serpents. 29. The substance of the opinions.

Exercise 2

1. A' chathair. 2. Na cathrach. 3. Nan cathraichean. 4. Am dinnearach. 5. Beagan analach. 6. Móran dàlach. 7. Toll na h-iuchrach. 8. Tom luachrach. 9. Dàilichean. 10. Móran dhàilichean. 11. Feur nam machraichean. 12. Brìgh nam barailean sin. 13. Na nathrach. 14. An nathair mhór. 15. Nan nathraichean. 16. Móran saothrach. 17. Na stiùireach. 18. An déidh na suipearach.

LESSON 24

Exercise 1

1. I heard the music of the bagpipe. 2. The fisherman was beside the stream. 3. The streams are swift. 4. I have need of more wood. 5. A little (of) colour. 6. The beak of the wild duck. 7. The wild ducks are on the loch. 8. I can see a man beside the loch. 9. The justice of the law. 10. I need (have need of) more thread. 11. The top of the tooth. 12. The tail of the mouse. 13. The sound of her voice. 14. The blade (iron) of the scythe. 15. The hurry of this time. 16. The beauty of the picture. 17. The track of the roe. 18. The roedeer are in the glen. 19. The price of the stirk. 20. This is the fold of the stirks. 21. The stirks are in the fold. 22. Noise of battle. 23. He took with him as much as he could carry on his back (the load of his back). 24. The eyelash (lash of the eye). 25. The eyelashes. 26. Clean-

ing the teeth. 27. Chasing the mice. 28. Following the steps.

Exercise 2

1. Ceann na h-earba. 2. Cinn nan earb. 3. Rosg na sùla. 4. Fuaim na pìoba. 5. Taobh an locha. 6. Am measg nan loch. 7. Leabhar an lagha. 8. Pian na fiacla seo. 9. Sùil na lucha. 10. Fuaim a gutha. 11. Fuaim catha. 12. Eachdraidh chath. 13. Fuaim a' bheuma. 14. Fuaim beuma. 15. Fuaim a cheuma. 16. Barrachd feuma. 17. Lorgan nan ceumannan. 18. Chuir iad na pocannan air an dromannan.

LESSON 25

Exercise 1

1. Do you know the name of this place? Yes, but I do not know the names of the other places. 2. This is the sail of the boat. 3. The streets of the town. 4. The streets of the towns. 5. Beside the wall. 6. Between the walls. 7. The man's coat. 8. The trees of the wood. 9. In the woods. 10. My grandfather's house. 11. The fisherman's rod. 12. The fishermen's boats. 13. The warmth of the fire. 14. The law of the kingdom. 15. The beginning of the year. 16. During the years. 17. I got a glass of water. 18. The spout of the kettle. 19. The leg of the dog. 20. The dogs' legs. 21. The dogs are at the door. 22. My father's brother (uncle). 23. A sister's son (nephew). 24. Beside the beach. 25. On the beach. 26. The waves of the sea. 27. The fill of the glass. 28. Put the glasses on the table. 29. The fill of the bag. 30. The cow's milk. 31. The park of the cows. 32. The gate of the park. 33. The gates of the parks. 34. The lock of the gate. 35. The handle of the cup. 36. A cup of tea. 37. The wisdom of the wives. 38. The wife's opinion. 39. The soldier's coat. 40. The soldiers' coats.

41. The pupil's schoolbag. 42. The pupils' books are in the cupboard. 43. I put the tailors' needles in the box. 44. The lid of the box. 45. Put the boxes on the table. 46. Where are the lids of the boxes?

Exercise 2

1. Cas a' choin. 2. Ainm an àite. 3. Ainmean àiteachan (*or* àitean). 4. Casan chon. 5. Sràid a' bhaile seo. 6. Ri taobh a' chupa. 7. Còta an duine. 8. Oir na coille. 9. Cù mo sheanar. 10. Ri taobh an teine. 11. Slat an iasgair. 12. Ràmh a' bhàta. 13. Putan mo chòta. 14. Gloine uisge. 15. Bainne na bà. 16. Biadh nam bó. 17. Mac mo pheathar. 18. Bràthair m'athar. 19. Ri taobh na tràghad (*or* tràgha). 20. Tha na gloineachan làn. 21. Gliogadaich nan gloineachan. 22. Sgeulachdan bhan. 23. Còtaichean nan sgoilearan. 24. Lìn nan iasgairean. 25. Seo pìos paipeir.

LESSON 26

Exercise 1

1. Janet is reading a book and her mother is sweeping the floor. 2. Janet's father is writing letters in the room. 3. James is mending the rod. 4. Calum went to the moor to fetch the cattle. 5. Alasdair likes to be playing the bagpipe. 6. The men are raising the sails. 7. We must go to fish tomorrow. 8. The shepherds went to the moor to gather the sheep and the lambs. 9. I hear the barking of the dogs. 10. What were you doing today? I was busy reading and writing. 11. I must go to earn money tomorrow. 12. Calum was telling me that Alasdair has a cold. 13. The wind is rising (getting big). 14. Who is looking out of the window? 15. It is time for you to go to sleep. 16. The reaping machine is good at binding the sheaves. 17. Who is opening the window? 18. I must go to waken the children. 19. It is

dangerous to be climbing this mountain. 20. Mary is boiling the fish. 21. The wives were working and the men talking to each other. 22. Hurry up, Janet is waiting for you. 23. Calum is putting out the dinghy but Alasdair is swimming at the edge of the sea. 24. I can see someone closing the doors. 25. I must put a lock on this door. 26. I do not believe that. 27. What do you see in that shop? Apples and oranges. 28. My friend is coming home tonight. 29. Here are Alasdair and John, my friends from Glasgow; they will be leaving tomorrow.

Exercise 2

1. A' dùnadh an doruis. 2. A' sgrìobhadh litreach. 3. A' dòrtadh uisge. 4. A' rannsachadh an taighe. 5. A' cruinneachadh nan caorach. 6. A' tighinn dhachaidh. 7. A' fuine an arain. 8. Feumaidh mi a dhol dhachaidh. 9. A' cosnadh airgid. 10. A' losgadh phaipearan. 11. Ag innseadh sgeòil. 12. Ag òl bainne. 13. Chaidh an cat a dhòl a' bhainne. 14. Tha a' chlann a' ruith sios an rathad. 15. Tha iad a' gearan. 16. Tha e a' coimhead a mach air an uinneig. 17. Chì mi iad a' fàgail an taighe. 18. A bheil iad a' snàmh an diugh? 19. Dé tha iad a' dèanamh? 20. A' togail an taighe. 21. A' dol a chadal. 22. A' biadhadh nan cearc. 23. A' moladh nam bàrd. 24. A' dol a dh'iasgach. 25. A' ruith agus a' leum. 26. Tha an latha a' coimhead briagha.

LESSON 27

Exercise 1

1. Calum is sitting beside the fire. 2. They are standing at the door. 3. The children are sleeping. 4. The bad road is keeping us back. 5. I am much obliged to you for your letter. 6. They fell asleep with (the) fatigue. 7. The wind is almost lifting me from the earth. 8. I

must meet them at the station. 9. The wind is against us. 10. The cat is sitting on the wall. 11. You must gather the books and put them in the cupboard. 12. He said that he believed them. 13. They are leaving me behind. 14. The shepherd went to gather the sheep and he is encircling them with the dog. 15. He is breaking them with the hammer. 16. The mountains are beautiful and I like to be climbing them. 17. The dog is following us. 18. The dog is keeping himself warm beside the fire. 19. He got a pail and went to fill it. 20. I see her every day. 21. They are helping them. 22. They were looking for them yesterday. 23. I am a minister. 24. He was a shoemaker when he was a young man.

Exercise 2

1. Tha e gam bhualadh. 2. Tha e gam ruith. 3. Tha an cat 'na shuidhe aig an teine. 4. Tha iad 'nan cadal. 5. Tha sinn gan iarraidh. 6. Tha iad ga chumail air ais. 7. Chan eil e gam chreidsinn. 8. Tha iad 'nan seasamh ri taobh a chéile. 9. Tha e ga thogail. 10. Tha i gar cumail ceart. 11. Tha iad gar cuartachadh. 12. Carson a tha thu gar fàgail? 13. Tha iad 'nan suidhe faisg air a chéile. 14. Tha iad 'nan cabhaig. 15. Tha e 'na laighe air an làr. 16. Tha i 'na cadal. 17. Tha e gan cruinn-eachadh. 18. Có tha gan cuideachadh? 19. Có tha gan cluich? 20. Tha an cota trom seo gam chumail blàth. 21. Bha Seumas 'na sheòladair, ach tha e a nis 'na thuathanach. 22. Tha i 'na caileig ghòraich.

LESSON 28

Exercise 1

1. He went towards the shore. 2. Walk to the door. 3. They sailed over the sea. 4. The children were running about the tree. 5. Are you going to the wedding? 6. They worked busily during the year.

7. Thank you for your letter and for your kindness. 8. They were going round the stone. 9. We shall leave the house after the shower. 10. The eagle is above the big rock. 11. They will get a reward according to their merit. 12. The dog jumped on top of the black cat. 13. We shall do this for the sake of peace. 14. The little birds are running through the grass. 15. I hear the shepherds calling the dogs on the moor. 16. Many of them are without wisdom. 17. The little dinghy was beside the ship. 18. The big boys will stand on this side of the door. 19. These are the books of the little boys. 20. Have you the little girl's book? 21. They went to the moor to fetch the cattle. 22. I am looking for the white cow. 23. We had good weather during our journey to the Highlands. 24. They were at the edge of the beach basking (themselves) in the warmth of the sun. 25. Who is opening the gates? 26. The dog ran through the wood. 27. I must take this food to the hens. 28. They were standing beside the main road. 29. The climbers reached the summit of the big mountain at five o'clock in the evening. 30. The time of the singing of the birds has come. 31. We like the conversation of wise men. 32. I can see white sheep on the summit of the high hill. 33. There is snow on the high moors.

Exercise 2

1. A dh'ionnsaidh an teine. 2. Mullach na beinne. 3. Os cionn an taighe. 4. Air culaibh an doruis. 5. Mu thimcheall na creige. 6. As eugmhais gliocais. 7. Seinn nan eun. 8. Air feadh (*or* ré) na seachdaine. 9. Caora dhubh. 10. Caoraich dhubha. 11. Ag iarraidh na caorach duibhe. 12. An déidh na froise. 13. Frasan troma. 14. Air sgàth na sìthe. 15. Mullach na beinne móire. 16. Bann an doruis mhóir. 17. Am measg nan cnoc. 18. Còmhradh nam bàrd. 19. Caileagan móra.

20. Leabhraichean nan caileagan móra. 21. A' seòladh a' bhàta bhig. 22. A' seòladh nam bàtaichean beaga. 23. A' dìreadh nan cnoc. 24. Barran nan tonnan geala. 25. Lòsan na h-uinneige móire. 26. Lòsain nan uinneagan móra. 27. Dùin (or dùinibh) na h-uinneagan móra. 28. A bheil na caileagan beaga anns an sgoil an diugh? 29. Na bodaich mhóra.

Exercise 3

(a) Calum was tired walking on the moor, but at last he reached the top of the mountain. There was a cairn of stones on the top of the mountain. Calum put a stone on the cairn and he sat beside the cairn having a rest.

Calum was now pleased enough. It was a beautiful day and the sun was shining. There was not a cloud in the sky. The lark was singing above his head and the birds were warbling among the rocks. Calum likes to listen (to be listening) to the birds.

The cattle were warm with the heat of the sun and they were standing in the little lochs that were here and there throughout the moor. The little lambs were jumping and playing about their mothers. The murmur of the burn was making music in little Calum's ear.

After a while Calum rose up (standing) and he descended the mountain leisurely (at his leisure). He enjoyed the day well (the day agreed well with him) but he was very hungry when he reached the house.

(b) *Question and Answer*

Mary: Who was on the moor?
Janet: Calum.
M.:   Did Calum climb the mountain?
J.:   Yes.
M.:   Did you yourself climb a mountain today?

Janet: No.

Mary: Who climbed the mountain?

J.: Calum.

M.: Was Calum tired when he reached the top of the mountain?

J.: Yes.

M.: What was on the top of the mountain?

J.: A cairn of stones.

M.: Did Calum put a stone on the cairn?

J.: Yes.

M.: Did you yourself put a stone on the cairn?

J.: No.

M.: Where was the cairn?

J.: On the top of the mountain.

M.: Was the cairn on the top of the mountain (was it on the top of the mountain that the cairn was)?

J.: Yes.

M.: Is it Calum who put the stone on the cairn?

J.: Yes.

M.: Did Calum take a rest when he reached the top of the mountain?

J.: Yes.

M.: Where?

J.: Beside the cairn?

M.: Was Calum pleased when he reached the top of the mountain?

J.: Yes.

M.: What kind of day was it?

J.: It was a beautiful day.

M.: Was the sun shining?

J.: Yes.

M.: Was the sky clear?

J.: Yes.

M.: What was above Calum?

J.: The lark.

Mary: What was the lark doing?

Janet: It was singing.

M.:   Who were warbling?

J.:   The birds.

M.:   Were the birds in the trees (is it in the trees that the birds were)?

J.:   No.

M.:   Where were they warbling?

J.:   Among the rocks.

M.:   Does Calum like to be listening to the birds?

J.:   Yes.

M.:   Where were the cattle?

J.:   They were standing in the lochs.

M.:   Where were the lochs?

J.:   Throughout the moor.

M.:   What were the lambs doing?

J.:   They were jumping and playing about their mothers.

M.:   What was making music?

J.:   The murmur of the burn.

M.:   How did Calum descend the mountain?

J.:   At his leisure.

M.:   Did the day please Calum well?

J.:   Yes.

M.:   What was troubling Calum when he reached the house?

J.:   Hunger.

M.:   Are you hungry yourself?

J.:   Yes.

M.:   Are you tired?

J.:   Yes indeed.

LESSON 29

Exercise 1

1. Mary is fair but Janet is fairer. 2. Janet is fairer than

Mary. 3. I am big but you are bigger. 4. The white dog is wise but the black dog is wiser. 5. Morag is smaller than I. 6. The brown horse is strong but the black horse is stronger. 7. It is Calum who is younger (*or* youngest). 8. You are the youngest of the family. 9. Better is wisdom than wealth. 10. Our house is nearer the church than your house. 11. That method is easy enough but this is an easier method. 12. The road through the wood is shorter. 13. I am old but you are older. 14. I love the fiddle but I prefer the bagpipe (beloved with me is the fiddle but preferable with me is the bagpipe). 15. Broader is this river than the last one. 16. The road was bad yesterday but this road is worse. 17. That is hot but this is hotter. 18. Sweeter is (the) honey than (the) sugar. 19. It is drier today than it was yesterday. 20. Alasdair is wealthier than Calum. 21. This stone is much heavier. 22. The road is now steeper and narrower. 23. I am taller than Morag but Morag is taller than Jean. 24. This pig is fatter than that one. 25. My rod is longer than your rod. 26. This is the book that I prefer. 27. You are the better of that. 28. I prefer warmth to cold. 29. You are none the worse of taking a walk.

Exercise 2

1. Tha Calum bàn. 2. Tha Màiri nas bàine. 3. Tha Màiri nas bàine na Calum. 4. Tha an seòmar seo nas motha. 5. Tha e nas lugha na mise. 6. Tha Seònaid nas òige na Seumas. 7. Tha mi nas motha na thusa. 8. Tha an latha a' fàs nas fhaide. 9. Is e seo an leabhar as fheàrr. 10. Is mise as òige de'n teaghlach. 11. Tha an taigh againne nas faisge air a' bhaile. 12. Is e seo an rathad as giorra. 13. Tha e nas treasa na bha e. 14. Is e seo dòigh (*or* rathad) as feàrr. 15. Nas gile na sneachda. 16. Tha a' chraobh seo nas àirde. 17. Tha e nas miosa an diugh. 18. Bha e na b'fheàrr an dé. 19.

Tha a' chlach seo nas truime. 20. Chan urrainn dhomh feitheamh nas fhaide. 21. Is feàrr leam uisge na fìon.

LESSON 30

Exercise 1

1. There are two trees in the garden and three big trees in the field. 2. There were thirteen men at the meeting. 3. There are eighty sheep and forty lambs in the park. 4. How many books are in the cupboard? Twenty-seven. 5. This is the fourth time that I have put out the boat. 6. Where are we in this book? We are at the fifteenth lesson. 7. The twelfth lesson was very difficult. 8. There are twenty-seven lessons in the book altogether. 9. How many letters are in the Gaelic alphabet? There are eighteen—thirteen consonants and five vowels. Three of the vowels are broad (a, o, u) and two slender (e and i). 10. How many eggs are in a dozen? Twelve. 11. How many lambs are in this park? There are seventy-one. 12. Who is this? This is Calum, my fourth son. 13. How many sisters and brothers has Calum? He has one sister and three brothers. 14. We shall sing four verses of the one hundred and nineteenth psalm from the beginning. 15. The farmer has two sons and three daughters. 16. The farmer has eleven cows in the big park and he has more than fifty sheep in another park. 17. We are now at the twenty-second lesson. 18. We shall read the eighteenth chapter. 19. We rose at six o'clock in the morning, we left the house at seven o'clock, and we were at the top of the mountain at eleven o'clock. 20. We put fourteen sheep out on the moor yesterday. 21. I noticed that there were two lads on the moor gathering the sheep. 22. I am eighteen years of age. 23. Who got the third prize?

Exercise 2

1. Tha trì eich anns a' phàirc. 2. Tha ceithir coin aig a' chìobair. 3. Tha ceithir uain air fhichead anns an achadh. 4. Thuit an cóigeamh fear. 5. Tha deich gillean (*or* balaich) agus fichead caileag anns a' chlas seo. 6. Seo an cóigeamh leasan deug. 7. Chunnaic mi trì coin anns an achadh agus cóig eòin anns a' chraoibh. 8. Tha dithis bhràithrean agus triùir pheathraichean (*or* dà bhràthair agus trì peathraichean) agam. 9. Cheannaich an tuathanach cóig eich. 10. Tha deich uain air fhichead anns a' phàirc. 11. Cia mhiad meur a tha air aon làimh? 12. Chunnaic sinn trì fichead caora air a' chnoc. 13. Tha trì cait agus ceithir piseagan anns an t-sabhal. 14. Bha an duine agus a thriùir mhac ag obair anns an achadh. 15. Tha an ceathramh mac ag iasgach. 16. Thug a' chaileag cóig leabhraichean air fhichead a mach as a' phreasa. 17. Tha trì fir (*or* triùir fhear) a' tighinn a nuas an rathad; tha còta dubh air a' cheud fhear, cota geal (*or* bàn) air an dara fear agus còta donn air an treas fear. 18. Fhuair Seònaid a' cheud duais. 19. Tha trì peathraichean (*or* triùir pheathraichean) aice. 21. Tha e a nise aon uair deug.

LESSON 31

Exercise 1

1. Let us put out the boat. 2. Let us build a house on this hill. 3. I would be going often to the shops. 4. I would be glad if I got (would get) your letter. 5. Let me lock the door. 6. Close (thou) the window. 7. I would buy this if I had money (if there would be money at me). 8. Let us walk through the wood. 9. Walk (ye) at your leisure. 10. Keep (ye) to the edge of the road. 11. Let us leave the books in school today. 12. Do not put (sing.) out the fire. 13. Do not

stay (pl.) long. 14. Let us fill the dishes with water. 15. Let us sit on this seat. 16 Let us wash the dishes now. 17. Keep (thou) the cattle in the park and close the gate of the park. 18. Look (ye) out of the window. 19. Let us listen to this girl singing. 20. Let us speak Gaelic. 21. I would read this book if I had time. 22. Let us not (put) trouble (on) anyone. 23. Let me hear your voice. 24. I would not ask home from school. 25. I would not clean the board (*or* table). 26. Let us not clean the board. 27. Do not walk on the grass. 28. Let us put to sea. 29. Let us not put to sea tonight. 30. Do not put (sing.) too much in the basket. 31. If we were to fill (would fill) this bag, the work would be finished. 32. Let them listen to the song. 33. Let them stand here. 34. I would be pleased to do that. 35. Let them (*or* they would) stop at the edge of the pavement.

Exercise 2

1. Buaileam. 2. Buaileamaid. 3. Cuir uisge anns a' choire. 4. Cuireamaid suas na siùil. 5. Fanamaid (*or* fuiricheamaid) an seo. 6. Cuireadh na fir a mach am bàta. 7. Togamaid taigh air a' chnoc seo. 8. Na las an teine. 9. Na lasamaid an teine. 10. Cumaibh air falbh o'n teine. 11. Dùin an dorus. 12. Fosgail an uinneag. 13. Fosgaileamaid (*or* fosglamaid) na h-uinneagan. 14. Na tilg a' chlach sin. 15. Nan éisdeadh tu chluinn-eadh tu ceòl. 16. Nighibh na soithichean. 17. Paisgeamaid na tubhailtean. 18. Cheannaicheamaid (*or* cheannchamaid) aran anns a' bhùth seo. 19. Na ruitheamaid gu taobh eile na sràide. 20. Cha bhuailinn an cù. 21. Cha chreideadh iad mi. 22. Sguabamaid an làr. 23. Coisicheamaid luath (*or* gu luath). 24. Stada-maid aig oir a' chabhsair. 25. Cuir ort do chòta. 26. Cuireadh iad orra an còtaichean. 27. Cum (*or* cumaibh) na dorsan dùinte. 28. Cha choisicheamaid fada. 29. Chan ithinn an t-aran seo. 30. Chan fhàgadh

na fir am bàta. 31. Éisd (*or* éisdibh) ri fuaim na gaoithe. 32. Cha deanainn sin. 33. Suidheadh e air a' chathair seo. 34. Cha chreideadh e mi.

Exercise 1

1. I was struck by a car. 2. I was kept back. 3. These stones were broken with the hammer. 4. I was born and brought up (reared) in Scotland. 5. I was brought up in the city. 6. I was asked to close the door. 7. If I (shall) go to the shop I shall be kept back. 8. The bridge will be built next year. 9. The vessels (dishes) will be filled with water. 10. The vessels will be filled with water. 11. The vessels were filled with water. 12. The work will be taken in hand soon. 13. The singing of the birds will be heard early in the morning. 14. Let the stones be struck with the hammers. 15. Let this be done with sincerity (good wishes). 16. If Calum were here the sails would be raised. 17. The car was not cleaned yesterday but it will be cleaned tomorrow. 18. The car will be cleaned on Monday. 19. I was kept back in the shop. 20. I am locked in. 21. I was locked in. 22. This door is locked. 23. I would come in again though I were put out. 24. Sailing-time is tomorrow (it will be sailed tomorrow). 25. Let us go to the church.

Exercise 2

1. Buaileadh e an tarag leis an òrd. 2. Rugadh mi anns an àite seo. 3. Bha an dorus seo glaiste (*or* ghlasadh an dorus seo; *or* chaidh an dorus seo a ghlasadh). 4. Bhuaineadh an t-arbhar an dé (*or* chaidh an t-arbhar a bhuain an dé). 5. Ghoideadh an t-airgead (*or* chaidh an t-airgead a ghoid). 6. Roinnear an t-iasg (*or* théid an t-iasg a roinn). 7. Togar taigh air a' chnoc seo (*or* théid taigh a thogail air a' chnoc seo). 8. Cumar an

crodh a staigh an diugh (*or* théid an crodh a chumail a staigh an diugh). 9. Caillear na leabhraichean ma dh'fhàgar iad anns an àite seo (*or* théid na leabhraichean a chall ma théid am fàgail anns an àite seo). 10. Thogadh an caisteal seo mìle bliadhna air ais (*or* chaidh an caisteal seo a thogail mìle bliadhna air ais). 11. Chainteadh sin (*or* rachadh sin a chantainn; *or* rachadh sin a ràdh). 12 Chuirteadh dhachaidh sinn (*or* bhitheamaid air ar cur dhachaidh). 13. Fàgar air dheireadh sinn (*or* bidh sin air ar fàgail air dheireadh). 14. Cuirteadh craobh an seo (*or* bitheadh craobh air a cur an seo). 15. Ghairmteadh na coin a staigh (*or* bhitheadh na coin air an gairm a staigh). 16. Tha e leònte.

LESSON 33

Exercise 1

1. Mary, where did you put my book? 2. Alasdair, did you see Calum's book? 3. Where are you going, Kenneth? 4. James, you put the pens in this box and, Jean, you put the books in the cupboard. 5. Come here, Mary dear, and dry the dishes. 6. Foolish girl, do not believe all that you (will) hear. 7. Lovely moon, they have reached you at last. 8. Out of my way, little cats! 9. Come in, Donald, and put off (you) your coat. 10. Are you hungry, dear? 11. Did you hear that, boy? 12. Keep over, little boys. 13. Come in, young girls. 14. Stay where you are, children. 15. Great doors, do not remain closed! 16. O gates, lift up your heads! 17. Swift streams, you are running swiftly to ocean! 18. Wait for me, sisters. 19. Men and brethren, be strong in the faith. 20. Little bird, your wing is broken. 21. Mr. Chairman, ladies and gentlemen.

Exercise 2

1. A Chaluim, cum seo suas. 2. Tha thu fadalach, a
Sheumais. 3. Greas ort, a ghràidh. 4. A chaileag
ghòrach, carson a rinn thu sin? 5. Trobhad an seo,
Alasdair. 6. A ghille bhig (*or* 'ille bhig), cum air falbh
bho (*or* o) na creagan. 7. Seall a mach air an uinneig,
a Mhàiri. 8. A Sheònaid, cuir gual air an teine. 9. Càit
a bheil thu a' dol, Iain? 10. Cuiribh a mach am bàta,
a chàirdean. 11. Suidhich am bòrd, Ealasaid. 12. Anna
bheag, suidh aig an teine. 13. O bhàrda móra, dèanaibh
òrain. 14. Tha mi a' creidsinn, a chàirdean, gu bheil
sibh sgìth. 15. Coisich, a chaileag bheag, gu taobh eile
na sràide. 16. A chlann bheag, éisdibh ri ceilearadh
nan eun.

LESSON 34

Exercise 1

1. Tell John that I shall see him tomorrow. 2. Did they
say that they were coming home tonight? Yes. 3. When
will they reach their destination? 4. They will say that
they are tired. 5. Shall I say that to Calum? Yes, but
you will not say it to John. 6. He did not say a word to
me. 7. Catch this. 8. Did you catch it? I did not catch
it but John caught it. 9. Take the car and you will
overtake Alasdair at the big bridge. 10. It is a very
swift dog that will catch a hare. 11. Get your coat and
put it on. 12. Did you get your coat? Yes. 13. Will I
get a pen in this shop? Yes, but you will not get bread
in it. 14. They say that one can (will) get a lovely view
from the top of this mountain. 15. If I (shall) get an
egg in the nest of the white hen, I shall eat it in the
morning. 16. Go in. 17. Did you go in? Yes. 18. Did
Calum go into the cave? No. 19. Did you see the deer?
No. 20. Did you see the sheep? Yes. 21. Where did
you see them? On the top of the mountain. 22. I can

(shall) see Calum working busily in the field. 23. Can (will) you see the dinghy? Yes. 24. Can (will) you see who is in the dinghy? No. 25. Did you hear that Alasdair (has) got married? No. 26. If you (will) waken early in the morning you will hear the warbling of the birds. 27. Can (will) you hear the music of the bagpipe? Yes. 28. Did you take the rods with you? Yes. 29. I shall give you a penny for it. 30. I shall not give two pennies for it. 31. Come out and come for a walk. 32. Has the coal come? No, but the merchant says that he will deliver a ton tomorrow. 33. Will you go with me to the top of the mountain? Yes. 34. We reached the harbour safely in the evening. 35. Did you reach the other side of the loch? No. 36. Do as I told (asked) you. 37. Did you do as I told (asked) you? Yes. 38. Shall I make the tea? Yes, certainly. 39. "I almost fell," said Mary. 40. Come (here), dear. 41. Go on, hurry up. 42. I must go. 43. Must you walk? No. 44. You may put up the sails. 45. May I put a match to the fire? Yes. 46. I must rise early tomorrow. 47. I had to walk home. 48. Did you have to walk? Yes. 49. You ought to read this book. 50. Can you do this? Yes. 51. I would have to stay in the town till tomorrow. 52. Would I have to go away early in the morning? Yes. 53. A light was not seen on the sea but a light was seen on the other side of the loch.

Exercise 2

1. Am faic mi thu am màireach? Chì. 2. An d'thubhairt thu gu bheil Calum tinn? Cha d'thubhairt. 3. Thoir leat do chòta. 4. An d'fhuair thu mo litir? Fhuair. 5. "Tha mi sgìth", ars' esan. 6. Am faigh mi bainne anns a' bhùth seo? Chan fhaigh. 7. Gheibh mi prìs mhath air an each seo. 8. Am faca tu Alasdair an diugh? Chan fhaca. 9. Am faic thu e am màireach? Chì. 10. An cuala tu am fuaim? Chuala. 11. Thug mi

leam na slatan. 12. Thig a nall am màireach. 13. An tig thu a dh'iasgach anns a' mhadainn? Thig. 14. Tha e ag ràdh gun toir e dhomh an leabhar seo. 15. Rach do'n eaglais an diugh. 16. An téid thu do'n bhaile am màireach? Théid. 17. An d'rinn thu e? Rinn. 18. Theab mi tuiteam. 19. An urrainn dhut cunntas? 'S urrainn. 20. Bu chòir dhomh a dhol do'n sgoil am màireach. 21. Bu còir dhut a bhith glic. 22. Dh'fheumainn coiseachd dhachaidh. 23. Am faod mi an teine a lasadh? Faodaidh. 24. An d'rinn thu mar a dh'iarr mi ort? Rinn. 25. Feumaidh mi an t-each dubh a reic.

LESSON 35

Exercise 1

1. It is one o'clock. 2. It is two o'clock. 3. It is three o'clock. 4. It is eleven o'clock. 5. It is twelve o'clock. 6. It is ten o'clock. 7. It is five minutes past ten. 8. It is ten minutes past ten. 9. It is a quarter past ten. 10. It is twenty minutes past ten. 11. It is twenty-five minutes past ten. 12. It is half-past ten. 13. It is twenty-five minutes to eleven. 14. It is twenty minutes to eleven. 15. It is a quarter to eleven. 16. It is ten minutes to eleven. 17. It is five minutes to eleven.

Exercise 2

1. Dà uair. 2. Trì uairean. 3. Cóig mionaidean gu cóig. 4. Fichead mionaid gu sia. Fichead mionaid an déidh trì. 6. Cóig mionaidean fichead gu ceithir. 7. Trì mionaidean fichead gu naoi. 8. Leth-uair an déidh deich. 9. Seachd mionaidean deug gu aon uair deug. 10. Dà uair dheug. 11. Leth-uair an déidh dà uair dheug. 12. Cairteal (*or* ceathramh) gu ochd. 13. Cairteal (*or* ceathramh) an déidh ochd. 14. Ceithir mionaidean deug gu seachd. 15. Trì mionaidean gu uair.

Exercise 4

Mary and Calum rose early in the morning today, for they had to go to (the) school. Mary rose at ten minutes past seven, but Calum did not rise until it was twenty minutes to eight.

Although Calum was late in rising, he only took a quarter of an hour in getting ready, and he came downstairs to his breakfast at five minutes to eight. Mary came downstairs at ten minutes to eight.

The children's father and mother rose at six o'clock in the morning. Their mother started on the housework at twenty minutes past six, and their father went out to feed the cattle at half-past six.

Their breakfast was ready at five minutes to eight and they all sat at the table at eight o'clock. Their breakfast was over between half-past eight and twenty-five minutes to nine.

It was December and it was still dark when the children left the house, but they reached the school safely at five minutes to nine. The school went in at nine o'clock.

The school got out for a short (small) interval at five minutes to eleven, and it went in again at ten minutes past eleven.

They got out at dinner-time at a quarter past twelve, and, after dinner-time, the school went in at a quarter to two. Thus, they had an hour and a half for their dinner.

They had another short interval from five minutes to three to five minutes past three. The school got out for the day at four o'clock.

The children reached the house at twenty minutes past four. They were watching (looking at) television from five o'clock to ten minutes to six. They took their evening meal (food) at six o'clock.

They were at their lessons from half-past six to seven o'clock. Mary went to bed at five minutes past eight, but Calum stayed up (afoot) until it was close on nine o'clock. That is why Calum is not as good as Mary at rising in the morning.

VOCABULARY

List of Abbreviations

adj.	adjective	n.	noun
adv.	adverb	neg.	negative
art.	definite article	nom.	nominative
comp.	comparative, compound	nu.	numerical
		p.	past
conj.	conjunction	part.	particle
dat.	dative	pers.	personal
def.	defective	pl.	plural
demon.	demonstrative	poss.	possessive
f.	feminine noun	prep.	preposition, prepositional
fut.	future		
gen.	genitive	pron.	pronoun
int.	intensive	rel.	relative
interr.	interrogative	sing.	singular
irreg.	irregular	v.	verb, verbal
m.	masculine noun		

Gaelic–English

Nouns: Nominative and genitive singular, and nominative plural where applicable, are indicated. Where the genitive singular is not written, it is the same as the nominative singular. Where the plural, in those nouns which have a plural number, is not written, it is the same as the genitive singular.

Adjectives: The simple form is given, and also the first comparative unless it is the same.

Verbs: The second person singular imperative is given, and also the verbal noun unless it is the same.

The number given after a word refers to the Lesson in which it first occurs.

a (rel. pron.)   *who, which, that* 2
a (poss. pron.)   *his, her* 3
a (conj.)   *that* 5
a (prep.)   *from* App. D, 26
a dh'aithghearr (adv.)   *soon* 32
a rithist (adv.)   *again* 32
a staigh (adv.)   *in, inside* 32
a steach (adv.)   *in* (motion inwards) 32
abaich, abaiche (adj.)   *ripe* 9
abair (v. irreg.)   *say* App. B.1, 34
abhainn, aibhne, aibhnichean (f.)   *river* 3
acair, acrach, acraichean (f.)   *anchor* 13
acarsaid, pl. acarsaidean (f.)   *anchorage, harbour* 10
ach (conj.)   *but* 1
achadh, achaidh, achaidhean (m.)   *field* 1
acras, acrais (m.)   *hunger* 9
ad, aide, adaichean (f.)   *hat* 10
adhar, adhair (m.)   *sky* 9
adharc, adhairce, adhaircean (f.)   *horn* 21
agair, agairt (v.)   *claim* 26
aghaidh, aghaidhe, aghaidhean (f.)   *face*
   an aghaidh   *against* 27
agus (conj.)   *and* 1
aibidil, aibidile, aibidilean (f.)   *alphabet* 30
aig (prep.)   *at* App. D, 1
ailm, ailme, ailmean (f.)   *helm* 23
aimsir, aimsire (f.)   *weather* 8
ainm, ainme, ainmean (m.)   *name* 9
air (prep.)   *on* App. D, 1
air (adv.)   *after* (used with verbal noun) 32
air ais (adv.)   *back, ago* 27
air dheireadh (adv.)   *behind* 27
air falbh (adv.)   *away* 31
airgead, airgid (m.)   *money, silver* 4
airson (prep.)   *for* (governs gen. case) 27
àite, pl. àitean *and* àiteachan (m.)   *place* 13
aithne (f.)   *knowledge, acquaintance* 25
   is aithne dhomh   *I know*
Alasdair (m.)   *Alasdair, Alexander* 3
Alba (f.)   *Scotland* 32
Albannach, Albannaich (m.)   *a Scot* 17
allt, uillt (m.)   *burn, stream* 9
am, ama, amannan (m.)   *time* 9
amais, amas (v.)   *aim* 26

amhairc, amharc (v.)   *look* 26
an (am) (art.)   *the* 1
an (am) (poss. pron.)   *their* 24
an (prep.)   *in* (contracted form of "ann an") 32
anail, analach, anailean (f.)   *breath, rest* 23
ann (prep. pron.)   *in it, in him* 2
ann an (ann am) (prep.)   *in* App. D, 2
Anna (f.)   *Ann* 33
anns (prep.)   *in (the)* 1
aodann, aodainn, aodainnean (m.)   *face* 7
aois, aoise, aoisean (f.)   *age* 17
aon (adj.)   *one* 30
aonar (nu. n.)   *one (person)* 30
aosda (adj.)   *ancient, old* 19
ar (poss. pron.)   *our* 27
àraidh, àraidhe (adj.)   *special, particular* 35
aran, arain (m.)   *bread* 4
arbhar, arbhair (m.)   *corn* 7
àrd, àirde (adj.)   *high, tall* 3
àrdaich, àrdachadh (v.)   *raise* 26
argumaid, argumaide, argumaidean (f.)   *argument* 18
arm, airm (m.)   *army* 17
arsa (def. v.)   *said* 34
as (prep.)   *from, out of* App. D, 8
as déidh (comp. prep.)   *after* (governs gen. case) 23
astar, astair, astaran (m.)   *distance, speed* 9
at, (v.) *swell* 26
ath (adj.)   *next* (precedes and aspirates noun) 8
athair, athar, athraichean (m.)   *father* 9

bàgh, bàigh, bàghan (m.)   *bay* 19
baile, pl. bailtean (m.)   *town* 3
  baile mór (m.)   *city* 32
bainne (m.)   *milk* 3
balach, balaich (m.)   *boy, lad* 3
balla, pl. ballachan (m.)   *wall* 3
bàn, bàine (adj.)   *white, fair* 1
banais, bainnse, bainnsean (f.)   *wedding* 6
banarach, banaraiche, banaraichean (f.)   *milkmaid* 6
bann, banna, bannan *and* banntan (m.)   *hinge* 28
barail, baralach, baralaichean *and* barailean (f.)   *opinion* 23
bàrd, bàird (m.)   *poet* 13
bàrdachd (f.)   *poetry, poem* 6
bàrr, barra, barran (m.)   *top, crest* (of wave) 18

barrachd (m.)   *more* 24

barrall, barraill, barraillean (f.)   *shoe-lace* 21

bas, boise, basan (f.)   *palm* (of hand) 22

bascaid, bascaide, bascaidean (f.)   *basket* 13

bàta, pl. bàtaichean (m.)   *boat* 3

bata, pl. bataichean (m.)   *walking-stick* 3

bàthach, bàthcha, bàthchannan *and* bàthaichean (f.)   *byre* 6

beachd, pl. beachdan (m.)   *opinion* 13

beag, bige *and* lugha, (adj.)   *small* 1

beagan, beagain (m.)   *a little, a few* 23

bean, mnatha, mnathan (f. irreg.)   *wife* 13

beannachd, pl. beannachdan (f.)   *blessing* 4

beartach, beartaiche (adj.)   *wealthy* 29

beartas, beartais (m.)   *wealth* 29

beinn, beinne, beanntan (f.)   *mountain* 3

beir (v. irreg.)   *bear, catch* App. B.2, 34

beò, beòtha (adj.)   *lively, alive* 29

beul, beòil (m.)   *mouth* 18

beum, beuma, beumannan (m.)   *blow* 24

Beurla (f.)   *English* (*language*) 4

bha (v.)   *was, were, there was, there were* 3

bheil (eil) (v.)   *am, is, are* (dependent form) 2

bhiodh (shortened form of "bhitheadh") 31

bho (o) (prep.)   *from* App. D, 33

bhur (ur) (poss. pron.)   *your* (pl.) 32

bi (v. irreg.)   *be* App. A, 14

biadh, biadhadh (v.)   *feed* 26

biadh, bìdh (m.)   *food* 7

Bìobull, Bìobuill (m.)   *Bible* 3

blas, blais (m.)   *taste* 3

blàth, blàithe (adj.)   *warm* 2

blàths, blàiths (m.)   *warmth* 25

bliadhna, pl. bliadhnachan (f.)   *year* 6
   am bliadhna (adv.)   *this year* 6

blian, blianadh (v.)   *bask, sunbathe* 22

bó, bà (f. irreg.)   *cow* 6

bochd, bochda (adj.)   *poor* 29

bocsa, pl. bocsaichean (m.)   *box* 3

bodach, bodaich (m.)   *old man* 3

bòidheach, bòidhche (adj.)   *pretty* 4

boireannach, boireannaich (m.)   *woman* 17

bonaid, bonaide, bonaidean (f.)   *bonnet, cap* 17

bonn, buinn, buinn *and* bonnan (m.)   *coin* 18

bòrd, bùird (m.)   *table* 3

bòrd-sgàthain, pl. bùird-sgàthain (m.)   *dressing-table* 6
botul, botuil (m.)   *bottle* 3
bracaist, bracaiste, bracaistean (f.)   *breakfast* 35
bradan, bradain (m.)   *salmon* 9
bras, braise (adj.)   *swift* 9
bratach, brataiche, brataichean (f.)   *banner* 20
bràthair, bràthar, bràithrean (m.)   *brother* 25
breac, bric (m.)   *trout* 7
breug, breige, breugan (f.)   *lie* 22
briagha (breagha) (adj.)   *beautiful, fine* 3
brìgh, brìghe (f.)   *substance, essence, meaning* 23
briogais, briogaise, briogaisean (f.)   *trousers* 6
briosgaid, briosgaide, briosgaidean (f.)   *biscuit* 6
bris, briseadh (v.)   *break* 15
briste (adj.)   *broken* 17
bròg, bròige, brògan (f.)   *shoe* 6
brot, brota (m.)   *broth* 6
bruach, bruaiche, bruachan (f.)   *bank* 21
bruich (v.)   *boil* 26
bruidhinn (v.)   *speak, talk* 6
bruthach, bruthaiche, bruthaichean (f.)   *slope* 13
bu (v.)   *was, were* (assertive form) 5
buail, bualadh (v.)   *strike* 5
buaile, pl. buailtean (f.)   *fold* (for sheep or cattle) 18
buain (v.)   *reap* 7
bualadh, bualaidh, bualaidhean (m.)   *striking* 28
bùth, bùtha, bùthan (f.)   *shop* 4

cabhag, cabhaige (f.)   *hurry* 24
cabhsair, pl. cabhsairean (m.)   *pavement* 31
càch, càich (pron.)   *the rest, others* 16
  càch-a-chéile (pron.)   *each other, one another* 16
cadal, cadail (m.)   *sleep* 27
cagar, cagair, cagairean (m.)   *dear, darling* 34
caibidil, caibidile, caibidilean (f.)   *chapter* 30
caidil, cadal (v.)   *sleep* 26
cailc, cailce (f.)   *chalk* 6
caileag, caileige, caileagan (f.)   *girl* 2
caill, call (v.)   *lose* 9
cailleach, cailliche, cailleachan (f.)   *old woman* 13
cairteal, cairteil, cairtealan (m.)   *quarter* 35
càise (m.)   *cheese* 4
caisteal, caisteil, caistealan (m.)   *castle* 19
càit (càite) (interr.)   *where?* 2

cala, pl. calachan *and* calaichean (m.)   *harbour* 7
calman, calmain (m.)   *dove* 10
calpa, pl. calpannan (m.)   *calf* (of leg) 22
Calum, Chaluim (m.)   *Calum, Malcolm* 1
can, cantainn (v.)   *say* 14
caol, caoile (adj.)   *narrow, slender* 30
caora, caorach, caoraich (f.)   *sheep* 3
càr, càir, càraichean (m.)   *car* 7
càraich, càradh (v.)   *mend* 21
caraid, pl. càirdean (m.)   *friend* 26
càrn, cùirn (m.)   *cairn* 13
carson (interr.)   *why?, why* 4
cas, coise, casan (f.)   *foot, leg, shaft* 13
cas, caise (adj.)   *steep* 29
cat, cait (m.)   *cat* 1
cath, catha, cathan (m.)   *battle* 24
cathair, cathrach, cathraichean (f.)   *chair* 6
cead (m. indeclinable)   *interval, permission* 35
ceangail, ceangal (v.)   *tie, bind* 12
ceann, cinn (m.)   *head, end* 2
    an ceann (comp. prep.)   *after, at the end of* (governs gen. case)
        28
ceann-uidhe, pl. cinn-uidhe (m.)   *destination* 34
ceannaich, ceannach (v.)   *buy* 4
ceannaiche, pl. ceannaichean (m.)   *merchant* 34
cearc, circe, cearcan (f.)   *hen* 6
ceàrr, ceàrra *or* ciorra (adj.)   *wrong* 3
ceart, ceirte (adj.)   *right, correct* 16
ceartas, ceartais (m.)   *justice* 24
ceathramh, ceathraimh, ceathramhan (m.)   *quarter, fourth* 35
ceathramh (adj.)   *fourth* 30
ceathrar (nu. n.)   *four* (persons) 30
ceilearadh, ceilearaidh (m.)   *singing, warbling* 34
ceileir, ceilearadh (v.)   *warble* 28
céilidh, céilidhe, céilidhean (f.; m. in some districts)   *a social
        gathering* 7
céis, céise, céisean (f.)   *case, envelope* 23
ceist, ceiste, ceistean (f.)   *question* 3
ceithir (adj.)   *four* 8
ceòl, ciùil (m.)   *music* 20
ceud (adj.)   *first* 30
ceud (ciad) (adj.)   *hundred* 30
ceudamh (adj.)   *hundredth* 30
ceum, ceuma, ceumannan (m.)   *step* 24

cha (chan) (neg. part.) *not* 2

  cha mhór *almost* (with neg. verb) 27

chaidh (v. irreg.) *went* App. B.7, 12

chì (v. irreg.) *will see* App. B.5, 6

cho (adv.) *so, as* 9

chon (chun, thun) (prep.) *to, towards* (governs gen. case) 17

chuala (v. irreg.) *heard* App. B.3, 24

chunnaic (v. irreg.) *saw* App. B.5, 1

cia (interr. pron.) *which?* (used in combination) 15

cia mheud, cia lìon *how many?*

ciamar (interr.) *how? how* 2

cinnteach, cinntiche (adj.) *sure* 5

ciobair, pl. cìobairean (m.) *shepherd* 13

ciod (interr. pron.) *what? what* 15

cìr, cìre, cìrean (f.) *comb* 6

cìr, cireadh (v.) *comb* 18

cìrean, cìrein (m.) *cock's comb* 19

ciste, pl. cisteachan (f.) *chest, box* 6

clach, cloiche, clachan (f.) *stone* 13

clachair, pl. clachairean (m.) *mason* 3

clachan, clachain (m.) *village* 3

cladach, cladaich, cladaichean (m.) *shore* 3

clag, cluig (m.) *bell* 18

clann, cloinne (f.) *children* 3

clàrsach, clàrsaiche, clàrsaichean (f.) *harp* 6

clas, pl. clasaichean (m.) *class* 30

cliabh, cléibh (m.) *creel* 21

cliathach, cliathaiche, cliathaichean (f.) *side* 3

cluas, cluaise, cluasan (f.) *ear, handle* 6

cluich (v.) *play* 2

cluinn (v. irreg.) *hear* App. B.3

cnò, cnotha, cnothan (f.) *nut* 13

cnoc, cnuic, pl. cnuic *and* cnocan (m.) *hill* 3

có (pron., interr. pron.) *who? who* 2

  có air bith (pron.) *whoever* 16

  có sam bith (pron.) *whoever* 16

cobhartaich, cobhartaiche, cobhartaichean (f.) *barking* 26

coibhneas, coibhneis (m.) *kindness* 28

cóig (adj.) *five* 14

cóigeamh (adj.) *fifth* 30

cóignear (nu. n.) *five (persons)* 30

coileach, coilich (m.) *cock, cockerel* 19

coille, pl. coilltean (f.) *a wood* 6

coimhead (v.) *look, appear; look at, watch* (with "air") 9 coineanach, coineanaich (m.)   *rabbit* 21

Coinneach, Choinnich (m.)   *Kenneth* 33

coinneamh, coinneimhe, coinneamhan (f.)   *meeting* 6

còir, còrach, còraichean (f.)   *right, justice* 22

coire, pl. coireachan (m.)   *kettle, corry* 3

coisich, coiseachd (v.)   *walk* 8

coisinn, cosnadh (v.)   *earn* 26

coltas, coltais (m.)   *appearance, look* 22

comain, comaine, comainean (f.)   *obligation, favour* 27

comhairle, pl. comhairlean (f.)   *advice* 8

còmhla (adv.)   *together*
  còmhla ri (prep.)   *together with, along with* 2

còmhradh, còmhraidh, còmhraidhean (m.)   *conversation* 4

connrag, connraige, connragan (f.)   *consonant* 30

còrd, còrdadh (v.)   *agree* 28

còrr, corra (m.)   *more*
  còrr is   *more than* 30

cosg (v.)   *spend (money)* 14

còta, pl. còtaichean (m.)   *coat* 2

crann, croinn *and* crainn, croinn (m.)   *mast* 14

craobh, craoibhe, craobhan (f.)   *tree* 6

creag, creige, creagan (f.)   *a rock* 6

creid, creidsinn (v.)   *believe* 16

creideamh, creideimh (m.)   *faith, belief* 33

cridhe, pl. cridheachan (m.)   *heart* 25

crìoch, crìche, crìochan (f.)   *boundary, end* 22

crò, crò *and* cròtha, cròithean (m.)   *fold, pen, eye* (of needle)
  17

crodh, cruidh (m.)   *cattle* 3

croic, croice, croicean (f.)   *antlers* 20

cruach, cruaiche, cruachan (f.)   *stack* 21

cruaidh, cruaidhe (adj.)   *hard* 9

cruinn, cruinne (adj.)   *round* 11

cruinnich, cruinneachadh (v.)   *gather* 13

cù, coin (m. irreg.)   *dog* 1

cuan, cuain, cuantan (m.)   *ocean* 17

cuartaich, cuartachadh (v.)   *encircle, surround* 27

cuid, codach, codaichean (pron.) (f.)   *some, others, share* 16

cuideachd (adv.)   *also, too* 4

cuideigin (pron.)   *someone* 16

cuidich, cuideachadh (v.)   *help* 14

cùil, pl. cùiltean (f.)   *corner, nook* 6

cuileag, cuileige, cuileagan (f.)   *fly* 6

cuin (cuine) (interr. adv.)   *when?* 6

cuir, cur (v.)   *put, send, set, plant* 3
  cuir air (v.)   *switch on* 8
cùis, cùise, cùisean (f.)   *business, affair* 23
cùl, cùil, cùiltean (m.)   *back (side), rear* 18
air cùlaibh (comp. prep.)   *behind* (governs gen. case) 28
cum, cumail (v.)   *keep* 7
cuman, cumain (m.)   *pail, bucket, milking-pail* 14
cumhachd, pl. cumhachdan (m.)   *power* 16
cumhang, cuinge (adj.)   *narrow* 29
cunnart, cunnairt, cunnartan (m.)   *danger* 16
cunnartach, cunnartaiche (adj.)   *dangerous* 13
cunnt, cunntas (v.)   *count* 18
cunntas, cunntais (m.)   *counting, arithmetic* 5
cupa, pl. cupannan *and* cùpaichean (m.)   *cup* 5
cus, cuis (m.)   *too much* 31

dà (adj.)   *two* 13
dad (m.)   *anything* 10
dàil, dàlach, dàlaichean (f.)   *delay* 23
dara (dàrna) (adj.)   *second* 30
dath, datha, dathan (m.)   *colour* 5
an dé (adv.)   *yesterday* 3
dé (interr. pron.)   *what ?, what* 2
de (prep.)   *of* (aspirates noun) App. D, 13
deagh (adj.)   *good* (precedes and aspirates noun) 32
dealbh, dealbha, dealbhan (f.)   *picture* 24
dèan (v. irreg.)   *do, make* App. B.4, 2
gu dearbh (adv.)   *indeed, certainly* 2
dearg, deirge (adj.)   *red* 5
deàrrs, deàrrsadh (v.)   *shine* 3
deich (adj.)   *ten* 30
deicheamh (adj.)   *tenth* 30
deichnear (nu. n.)   *ten (persons)* 30
an déidh (comp. prep.)   *after* (governs gen. case) 28
as déidh (comp. prep.)   *after* (governs gen. case) 23
deiseil, deiseile (adj.)   *ready* 35
deur, deòir (m.)   *tear, teardrop* 19
dhachaidh (adv.)   *home, homewards* 3
air dheireadh (adv.)   *behind* 27
mu dheireadh (adv.)   *at last* 28
diallaid, diallaide, diallaidean (f.)   *saddle* 19
Di-luain (m.)   *Monday* 5
Di-màirt (m.)   *Tuesday* 5

dinneir, dinnearach, dinneirean *and* dinnearaichean (f.) *dinner* 23

dìrich, dìreadh (v.) *climb* 17

dithis (nu. n.) *two (people)* 6

an diugh (adv.) *today* 1

do (prep.) *to, towards* App. D, 4

do (poss. pron.) *your* (sing.) (aspirates noun) 6

dòchas, dòchais, dòchasan (m.) *hope* 21

dòigh, dòighe, dòighean (f.) *method, way* 29

doimhneachd, pl. doimhneachdan (f.) *depth* 21

doirbh, doirbhe (adj.) *difficult* 14

dòirt, dòrtadh (v.) *spill, pour* 26

dol (v. n. irreg.) *going* App. B.7 4

domhain, doimhne (adj.) *deep* 11

Domhnullach, Domhnullaich (m.) *Macdonald* 17

dona, miosa (adj.) *bad* 29

donn, duinne (adj.) *brown* 11

dorcha (adj.) *dark* 9

dòrn, dùirn (m.) *fist* 18

dorus, doruis, dorsan (m.) *door* 1

dragh, dragha (m.) *trouble* 11

an dràsda (adv.) *now, at the present time* 4

driamlach, driamlaiche, driamlaichean (f.) *fishing-line* 21

droch, miosa (adj.) *bad* (precedes and aspirates noun) 27

drochaid, drochaide, drochaidean (f.) *bridge* 32

druim, droma, dromannan (m.) *back* 24

duais, duaise, duaisean (f.) *reward, prize* 28

dubh, duibhe (adj.) *black* 1

duilleach, duillich (m.) *foliage* 21

duilleag, duilleige, duilleigean (f.) *leaf* 18

dùin, dùnadh (v.) *close* 7

duine, pl. daoine (m.) *man, anyone* 2

duin' uasal, pl. daoin' uasal (m.) *gentleman* 33

dùinte (adj.) *closed* 31

dùisg, dùsgadh (v.) *wake-up* 26

dùrachd (f.) *good-will, sincerity* 32

dusan, dusain, dusanan (m.) *dozen* 30

dùthaich, dùthcha, dùthchannan (f.) *country* 19

e (pron.) *he, it* 1

each, eich (m.) *horse* 9

eachdraidh, eachdraidhe, eachdraidhean (f.) *history* 24

eadar (prep.) *between* App. D, 3

eagal, eagail (m.) *fear* 9

eaglais, eaglaise, eaglaisean (f.) *church* 10
eallach, eallaich, ea llaichean (m.) *burden, load* 9
earb, earba, earban (f.) *roedeer* 24
earball, earbaill (m.) *tail* 17
earrach, earraich (m.) *Spring* 9
Ealasaid (f.) *Elizabeth* 33
éideadh, éididh, éididhean (m.) *dress* 19
eile (adj.) *other* 16
eilean, eilein, eileanan (m.) *island* 9
éirich, éirigh (v.) *rise* 17
éisd, éisdeachd (v.) *listen* 26
eòlach, eòlaiche (adj.) *acquainted* 11
eòlas, eòlais (m.) *knowledge* 9
eudail, eudaile, eudailean (f.) *dear* (term of endearment) 33
as eugmhais (comp. prep.) *without* (governs gen. case) 28
eun, eòin (m.) *bird* 9

facal, facail, faclan (m.) *word* 14
fad, faid (m.) *length* 3
fada, faide (adj.) *long* 12
fadalach, fadalaiche (adj.) *late* 7
fàg, fàgail (v.) *leave* 7
faic (v. irreg.) *see* App. B.5, 26
faigh (v. irreg.) *get, find* App. B.6, 14
fairge, pl. fairgeachan *and* fairgeannan (f.) *sea, ocean* 25
faisg (fagus), faisge (adj.) *near* 29
faisg air (prep.) *near to* 3
falbh, (v.) *go away* 26
   air falbh (adv.) *away* 31
falt, fuilt (m.) *hair* 1
fan, fantainn (v.) *stay, remain* 7
fang, faing, fangan (m.) *fank, sheepfold* 13
fann, fainne (adj.) *weak* 9
faodaidh (v. dcf.) *may* App. C, 34
faoileag, faoileige, faoileagan (f.) *seagull* 6
far (adv.) *where* 15
farum, faruim (m.) *noise, sound, trampling* 22
fàs (v.) *grow, become* 6
fasgadh, fasgaidh (m.) *shelter* 3
air feadh (comp. prep.) *throughout* (governs gen. case) 21
feadhainn (pron.) *some* 16
fear, fir (m.) *man, one* 3
fear-eigin (pron.) *someone, something* (m.) 16
fear-na-cathrach, pl. fir-na-cathrach (m.) *chairman* 33

fear sam bith (pron.)   *anyone* 16
fearg, feirge (f.)   *anger* 22
feàrr (adj.)   *better* (comparative of "math") 5
feasgar (adv.)   *in the afternoon, in the evening* 3
feasgar, feasgair, feasgraichean (m.)   *afternoon, evening* 3
féis, féise, féisean (f.)   *feast* 21
feith, feitheamh (v.)   *wait* 26
feòil, feòla (f.)   *flesh* 21
feuch, feuchainn (v.)   *show, try* 16
feuch ri (v.)   *compete* 16
feum, feuma (m.)   *need* 23
feumaidh (v. def.)   *must* App. C, 16
feur, feòir (m.)   *grass* 13
fhathast (adv.)   *yet, still* 7
fhéin (pers. pron.)   *self, selves* 27
fhuair (v. irreg.)   *got, found* App. B.6, 9
fiacaill, fiacla, fiaclan (f.)   *tooth* 24
fiadh, féidh (m.)   *deer* 7
fichead (adj.)   *twenty* 30
ficheadamh (adj.)   *twentieth* 30
fidheall, fìdhle, fìdhlean (f.)   *fiddle* 29
fiodh, fiodha (m.)   *wood* 24
fìon, fìona (m.)   *wine* 29
fios, fiosa (m.)   *knowledge* 15
fìrinn, fìrinne (f.)   *truth* 6
fitheach, fithich (m.)   *raven* 19
fliuch, fliche (adj.)   *wet* 1
fo (prep.)   *under* App. D
fonn, fuinn (m.)   *tune, chorus* 17
fosgail, fosgladh (v.)   *open* 13
fosgailte (adj.)   *open* 7
fraoch, fraoich (m.)   *heather* 13
fras, froise, frasan (f.)   *shower* 13
freagairt, freagairte, freagairtean (f.)   *answer* 8
fuachd (m.)   *cold* 3
fuaim, pl. fuaimean (m.)   *sound, noise* 13
fuaimreag, fuaimreige, fuaimreagan (f.)   *vowel* 30
fuar, fuaire (adj.)   *cold* 1
fuasgail, fuasgladh (v.)   *resolve* 21
fuin, fuine (v.)   *bake* 26
fuirich, fuireach (v.)   *stay* 3
furasda, fasa (adj.)   *easy* 29

gabh, gabhail (v.)   *take, sing* 7

Gaidheal, Gaidheil (m.) *Gael, Highlander* 19
Gaidhealtachd (f.) *Highlands, Gaeldom* 28
Gàidhlig (adj.) *Gaelic* 29
Gàidhlig, Gàidhlige (f.) *Gaelic (language)* 4
gairm (v.) *call* 28
gamhainn, gamhna (m.) *stirk* 24
gaoth, gaoithe, gaothan *and* gaoithean (f.) *wind* 21
gàradh, gàraidh, gàraidhean (m.) *garden, dyke, wall* 6
gas, gais (m.) *gas* 3
geal, gile (adj.) *white* 2
gealach, gealaiche (f.) *moon* 6
gealagan, gealagain (m.) *white of egg* 9
geall, gealladh (v.) *wager, bet, promise* 15
gearain, gearan (v.) *complain* 26
geàrr, gearradh (v.) *cut* 7
geàrr, giorra (adj.) *short* 29
gearradh, gearraidh, gearraidhean (m.) *cut* 10
geata, pl. geatachan (m.) *gate*
ged (conj.) *although* 32
geòla, pl. geòlachan (f.) *dinghy* 6
geug, geige, geugan (f.) *branch, twig* 22
geumnaich, geumnaiche (f.) *lowing (of cattle)* 18
geur, géire (adj.) *sharp* 22
gheibh (v. irreg.) *shall, will get* App. B.6, 14
gille, pl. gillean (m.) *boy, lad* 2
gin (pron.) *any, anyone, anything* 16
giomach, giomaich (m.) *lobster* 17
giorrad, giorraid (m.) *shortness* 23
glac, glacadh (v.) *catch* 7
glan, glanadh (v.) *clean* 13
glas, glaise (adj.) *grey* 2
glas, glaise, glasan (f.) *lock (of a door, etc.)* 6
glas, glasadh (v.) *lock* 7
Glaschu (m.) *Glasgow* 26
glé (int. part.) *very (precedes and aspirates noun)* 2
gleann, glinne, glinn *and* gleanntan (m.) *glen* 24
glic, glice (adj.) *wise* 16
gliocas, gliocais (m.) *wisdom* 25
gliogadaich, gliogadaiche, gliogadaichean (f.) *clinking* 25
gloine, pl. gloineachan (f.) *glass* 6
gluais, gluasad (v.) *move* 14
glumag, glumaige, glumagan (f.) *pool* 21
glùn, glùine, glùinean (f.) *knee* 21
gnùis, gnùise, gnùisean (f.) *face* 21

gob, guip (m.)   *beak, nib, point* 19

goid (v.)   *steal* 32

goirid, giorra (adj.)   *short* 29

goirt, goirte (adj.)   *sore* 3

gòrach, gòraiche (adj.)   *foolish* 16

gorm, guirme (adj.)   *blue* 5

gràdh, gràidh (m.)   *love* 33

greas, greasad (v.)   *hurry* 26

grèasaiche, pl. grèasaichean (m.)   *shoemaker* 21

greim, greime, greimeannan (m.)   *bite* 17

greis, greise, greisean (f.)   *a while* 28

grian, gréine (f.)   *sun* 3

gruaidh, gruaidhe, gruaidhean (f.)   *cheek* 21

gu (forms an adverb when placed before an adjective) 1

gu (prep.)   *to (a)* 7

gu (conj.)   *that* 16

gual, guail, (m.)   *coal* 2

gunna, pl. gunnachan (m.)   *gun* 10

gus (prep.)   *to (the), until* 3

guth, gutha, guthan (m.)   *voice* 24

i (pron.)   *she, it* 1

iad (pron.)   *they* 1

Iain (m.)   *John* 5

iarann, iarainn, iarannan (m.)   *iron, blade* 9

iarmailt, iarmailte (f.).   *sky, firmament* 10

iarr, iarraidh (v.)   *ask, want, look for* 8

iasg, éisg (m.)   *fish* 7

iasgaich, iasgach (v.)   *fish* 3

iasgair, pl. iasgairean (m.)   *fisherman* 9

idir (adv.)   *at all* 15

ìm, ime (m.)   *butter* 4

imich, imeachd (v.)   *depart* 26

inneal-buana, pl. innil-buana *and* innealan-buana (m.)   *reaping-machine* 26

innis, ìnnse, ìnnsean *and* innseachan (f.)   *meadow* 10

innis, innse *and* innseadh (v.)   *tell* 6

iochdar, iochdair, iochdaran (m.)   *skirt* 9

iolair, iolaire, iolairean (f.)   *eagle* 1

ionaltair, ionaltradh (v.)   *graze* 10

ionmhuinn, annsa (adj.)   *loved, beloved* 29

a dh'ionnsaidh (comp. prep.)   *to, towards* (governs gen. case) 28

is (conj.)   *and* 4

is (v.)   *is, are, am* (assertive form) 5

isean, isein, iseanan (m.)   *chicken* 9
ite, pl. itean (f.)   *feather* 10
ith, ithe (v.)   *eat* 9
iuchair, iuchrach, iuchraichean (f.)   *key* 10

labhair, labhairt (v.)   *speak* 26
lach, lacha, lachan (f.)   *wild duck* 24
lagh, lagha, laghannan (m.)   *law* 22
làidir, làidire *and* treasa (adj.)   *strong* 29
laigh, laighe (v.)   *lie, lie down, settle* 21
làir, làire, làraichean (f.)   *mare* 21
làmh, làimhe, làmhan (f.)   *hand, handle* 7
    os làimh (adv.)   *in hand* 33
làn, làin (m.)   *fill* 22
làn, làine (adj.)   *full* 6
làr, làir (m.)   *floor* 2
làrach, làraiche, làraichean (f.)   *site* 14
las, lasadh (v.)   *light* 7
lasadan, lasadain, (m.)   *match* 34
latha, pl. làithean (m.)   *day* 2
le (prep.)   *with (a), by (a)* App. D, 4
leabhar, leabhair, leabhraichean (m.)   *book* 3
lean, leantainn (v.)   *follow* 7
leasan, leasain (m.)   *lesson* 30
leathann, leatha (adj.)   *broad* 29
leig, leigeil (v.)   *let, allow* 28
leis (prep.)   *with (the), with him, with it* 3
leònte (adj.)   *wounded* 32
gu leòr (adv.)   *enough, plenty* 10
gu leth . . . *and a half* 35
leth-uair, leth-uarach, leth-uairean (f.)   *half an hour* 35
leugh, leughadh (v.)   *read* 14
leughadh, leughaidh (m.)   *reading* 5
leum (v.)   *jump* 13
lianag, lianaige, lianagan (f.)   *lawn* 13
linne, pl. linneachan *and* linntean (f.)   *pool* 7
lìon, lìn (f.)   *net* 14
lìon, lìonadh (v.)   *fill* 20
litir, litreach, litrichean (f.)   *letter* 7
liubhair, liubhairt (v.)   *deliver* 34
loch, locha, lochan (m.)   *loch* 3
loisg, losgadh (v.)   *burn* 26
long, luinge, longan (f.)   *ship* 20
lorg, luirge, lorgan (f.)   *footmark, track, trace* 24

lòsan, lòsain (m.)   *pane* 28
luachair, luachrach (f.)   *rushes* 23
luath, luaithe (adj.)   *swift, fast* 2
luch, lucha, luchan (f.)   *mouse* 24

ma (conj.)   *if*
mac, mic (m.)   *son* 25
a mach (adv.)   *out* (motion) 7
machair, machrach, machraichean (f.)   *field, plain* 23
madainn, maidne, maidnean (f.)   *morning* 7
maide, pl. maidean *and* maideachan   *stick* 3
maigheach, maighiche, maighichean (f.)   *hare* 13
màileid, màileide, màileidean (f.)   *bag, schoolbag* 25
am màireach (adv.)   *tomorrow* 5
Màiri (f.)   *Mary* 1
maise (f.)   *beauty* 21
mala, pl. malaichean (f.)   *eye-brow* 6
mar (prep.)   *like, as* 3
mar sin (adv.)   *thus* 35
marbh, mairbhe (adj.)   *dead* 15
mart, mairt (m.)   *cow* 30
màs, màis, màsan (m.)   *bottom* 21
math, feàrr (adj.)   *good* 2
màthair, màthar, màthraichean (f.)   *mother* 25
meanglan, meanglain, meanglanan (m.)   *branch* 21
am measg (comp. prep.)   *among* (governs gen. case) 21
meur, meòir (f.)   *finger* 30
mi (pron.)   *I, me* 1
mil, meala (f.)   *honey* 6
mìle, pl. mìltean (f.)   *mile* 30
mìle (adj.)   *thousand* 30
milis, mìlse (adj.)   *sweet* 29
min, mine (f.)   *meal, oatmeal* 6
ministear, ministeir, ministearan (m.)   *minister* 25
mionaid, mionaide, mionaidean (f.)   *minute* 13
mìos, mìosa, mìosan (f.)   *month* 21
mo (poss. pron.)   *my* (aspirates noun) 8
mol, moil *and* mola, molan (m.)   *shingle* 3
mol, moladh (v.)   *praise* 26
monadh, monaidh, monaidhean (m.)   *moor* 3
mór, mó *and* mótha (adj.)   *big* 1
Mórag, Móraig (f.)   *Morag* 33
móran, mórain (m.)   *many* 19
mothaich, mothachadh (v.)   *notice* 30

mu (prep.)   *about* App. D
muc, muice, mucan (f.)   *pig* 21
muir, mara, marannan (f.)   *sea* 3
mullach, mullaich, mullaichean (m.)   *top* 17

na (rel. pron.)   *what, that which, all that* 8
na (def. art. gen. sing. f.; nom. and dat. pl.) 13, 21
na (conj.)   *than* 29
nach (neg. rel. pron.)   *that not, which not, who not* 2
naidheachd, pl. naidheachdan (f.)   *news, story* 19
nall, a nall (adv.)   *over, hither* 34
nan (nam) (def. art. gen. pl.)   *of the* 17
nan (nam) (conj.)   *if* 31
naoi (adj.)   *nine* 30
naoidheamh (adj.)   *ninth* 30
naoinear (nu. n.)   *nine (persons)* 30
nas (comparative part.)   *than* 29
nathair, nathrach, nathraichean (f.)   *serpent* 23
nead, nid (m.)   *nest* 9
neul, neòil (m.)   *cloud* 9
nì (v. irreg.)   *will do* App. B.4, 15
Niall, Nèill (m.)   *Neil* 20
nigh, nighe (v.)   *wash* 7
nighean, nighinne, nigheanan (f.)   *daughter* 30
nis, a nis (adv.)   *now* 8
an nochd (adv.)   *tonight* 5
nuair (adv.)   *when* 9
a nuas (adv.)   *down* 16
null, a null (adv.)   *over, thither* 33

o (bho) (prep.)   *from* App. D, 27
obair, obrach, oibrichean (f.)   *work* 21
ochd (adj.)   *eight* 30
ochdamh (adj.)   *eighth* 30
ochdnar (nu. n.)   *eight (persons)* 30
òg, òige (adj.)   *young* 29
òganach, òganaich (m.)   *young man* 9
oibrich, obair (v.)   *work* 1
oibriche, pl. oibrichean (m.)   *workman* 9
oidhche, pl. oidhcheannan *and* oidhcheachan (f.)   *night* 23
òigh, òighe, òighean (f.)   *maiden* 21
oir, oire, oirean (f.)   *edge* 25
oir (conj.)   *for* 35
oiteag, oiteige, oiteagan (f.)   *gust of wind* 10

òl (v.)   *drink* 7
ola, pl. olaichean (f.)   *oil* 10
olc, uilc (m.)   *evil* 18
olc, miosa (adj.)   *bad* 29
òr, òir (m.)   *gold* 9
orainsear, orainseir, orainsearan (m.)   *orange* 26
òran, òrain (m.)   *song* 7
òrd, ùird (m.)   *hammer* 9
òrdag, òrdaige, òrdagan (f.)   *thumb* 10
orm (prep. pron.)   *on me* App. D, 9
ort (prep. pron.)   *on you* (sing.) App. D, 9
os cionn (comp. prep.)   *above* (governs gen. case) 21
os làimh (adv.)   *in hand* 32

Pàdraig, Phàdraig (m.)   *Patrick* 17
paipear, paipeir, paipeirean (m.)   *paper* 3
pàirc, pàirce, pàircean (f.)   *park* 6
paisg, pasgadh (v.)   *fold* 31
pana, pl. panaichean (m.)   *pan* 13
pasgan, pasgain, pasganan (m.)   *parcel* 12
peann, pinn (m.)   *pen* 3
peansail, pl. peansailean (m.)   *pencil* 4
peile, pl. peilichean (m.)   *pail* 27
pian, péin, piantan (m.)   *pain* 24
pìob, pìoba, pìoban (f.),   *pipe, bagpipe* 7
pìob-mhór, pìoba-móire, pìoban-móra (f.)   *bagpipe* 29
pìos, pìosa, pìosan (m.)   *piece* 17
piseag, piseige, piseagan (f.)   *kitten* 13
piuthar, peathar, peathraichean (f.)   *sister* 25
pliutha, pl. pliuthaichean (f.)   *fluke* (of anchor) 23
poca, pl. pocannan (m.)   *sack, bag* 3
pòg, pòige, pògan (f.)   *kiss* 21
poit, poite, poitean (f.)   *pot* 6
port, puirt, puirt *and* portan (m.)   *port* 22
pòs, pòsadh (v.)   *marry* 34
post, postadh (v.)   *post* (letters) 13
preas, preasa, preasan (f.)   *thicket* 13
preasa, pl. preasan (m.)   *press, cupboard* 25
prìs, prìse, prìsean (f.)   *price* 19
putan, putain, putain *and* putanan (m.)   *button* 13

rach (v. irreg.)   *go* App. B.7, 34
ràidh, ràidhe, ràidhean (f.)   *season* 35
ràinig (v. irreg.)   *reached* App. B.8, 3

ràmh, ràimh, ràmhan (m.) *oar* 25
rann, rainn, rannan (m.) *verse* 30
rannsaich, rannsachadh (v.) *search* 26
an raoir (adv.) *last night* 7
rathad, rathaid, rathaidean (m.) *road* 8
ré (prep.) *during* (governs gen. case) 3
reamhar, reamhra (adj.) *fat* 29
reic (v.) *sell* 7
r reir (comp. prep.) *according to* (governs gen. case) 28
ai (prep.) *to* (*a*) App. D, 2
rinn (v. irreg.) *did, made* App. B.4, 5
rìoghachd, pl. rìoghachdan (f.) *kingdom* 25
ris (prep. pron.) *to* (*the*), *to him, to it* App. D, 2
a rithist (adv.) *again* 32
ro (int. part.) *too* (precedes and aspirates adj.) 11
robh (v.) *was, were* (dependent form) 3
roimh (prep.) *before* App. D
roinn (v.) *divide* 14
ròn, ròin (m.) *seal* 13
rosg, roisg *and* ruisg, rosgan (m.) *eyelash* 24
rud, ruid, rudan (m.) *thing* 3
rud sam bith (pron.) *anything* 3
rudeigin (pron.) *something* 6
ruig (v. irreg.) *reach* App. B.8, 34
ruith (v.) *run, chase* 7

sàbhailte (adj.) *safe* 34
sabhal, sabhail, sabhalan *and* saibhlean (m.) *barn* 30
saighdear, saighdeir, saighdearan (m.) *soldier* 11
sàil, sàile *and* sàlach, sàiltean (f.) *heel* 12
saillear, sailleir, saillearan (m.) *salt-cellar* 11
salach, salaiche (adj.) *dirty* 2
salann, salainn (m.) *salt* 9
salm, sailm (m.) *psalm* 30
Samhainn, Samhna (f.) *November* 24
samhradh, samhraidh, samhraidhean (m.) *summer* 11
saoghal, saoghail, saoghail *and* saoghalan (m.) *world* 11
saor, saoir (m.) *joiner* 11
saothair, saothrach (f.) *labour* 23
sàsar, sàsair, sàsaran (m.) *saucer* 5
Sasunnach, Sasunnaich (m.) *Englishman* 17
seach (prep.) *past, by* 3
seachad (adv.) *over, past* 35
seachd (adj.) *seven* 6

seachdain, seachdaine, seachdainean (f.)   *week* 12
seachdamh (adj.)   *seventh* 30
seachdnar (nu. n.)   *seven (persons)* 30
sealgair, pl. sealgairean (m.)   *hunter* 11
seall, sealltainn (v.)   *look* 10
sealladh, seallaidh, seallaidhean (m.)   *view* 34
sean, sine (adj.)   *old* 29
seanair, seanar, seanairean (m.)   *grandfather* 11
seanmhair, seanmhar, seanmhairean (f.)   *grandmother* 25
searbhadair, pl. searbhadairean (m.)   *towel* 11
searbhanta, pl. searbhantan (f.)   *servant* 12
searrag, searraige, searragan (f.)   *flask* 12
seas, seasamh (v.)   *stand* 7
seasamh, seasaimh (m.)   *standing* 18
seinn (v.)   *sing* 8
seinn, seinne (f.)   *singing* 32
seirm (v.)   *ring, sound* 18
seo (so) (demon. pron.)   *this, this is, here is* 2
seòl, siùil (m.)   *sail* 11
seòl, seòladh (v.)   *sail* 28
seòladair, pl. seòladairean (m.)   *sailor* 13
seòmar, seòmair, seòmraichean (m.)   *room* 2
Seònaid, Seònaide (f.)   *Janet* 2
seòrsa, pl. seòrsachan (m.)   *kind, type* 11
Seumas, Sheumais (m.)   *James* 2
sgarbh, sgairbh (m.)   *cormorant* 13
air sgàth (comp. prep.)   *for the sake of* 28
sgeir, sgeire, sgeirean (f.)   *tidal rock, reef, skerry* 13
sgeul, sgeòil, sgeulan (f.)   *story* 21
sgeulachd, pl. sgeulachdan (f.)   *tale, story* 25
sgian, sgeine, sgeanan (f.)   *knife* 5
sgiath, sgéithe, sgiathan (f.)   *wing* 17
sgillinn, sgillinne, sgillinnean (f.)   *penny, pence* 4
sgìos (f.)   *fatigue* 27
sgìth, sgìthe (adj.)   *tired* 1
sgoil, sgoile, sgoilean (f.)   *school* 2
sgoilear, sgoileir, sgoilearan (m.)   *scholar, pupil* 13
sgrìob, sgrìoba, sgrìoban (f.)   *walk* 29
sgrìobh, sgrìobhadh (v.)   *write* 6
sguab, sguabadh (v.)   *sweep* 26
sguab, sguaibe, sguaban (f.)   *sheaf* 21
shuas (adv.)   *up* 3
sia (adj.)   *six* 4
sianar (nu. n.)   *six (persons)* 30

siathamh (adj.) *sixth* 30
sibh (pron.) *you* (pl.) 1
sìde (f.) *weather* 12
sil, sileadh (v.) *shed* 19
sìn, sìneadh (v.) *stretch* 7
sin (demon, pron.) *that, that is, there is* 2
Sìne (f.) *Jean* 2
sinn (pron.) *we* 1
sìol, sìl (m.) *seed* 11
sionnach, sionnaich (m.) *fox* 11
sios (adv.) *down* (motion downwards) 12
sìth, sìthe (f.) *peace* 21
siubhail, siubhal (v.) *traverse* 18
siùcar, siùcair (m.) *sugar* 7
siud (sud) (demon. pron.) *that, yonder* 14
siuthad (def. v.) *go on* App. C, 34
slat, slaite, slatan (f.) *rod* 12
slat-iasgaich, pl. slatan-iasgaich (f.) *fishing-rod* 13
slige, pl. sligean (f.) *shell* 12
slighe, pl. slighean (f.) *way, journey* 12
sloc, sluic, sluic *and* slocan (m.) *pit, hollow* 11
snàmh (v.) *swim* 3
snàth, snàtha, snàthan (m.) *thread* 11
snathad, snathaide, snathadan (f.) *needle* 12
sneachda (m.) *snow* 28
snog, snoige *and* snoga (adj.) *nice, pretty* 21
sòbhrach, sòbhraiche, sòbhraichean (f.) *primrose* 12
socair, socaire (f.) *leisure* 28
soirbh, soirbhe (adj.) *easy* 14
soitheach, soithich, soithichean (m.)   *dish, vessel* 8
solus, soluis, solusan (m.) *light* 11
son (m.) *sake, account* 11
sona (adj.) *happy* 11
spàin, spàine, spàinean (f.) *spoon* 5
speal, speala, spealan (f.) *scythe* 24
spòg, spòige, spògan (f.) *paw, claw* 17
sporan, sporain, sporanan (m.) *purse* 4
sradag, sradaige, sradagan (f.) *spark* 12
sràid, sràide, sràidean (f.) *street* 12
sreang, sreinge, sreangan (f.) *string* 12
sreath, sreatha, sreathan (f.) *row* 21
sròn, sròine, srònan *and* sròintean (f.)   *nose* 12
srùb, srùib, srùban (m.) *spout* 25
sruth, srutha, struthan (m.) *stream* 11

stad (v.)   *stop* 7
staidhre, pl. staidhrichean (f.)   *stair* 35
a staigh (adv.)   *in, inside* 32
stampa, pl. stampaichean (f.)   *stamp* 13
a steach (adv.)   *in* (motion inwards) 32
stèsean, stèsein, stèseanan (m.)   *station* 27
stiùir, stiùireach, stiùirean *and* stiùirichean (f.)   *rudder* 23
stiùir, stiùradh (v.)   *steer* 7
stoirmeil, stoirmeile (adj.)   *stormy* 6
streapadair, pl. streapadairean (m.)   *climber* 28
suas (adv.)   *up* (motion upwards) 3
sùgh, sùgha *and* sùigh (m.)   *soup, juice* 11
suidh, suidhe (v.)   *sit* 4
suidhe (m.)   *sitting* 21
suidheachan, suidheachain, suidheachanan (m.) *seat* 11
suidhich, suidheachadh (v.)   *set, settle* 18
sùil, sùla, sùilean (f.)   *eye* 12
suipeir, suipeireach *and* suipeire, suipeirean (f.)   *supper* 12
suiteas, suiteis (m.)   *sweet* 16

taigh, taighe, taighean (m.)   *house* 2
tàillear, tàilleir, tàillearan (m.)   *tailor* 21
talamh (m.), talmhainn (f.) talmhainnean   *earth* 27
talla, pl. tallachan (m.)   *hall* 16
taobh, taoibh, taobhan (m.)   *side* 4
    ri taobh (comp. prep.)   *beside* (governs gen. case) 4
tapadh leat, tapadh leibh   *thank you* 2
tarag, taraige, taragan (f.)   *nail* (joiner's) 9
tarbh, tairbh (m.)   *bull* 9
té (pron.)   *one* (f.) 29
té-eigin (pron.)   *someone* (f.),   *something* (f.) 16
teachd (m.)   *coming* 28
teaghlach, teaghlaich, teaghlaichean (m.)   *family* 29
tearnaich, tearnadh (v.)   *descend* 28
teas, teis (m.)   *heat* 1
teine, pl. teintean (m.)   *fire* 1
telebhisean, telebhisein (f.)   *television* 8
teth, teotha (adj.)   *hot* 2
tha (v.)   *am, is, are, there is, there are* 1
thàinig (v. irreg.)   *came* App. B.10, 3
thar (prep.)   *over, across* (governs gen. case) App. D, 3
theab (def. v.)   *had almost, did almost* App. C, 34
théid (v. irreg.)   *will go* App. B.7, 8
thig (v. irreg.)   *come* App. B.9

thoir (tabhair) (v. irreg.) *take, bring, fetch* App. B.10, 28

thu (pron.) *you* (sing.) 1

thubairt (v. irreg.) *said* App. B.1, 16

thug (v. irreg.) *took* App. B.10, 13

tì, pl. tìthichean (m.) *tea* 8

tighinn (v.n. irreg.) *coming* App. B.9, 8

tilg, tilgeil (v.) *throw* 22

tinn, tinne (adj.) *sick, ill* 14

tioram, tiorma (adj.) *dry* 29

tiormaich, tiormachadh (v.) *dry* 11

tìr, tìre, tìrean (f.) *land* 21

tiugainn (def. v.) *come* App. C, 34

tog, togail (v.) *lift, build* 7

toigh, toighe *and* docha (adj.) *pleasing* 5

toilichte (adj.) *pleased, happy* 8

toillteanas, toillteanais, toillteanasan (m.) *merit, desert, reward*
28

tòir, tòire *and* tòrach, tòirean (f.) *search, pursuit* 16

toiseach, toisich, toisichean (m.) *beginning* 8
   air thoiseach (adv.) *first*

tòisich, tòiseachadh (v.) *begin, start* 6

toll, tuill, tuill *and* tollan (m.) *hole* 13

tolman, tolmain, tolmain *and* tolmanan (m.) *hillock* 13

tom, tuim, toman (m.) *heap, clump, hillock, tuft* 23

tonn, tuinn, tonnan (m.) *wave* 17

torman, tormain, tormanan (m.) *murmur* 18

tràigh, tràgha *and* tràghad, tràighean (f.) *beach* 3

trang, trainge (adj.) *busy* 1

tràth, tràithe (adj.) *early* 13

treas (adj.) *third* 30

trì (adj.) *three* 4

tric (gu tric) (adv.) *often* 31

trìd (prep.) *on account of* (governs gen. case) 3

trìtheamh (adj.) *third* 30

triùir (nu. n.) *three (persons)* 30

trobhad (def. v.) *come here* App. C, 33

troimh (prep.) *through* App. D, 29

trom, truime (adj.) *heavy* 9

truinnsear, truinnseir, truinnsearan (m.) *plate* 9

trus, trusadh (v.) *gather* 27

tu (pron.) *you* (sing.) 5

tuagh, tuaighe, tuaghan (f.) *axe* 21

tuathanach, tuathanaich (m.) *farmer* 13

tubhailte, pl. tubhailtean (f.) *table-cloth* 5

tugh, tughadh (v.) *thatch* 21
tuig, tuigsinn (v.) *understand* 26
tuil, tuile, tuilean, tuiltean (f.) *flood* 9
tuilleadh (m.) *more* 24
tuit, tuiteam (v.) *fall* 9
tunna, pl. tunnachan *ton* 34
turus, turuis, tursan *and* turuis (m.) *journey* 14

uachdar, uachdair, uachdaran (m.) *cream* 9
air uachdar (comp. prep.) *on top* (governs gen. case) 28
uaine (adj.) *green* 21
uair, uarach, uairean (f.) *hour, o'clock* 6
uaireannan (adv.) *sometimes* 16
uamh, uaimhe, uaimhean *and* uamhan (f.) *cave* 10
uamhas, uamhais, uamhasan (m.) *horror* 9
uan, uain (m.) *lamb* 9
ubhal, ubhla *and* ubhail, ùbhlan (f.) *apple* 14
ud (demon. pron.) *that, yonder* (same as "sud") 14
ugh, uighe, uighean (m.) *egg* 3
uile (adj.) *every* (pron.) *all* 8
uile gu léir (adv.) *altogether* 30
ùine (f.) *time* 10
uinneag, uinneige, uinneagan (f.) *window* 7
uiseag, uiseige, uiseagan (f.) *lark* 28
uisge, pl. uisgean *and* uisgeachan (m.) *water, rain* 2
ullamh, ullaimhe (adj.) *ready, finished* 31
ur (bhur) (poss. pron.) *your* (pl.) 27
ùrlar, ùrlair, ùrlaran (m.) *floor* 5
is urrainn dhomh (v. def.) *I am able* App. C, 29

English–Gaelic

Genitive cases and 1st comparatives are not given
except where they are irregular, or where there might
be some doubt. All verbal nouns are given.

able, I am able *is urrainn dhomh*
about *mu*
above *os cionn*
according to *a réir*
account *son* (m.); on my account *air mo shonsa*
on account of *trìd*
acquaintance *aithne* (f.); I know *is aithne dhomh*
acquainted *eòlach*

across   *thar*
advice   *comhairle* (f.)
after   *an déidh, as déidh, an ceann; air* (used with v.n.)
afternoon   *feasgar* (m.)
again   *a rithist*
against   *an aghaidh*
age   *aois* (f.)
ago   *air ais*
agree   *còrd, còrdadh*
aim   *amais, amas*
Alasdair, Alexander   *Alasdair* (m.)
alive   *beò, beòtha*
all that   *na*
allow   *leig, leigeil*
did almost, had almost   *theab*
almost   *cha mhór*
alphabet   *aibidil* (f.)
also   *cuideachd*
although   *ged*
altogether   *uile gu léir*
among   *am measg*
anchor   *acair, acrach* (f.)
anchorage   *acarsaid* (f.)
ancient   *aosda*
and   *agus, is*
anger   *fearg* (f.)
Ann   *Anna* (f.)
answer   *freagairt* (f.)
antlers   *cròic* (f.)
any   *gin*
anyone   *gin, duine, fear sam bith*
anything   *gin, rud sam bith, dad*
appear   *coimhead, coimhead*
appearance   *coltas* (m.)
apple   *ubhal, ubhail* and *ubhla* (f.)
argument   *argumaid* (f.)
arithmetic   *cunntas* (m.)
army   *arm* (m.)
as (like)   *mar;* as (so)   *cho*
ask   *iarr, iarraidh*
at   *aig*
at all   *idir*
at least   *mu dheireadh*
awake   *dùisg, dùsgadh*

away   *air falbh*
axe   *tuagh* (f.)

back (adv.)   *air ais*
back   *druim, droma* (m.)
back (rear)   *cùl* (m.)
bad   *droch, miosa; olc, miosa; dona, miosa*
bag   *poca* (m.);   *màileid* (f.)
bagpipe   *pìob, pìoba* (f.);   *pìob-mhór* (f.)
bake   *fuin, fuine*
bank   *bruach* (f.)
banner   *bratach* (f.)
barking   *cobhartaich* (f.)
barn   *sabhal* (m.)
bask   *blian, blianadh*
basket   *bascaid* (f.)
battle   *cath, catha* (m.)
bay   *bàgh* (m.)
be   *bi* App. A
beach   *tràigh, tràgha* and *tràghad* (f.)
beak   *gob, guip* (m.)
beautiful   *briagha*
beauty   *maise* (f.)
become   *fàs, fàs*
before   *roimh*
begin   *tòisich, tòiseachadh*
beginning   *toiseach, toisich* (m).
behind   *air cùlaibh; air dheireadh*
belief   *creideamh* (m.)
believe   *creid, creidsinn*
bell   *clag, cluig* (m.)
beloved   *ionmhuinn, annsa*
beside   *ri taobh*
bet   *geall, gealladh*
better   *feàrr*
between   *eadar*
Bible   *Bìobull* (m.)
big   *mór, mó* and *motha*
bind   *ceangail, ceangal*
bird   *eun, eòin* (m.)
biscuit   *briosgaid* (f.)
bite   *greim* (m.)
black   *dubh*
blade   *iarann* (m.)

blessing   *beannachd* (f.)
blow   *beum, beuma* (m.)
blue   *gorm, guirme*
boat   *bàta* (m.)
boil   *bruich, bruich*
bonnet   *bonaid* (f.)
book   *leabhar* (m.)
bottle   *botul* (m.)
bottom   *màs* (m.)
boundary   *crìoch, crìche* (f.)
box   *ciste* (f.); *bosca* (m.)
boy   *gille* (m.); *balach* (m.)
branch   *geug, géige* (f.); *meanglan* (m.)
bread   *aran* (m).
break   *bris, briseadh*
breakfast   *bracaist* (f.)
breath   *anail, analach* (f.)
bridge   *drochaid* (f.)
bring   *thoir, toirt* App. B.10
broad   *leathann, leatha*
broken   *briste*
broth   *brot, brota* (m.)
brother   *bràthair, bràthar* (m.)
brown   *donn, duinne*
bucket   *cuman* (m.)
bull   *tarbh* (m.)
burden   *eallach* (m.)
burn   *loisg, losgadh*
burn (stream)   *allt, uillt* (m.)
business   *cùis* (f.)
busy   *trang*
but   *ach*
butter   *ìm*
button   *putan* (m.)
buy   *ceannaich, ceannach*
by (prep.)   *le;* (adv.) *seach*
byre   *bàthach, bàthcha* (f.)

cairn   *càrn, cùirn* (m.)
calf (of leg)   *calpa* (m.)
call   *gairm, gairm*
Calum, Malcolm   *Calum* (m.)
cap   *bonaid* (f.)
car   *càr* (m.)

castle   *caisteal* (m.)
cat   *cat* (m.)
catch   *glac, glacadh; beir, breith* App. B.2
cattle   *crodh, cruidh* (m.)
cave   *uamh* (f.)
ceilidh   *céilidh* (f.)
certainly   *gu dearbh*
chair   *cathair, cathrach* (f.)
chairman   *fear-na-cathrach* (m.)
chalk   *cailc* (f.)
chapter   *caibidil* (f.)
chase   *ruith, ruith*
cheek   *gruaidh* (f.)
cheese   *càise* (m.)
chest (box)   *ciste* (f.)
chicken   *isean* (m.)
children   *clann, cloinne* (f.)
chorus   *fonn, fuinn* (m.
church   *eaglais* (f.)
city   *baile mór* (m.)
claim   *agair, agairt*
class   *clas, clas* (m.)
claw   *spòg* (f.)
clean   *glan, glanadh*
climb   *dìrich, dìreadh*
climber   *streapadair* (m.)
clinking   *gliogadaich* (f.)
close   *dùin, dùnadh*
closed   *dùinte*
cloud   *neul, neòil* (m.)
coal   *gual* (m.)
coat   *còta* (m.)
cock, cockerel   *coileach, coilich* (m.)
coin   *bonn, buinn* (m.)
cold   *fuar*
cold   *fuachd* (m.)
colour   *dath, datha* (m.)
comb   *cìr* (f.); cock's comb   *cìrean* (m.)
come   *thig, tighinn* App. B.9;   *tiugainn* App. C
come here   *trobhad* App. C
coming   *teachd* (m.)
compete   *feuch, feuchainn (ri)*
complain   *gearain, gearan*
consonant   *connrag* (f.)

conversation *còmhradh* (m.)
cormorant *sgarbh* (m.)
corn *arbhar* (m.)
corner *cùil* (f.)
correct *ceart*
count *cunnt, cunntas*
counting *cunntas* (m.)
country *dùthaich, dùthcha* (f.)
cow *bó, bà* (f.); *mart* (m.)
cream *uachdar* (m.)
creel *cliabh, cléibh* (m.)
crest *bàrr, barra* (m.)
cup *cupa* (*m.*)
cupboard *preasa* (m.)
cut *geàrr, gearradh*
cut *gearradh* (m.)

dark *dorcha*
darling *cagar* (m.); *eudail* (f.)
danger *cunnart* (m.)
dangerous *cunnartach*
daughter *nighean, nighinne* (f.)
day *latha* (m.)
dead *marbh*
deep *domhain, doimhne*
deer *fiadh, féidh* (m.)
delay *dàil, dàlach* (f.)
deliver *liubhair, liubhairt*
depart *imich, imeachd*
depth *doimhneachd* (f.)
descend *tearnaich, tearnadh*
desert *toillteanas* (m.)
destination *ceann-uidhe* (m.)
difficult *doirbh*
dinghy *geòla* (f.)
dinner *dinneir, dinnearach* (f.)
dirty *salach*
dish *soitheach, soithich* (m.)
distance *astar* (m.)
divide *roinn, roinn*
do *dèan, dèanamh* App. B.4
dog *cù, còin* (m.)
door *dorus* (m.)
dove *calman* (m.)

down   *sios; a nuas*
dozen   *dusan* (m.)
dress   *éideadh, éididh* (m.)
dressing-table   *bòrd-sgàthain* (m.)
drink   *òl, òl*
dry   *tioram, tiorma*
dry   *tiormaich, tiormachadh*
during   *ré* (governs gen. case)
dyke   *gàradh* (m.)

each other   *càch-a-chéile*
eagle   *iolair* (f.)
ear   *cluas* (f.)
early   *tràth*
earn   *coisinn, cosnadh*
earth   *talamh, talmhainn* (mf.)
easy   *soirbh; furasda, fasa*
eat   *ith, ithe*
edge   *oir* (f.)
egg   *ugh, uighe* (m.)
eight   *ochd;* eight persons   *ochdnar*
eighth   *ochdamh*
Elizabeth   *Ealasaid* (f.)
encircle   *cuartaich, cuartachadh*
end   *crìoch, crìche* (f.); *ceann, cinn* (m.
at the end (of)   *an ceann* (governs gen.) case)
English (language)   *Beurla* (f.)
Englishman   *Sasunnach* (m.)
enough   *gu leòr*
envelope   *céis* (f.)
evening   *feasgar* (m.)
every   *uile*
evil   *olc, uilc* (m.)
eye   *sùil, sùla* (f.); eye of needle   *crò, crò* and *cròtha* (m.)
eyebrow   *mala* (f.)
eyelash   *rosg, roisg* and *ruisg* (m.)

face   *gnùis* (f.); *aodann* (m.); *aghaidh* (f.)
fair   *bàn*
faith   *creideamh* (m.)
fall   *tuit, tuiteam*
family   *teaghlach* (m.)
fank   *fang* (m.)
farmer   *tuathanach* (m.)

fast   *luath*
fat   *reamhar, reamhra*
father   *athair, athar* (m.)
fatigue   *sgìos* (f.)
fear   *eagal* (m.)
feast   *féis* (f.)
feather   *ite* (f.)
feed   *biadh, biadhadh*
fetch   *thoir* App. B.10
few   *beagan* (m.)
fiddle   *fidheall, fìdhle* (f.)
field   *achadh* (m.); *machair, machrach* (f.)
fifth   *cóigeamh*
fill   *lìon, lìonadh*
fill   *làn* (m.)
find   *faigh, faotainn* App. B.6
finger   *meur, meòir* (f.)
finished   *ullamh*
fire   *teine* (m.)
first   *ceud;* (adv.)   *air thoiseach*
fish   *iasgaich, iasgach*
fish   *iasg, éisg* (m.)
fisherman   *iasgair* (m.)
fishing-line   *driamlach* (f.)
fishing rod   *slat-iasgaich* (f.)
fist   *dòrn, dùirn* (m.)
five   *cóig*
five persons   *cóignear*
flask   *searrag* (f.)
flesh   *feòil, feòla* (f.)
flood   *tuil* (f.)
floor   *làr* (m.); *ùrlar* (m.)
fluke (of anchor)   *pliutha* (f.)
fly   *cuileag* (f.)
fold (for sheep, cattle)   *cro* (m.); *buaile* (f.)
fold   *paisg, pasgadh*
foliage   *duilleach, duillich* (m.)
follow   *lean, leantainn*
food   *biadh, bìdh* (m.)
foolish   *gòrach*
foot   *cas, coise* (f.)
footmark   *lorg, luirge* (f.)
for (adv.)   *airson* (governs gen. case); (conj.)   *oir*
four   *ceithir*

four persons   *ceathrar*
fourth   *ceathramh*
fox   *sionnach* (m.)
friend   *caraid* (m.)
from   *a* App. D;   *o, bho* App. D
from, out of   *as* App. D
full   *làn*

Gael   *Gaidheal* (m.)
Gaeldom   *Gaidhealtachd* (f.)
Gaelic   *Gàidhlig* (f.)
garden   *gàradh* (m.)
gas   *gas* (m.)
gate   *geata* (m.)
gather   *trus, trusadh; cruinnich, cruinneachadh*
gentleman   *duin'uasal* (m.)
get   *faigh, faotainn* App. B.6
girl   *caileag* (f.)
Glasgow   *Glaschu* (m.)
glass   *gloine* (f.)
glen   *gleann, glinne* (m.)
go   *rach, dol* App. B.7
go away   *falbh, falbh*
gold   *òr* (m.)
good   *math, feàrr; deagh* (precedes and aspirates noun)
goodwill   *dùrachd* (f.)
grandfather   *seanair, seanar* (m.)
grandmother   *seanmhair, seanmhar* (f.)
grass   *feur, feòir* (m.)
graze   *ionaltair, ionaltradh*
green   *uaine*
grey   *glas*
grow   *fàs, fàs*
gun   *gunna* (m.)
gust   *oiteag* (f.)

hair   *falt, fuilt* (m.)
half   *leth;* . . . and a half   . . . *gu leth*
half-hour   *leth-uair* (f.)
hall   *talla* (m.)
hammer   *òrd, ùird* (m.)
hand   *làmh* (f.)
  in hand   *os làimh*
handle   *làmh* (f.);   *cluas* (f.)

happy   *toilichte; sona*
harbour   *acarsaid* (f.); *cala* (m.)
hard   *cruaidh*
hare   *maigheach* (f.)
harp   *clàrsach* (f.)
hat   *ad* (f.)
he   *e*
head   *ceann, cinn* (m.)
heap   *tom, tuim* (m.)
hear   *cluinn, cluinntinn* App. B.3
heart   *cridhe* (m.)
heat   *teas* (m.)
heather   *fraoch* (m.)
heavy   *trom, truime*
heel   *sàil* (f.)
helm   *ailm* (f.)
help   *cuidich, cuideachadh*
hen   *cearc, circe* (f.)
her   (obj. and dat.)   *i*; (poss. pron.)   *a*
here, here is   *seo*
high   *àrd*
Highlander   *Gaidheal* (m.)
Highlands   *Gaidhealtachd* (f.)
hill   *cnoc, cnuic* (m.)
hillock   *tolman* (m.)
him   *e*
hinge   *bann, banna* (m.)
his   *a* (aspirates noun following)
history   *eachdraidh* (f.)
hole   *toll, tuill* (m.)
hollow   *sloc, sluic* (m.)
home, homewards   *dhachaidh*
honey   *mil, meala* (f.)
hope   *dòchas* (m.)
horn   *adharc* (f.)
horror   *uamhas* (m.)
horse   *each* (m.)
hot   *teth, teotha*
hour   *uair, uarach* (f.)
house   *taigh* (m.)
how?   *ciamar*
how many?   *cia mheud; cia lìon*
hundred   *ceud*
hundredth   *ceudamh*

hunger   *acras* (m.)
hunter   *sealgair* (m.)
hurry   *cabhag* (f.)
hurry   *gréas, greasad*

I   *mi*
if   *ma; nan (nam)*
ill   *tinn*
in a   *ann an* App. D
in (the)   *anns*
in, inside   *a staigh*
in, inside (motion inwards)   *a steach*
indeed   *gu dearbh*
interval   *cead* (m.)
iron   *iarann* (m.)
island   *eilean* (m.)
it   *e* (m.);   *i* (f.)

James   *Seumas* (m.)
Janet   *Seònaid* (f.)
Jean   *Sìne* (f.)
John   *Iain* (m.)
joiner   *saor* (m.)
journey   *turus* (m.); *slighe* (f.)
juice   *sùgh* (m.)
jump   *leum, leum*
justice   *ceartas* (m.); *còir* (f.)

keep   *cum, cumail*
Kenneth   *Coinneach* (m.)
kettle   *coire* (m.)
key   *iuchair, iuchrach* (f.)
kind   *seòrsa* (m.)
kindness   *coibhneas* (m.)
kingdom   *rìoghachd* (f.)
kiss   *pòg* (f.)
kitten   *piseag* (f.)
knee   *glùn* (f.)
knife   *sgian, sgeine* (f.)
I know   *is aithne dhomh; tha fios agam*
knowledge   *aithne* (f.); *fios* (m.); *eòlas* (m.)

labour   *saothair, saothrach* (f.)
lad   *gille* (m.); *balach* (m.)

lamb   *uan* (m.)
land   *tìr* (f.)
lark   *uiseag* (f.)
last night   *an raoir*
late   *fadalach*
law   *lagh, lagha* (m.)
lawn   *lianag* (f.)
leaf   *duilleag* (f.)
leave   *fàg, fàgail*
leg   *cas, coise* (f.)
leisure   *socair* (f.)
length   *fad* (m.)
lesson   *leasan* (m.)
let   *leig, leigeil*
letter   *litir, litreach* (f.)
lie   *laigh, laighe*
lie   *breug, bréige* (f.)
lift   *tog, togail*
light   *las, lasadh*
light   *solus* (m.)
like   *mar*
listen   *éisd, éisdeachd*
a little   *beagan* (m.)
lively   *beò, beòtha*
load   *eallach* (m.)
lobster   *giomach* (m.)
loch   *loch, locha* (m.)
lock   *glas* (f.)
lock   *glas, glasadh*
long   *fada, faide*
look   *coimhead, coimhead; seall, sealltainn; amhairc, amharc*
look   *coltas* (m.)
look for   *iarr, iarraidh*
lose   *caill, call*
love   *gràdh* (m.)
lowing   *geumnaich* (f.)

Macdonald   *Dòmhnullach* (m.)
maiden   *òigh* (f.)
make   *dèan, dèanamh* App. B.4
Malcolm   *Calum* (m.)
man   *fear, fir* (m.); *duine* (m.
many   *móran*
mare   *làir* (f.)

marry   *pòs, pòsadh*
Mary   *Màiri* (f.)
mason   *clachair* (m.)
mast   *crann* (m.)
match   *lasadan* (m.)
I may   *faodaidh mi* App. C
me (obj.)   *mi*
meadow   *innis, ìnnse* (f.)
(oat)meal   *min* (f.)
meaning   *brìgh* (f.)
meeting   *coinneamh* (f.)
mend   *càraich, càradh*
merchant   *ceannaiche* (m.)
merit   *toillteanas* (m.)
method   *dòigh* (f.)
mile   *mìle* (f.)
milk   *bainne* (m.)
milking-pail   *cuman* (m.)
milkmaid   *banarach* (f.)
minister   *ministear* (m.)
minute   *mionaid* (f.)
Monday   *Di-luain* (m.)
money   *airgead, airgid* (m.)
month   *mìos, mìosa* (f.)
moon   *gealach* (f.)
moor   *monadh* (m.)
Morag   *Mórag* (f.)
more   *barrachd* (m.); *tuilleadh* (m.); *còrr* (m.)
morethan   *còrr is*
morning   *madainn* (f.)
mother   *màthair, màthar* (f.)
mountain   *beinn* (f.)
mouse   *luch, lucha* (f.)
mouth   *beul, beòil* (m.)
move   *gluais, gluasad*
murmur   *torman* (m.)
music   *ceòl, ciùil* (m.)
I must   *feumaidh mi* App. C
my   *mo* (aspirates word following)

nail   *tarag* (f.)
name   *ainm* (m.)
narrow   *caol; cumhang, cuinge*
near   *faisg*

need *feum, feuma* (m.)
needle *snathad* (f.)
Neil *Niall, Nèill* (m.)
nest *nead, nid* (m.)
net *lìon, lìn* (f.)
news *naidheachd* (f)
next *ath* (precedes and aspirates noun)
nib *gob, guib* (m.)
nice *snog*
night *oidhche* (f.)
nine *naoi*
nine persons *naoinear*
ninth *naoidheamh*
noise *fuaim* (m.); *farum* (m.)
nose *sròn* (f.)
not *cha (chan)*
notice *mothaich, mothachadh*
now *a nis; an dràsda*
nut *cnò, cnotha* (f.)

oar *ràmh* (m.)
oatmeal *min* (f.)
obligation *comain* (f.)
ocean *cuan* (m.); *fairge* (f.)
of *de* App. D
often *gu tric*
oil *ola* (f.)
old *sean, sine* (precedes and aspirates noun); *aosda*
old man *bodach* (m.)
old woman *cailleach* (f.)
on *air* App. D
one *fear* (m.); *té* (f.)
one *aon*
one another *càch-a-chéile*
one person *aonar*
open *fosgailte*
open *fosgail, fosgladh*
opinion *beachd* (m.); *barail* (f.)
orange *orainsear* (m.)
other *eile*
others *cuid, codach* (f.); *càch*
our *ar*
out (motion outwards) *a mach*
out of *as* App. D

over (place) *a dull; thar* (governs gen. case); (time) *seachad;*
a nall (hither)

pail *peile* (m.)
pain *pian, péin* (m.)
palm (of hand) *bas, boise* (f.)
pan *pana* (m.)
pane *lòsan* (m.)
paper *paipear* (m.)
parcel *pasgan* (m.)
park *pàirc* (f.)
particular *àraidh*
past *seach; seachad*
Patrick *Pàdraig*
pavement *cabhsair* (m.)
paw *spòg* (f.)
peace *sìth* (f.)
pen *peann, pinn* (m.)
pencil *peansail* (m.)
penny *sgillinn* (f.)
permission *cead* (m. indeclinable)
picture *dealbh, dealbha* (f.)
pig *muc* (f.)
piece *pìos, pìosa* (m.)
pipe *pìob, pìoba* (f.)
pit *sloc, sluic* (m.)
place *àite* (m.)
plant *cuir, cur*
plate *truinnsear* (m.)
play *cluich, cluich*
pleased *toilichte*
pleasing *toigh, toighe* and *docha*
plenty *gu leòr*
poet *bàrd* (m.)
poetry, poem *bàrdachd* (f.)
pool *linne* (f.); *glumag* (f.)
poor *bochd, bochda*
port *port, puirt* (m.)
post *post, postadh*
pot *poit* (f.)
pour *dòirt, dòrtadh*
power *cumhachd* (m.)
praise *mol, moladh*
press *preasa* (m.)

pretty *bòidheach, bòidhche*
price *prìs* (f.)
primrose *sòbhrach* (f.)
prize *duais* (f.)
psalm *salm* (m.)
pupil *sgoilear* (m.)
purse *sporan* (m.)
put *cuir, cur*

quarter *cairteal* (m.); *ceathramh* (m.)
question *ceist* (f.)

rabbit *coineanach* (m.)
rain *uisge* (m.)
raise *àrdaich, àrdachadh; tog, togail*
raven *fitheach, fithich* (m.)
reach *ruig, ruigsinn* App. B.8
read *leugh, leughadh*
reading *leughadh* (m.)
ready *ullamh; deiseil*
reap *buain, buain*
reaping-machine *inneal-buana* (m.)
red *dearg, deirge*
reef *sgeir* (f.)
remain *fan, fantainn*
resolve *fuasgail, fuasgladh*
the rest *càch*
reward *toillteanas* (m.); *duais* (f.)
right *ceart, ceirte*
right *còir* (f.)
ring *seirm, seirm*
ripe *abaich*
rise *éirich, éirigh*
river *abhainn, aibhne* (f.)
road *rathad* (m.)
rock *creag* (f.)
rod *slat* (f.)
roedeer *earb, earba* (f.)
room *seòmar* (m.)
round *cruinn*
row *sreath, sreatha* (f.)
rudder *stiùir, stiùireach* (f.)
run *ruith, ruith*
rushes *luachair, luachrach* (f.)

sack *poca* (m.)
saddle *diallaid* (f.)
safe *sàbhailte*
sail *seòl, siùil* (m.)
sail *seòl, seòladh*
sailor *seòladair* (m.)
for the sake of *airson; air sgàth* (both govern gen. case)
salmon *bradan* (m.)
salt *salann* (m.)
salt-cellar *saillear* (m.)
saucer *sàsar* (m.)
say *abair, ràdh* App. B.1; *can, cantainn*
scholar *sgoilear* (m.)
school *sgoil* (f.)
school-bag *màileid* (f.)
Scot *Albannach* (m.)
Scotland *Alba* (f.)
scythe *speal, speala* (f.)
sea *muir, mara* (f.); *fairge* (f.)
seagull *faoileag* (f.)
seal *ròn* (m.)
search *tòir* (f.)
search *rannsaich, rannsachadh*
season *ràidh* (f).
seat *suidheachan* (m.)
second *dara, dàrna*
see *faic, faicinn* App. B.5
seed *sìol, sìl* (m.)
self, selves *fhéin*
sell *reic, reic*
send *cuir, cur*
serpent *nathair, nathrach* (f.)
servant *searbhanta* (f.)
set *suidhich, suidheachadh; cuir, cur*
settle *suidhich, suidheachadh*
seven *seachd*
seven persons *seachdnar*
seventh *seachdamh*
shaft *cas, coise* (f.)
share *cuid, codach* (f.)
sharp *geur, géire*
sheaf *sguab* (f.)
shed *sil, sileadh*
sheep *caora, caorach* (f.)

shell   *slige* (f.)
shelter   *fasgadh* (m.)
shepherd   *ciobair* (m.)
shine   *deàrrs, deàrrsadh*
shingle   *mol* (m.)
ship   *long, luinge* (f.)
shoe   *bròg* (f.)
shoelace   *barrall* (f.)
shoemaker   *grèasaiche* (m.)
shop   *bùth, bùtha* (f.)
shore   *cladach* (m.)
short   *goirid, giorra; geàrr, giorra*
shortness   *giorrad* (m.)
show   *feuch, feuchainn*
shower   *fras, froise* (f.)
sick   *tinn*
side   *cliathach* (f.); *taobh* (m.)
silver   *airgead, airgid* (m.)
sincerity   *dùrachd* (f.)
sing   *seinn, seinn; gabh, gabhail (òran)*
singing   *seinn* (f.); (of birds) *ceilearadh* (m.)
sister   *piuthar, peathar* (f.)
sit   *suidh, suidhe*
site   *làrach* (f.)
sitting   *suidhe* (m.)
six   *sia*
six persons   *sianar*
sixth   *siathamh*
skerry   *sgeir* (f.)
skirt   *iochdar* (m.)
sky   *adhar* (m.); *iarmailt* (f.)
sleep   *caidil, cadal*
sleep   *cadal* (m.)
slope   *bruthach* (f.)
small   *beag, lugha*
snow   *sneachda* (m.)
so   *cho*
soldier   *saighdear* (m.)
some   *feadhainn; cuid, codach* (f.)
someone   *cuideigin; feareigin* (m.); *té-eigin* (f.)
something   *feareigin* (m.); *té-eigin* (f.); *rudeigin* (m.)
sometimes   *uaireannan*
son   *mac, mic* (m.)
song   *òran* (m.)

soon   *a dh'aithghearr*
sore   *goirt*
soup   *sùgh* (m.)
sound   *seirm, seirm*
spark   *sradag* (f.)
speak   *labhair, labhairt; bruidhinn, bruidhinn*
special   *àraidh*
speed   *astar* (m.)
spend   *cosg, cosg*
spill   *dòirt, dòrtadh*
spoon   *spàin* (f.)
spout   *srùb* (m.)
spring   *earrach* (m.)
stack   *cruach* (f.)
stair   *staidhre* (f.)
stamp   *stampa* (f.)
stand   *seas, seasamh*
standing   *seasamh*
start   *tòisich, tòiseachadh*
station   *stèsean* (m.)
stay   *fuirich, fuireach; fan, fantainn*
steal   *goid, goid*
steep   *cas*
steer   *stiùir, stiùradh*
step   *ceum, ceuma* (m.)
stick   *maide* (m.)
still   *fhathast*
stirk   *gamhainn, gamhna* (m.)
stone   *clach, cloiche* (f.)
stop   *stad, stad*
stormy   *stoirmeil*
story   *sgeul, sgeòil* (f.); *sgeulachd* (f.)
stream   *allt, uillt* (m.); *sruth, srutha* (m.)
street   *sràid* (f.)
strike   *buail, bualadh*
stretch   *sìn, sìneadh*
striking   *bualadh* (m.)
string   *sreang* (f.)
strong   *làidir, làidire* and *treasa*
substance   *brìgh* (f.)
sugar   *siùcar* (m.)
summer   *samhradh* (m.)
sun   *grian, gréine* (f.)
sunbathe   *blian, blianadh*

supper   *suipeir* (f.)
sure   *cinnteach, cinntiche*
surround   *cuartaich, cuartachadh*
sweep   *sguab, sguabadh*
sweet   *suiteas, suiteis* (m.)
sweet   *milis, mìlse*
swell   *at, at*
swift   *bras; luath*
swim   *snàmh, snàmh*
switch on   *cuir air*

table   *bòrd, bùìrd* (m.)
tablecloth   *tubhailte* (f.)
tail   *earball* (m.)
tailor   *tàillear* (m.)
take   *gabh, gabhail; thoir, toirt* App. B.10
tale   *sgeulachd* (f.)
talk   *bruidhinn, bruidhinn; labhair, labhairt*
tall   *àrd*
taste   *blas* (m.)
tea   *tì* (m.)
tear (drop)   *deur, deòir* (m.)
television   *telebhisean* (f.)
tell   *innis, innse* and *innseadh*
ten   *deich*
ten persons   *deichnear*
tenth   *deicheamh*
than (conj.)   *na;* (comp. part.) *nas*
thank you   *tapadh leat; tapadh leibh*
that (demon.)   *sin; ud; siud*
that (conj.)   *gu;* (pron.) *a, na*
that . . . not   *nach*
thatch   *tugh, tughadh*
the   *an, na* (primary forms sing. and pl.)
their   *an (am)*
them   *iad*
they   *iad*
thicket   *preas, preasa* (f.)
thing   *rud* (m.)
third   *treas; trìtheamh*
this, this is   *seo*
thousand   *mìle*
thread   *snàth, snàtha* (m.)
three   *trì*

three persons *triùir*
through *troimh* App. D
throughout *air feadh* (governs gen. case)
throw *tilg, tilgeil*
thumb *òrdag* (f.)
thus *mar sin*
tie *ceangail, ceangal*
time *ùine* (f.); *am, ama* (m.)
tired *sgìth*
to (a) *gu* App. D; *do* App. D; *chon* App. D (governs gen. case)
to (the) *gus*
today *an diugh*
together *còmhla*
together with *còmhla ri*
tomorrow *am màireach*
ton *tunna* (m.)
tonight *an nochd*
too (as well) *cuideachd;* (over) *ro* (aspirates adj.)
too much *cus* (m.)
tooth *fiacaill, fiacla* (f.)
top *mullach* (m.); *bàrr, barra* (m.)
    on top *air uachdar* (governs gen. case)
towards *a dh'ionnsaigh; chon* App. D (governs gen. case)
towel *searbhadair* (m.)
town *baile* (m.)
track, trace *lorg, luirge* (f.)
traverse *siubhail, siubhal*
tree *craobh* (f.)
trouble *dragh, dragha* (m.)
trousers *briogais* (f.)
trout *breac, bric* (m.)
truth *fìrinn* (f.)
Tuesday *Di-màirt* (m.)
tuft *tom, tuim* (m.)
tune *fonn, fuinn* (m.)
twentieth *ficheadamh*
twenty *fichead*
twig *geug, géige* (f.)
two *dà*
two persons *dithis*
type *seòrsa* (m.)

under *fo* App. D
understand *tuig, tuigsinn*

until   *gus*
up   *shuas*
upwards   *suas*

verse   *rann* (m.)
very   *glé* (aspirates adj.)
vessel   *soitheach, soithich* (m.)
view   *sealladh* (m.)
village   *clachan* (m.)
voice   *guth, gutha* (m.)
vowel   *fuaimreag* (f.)

wager   *geall, gealladh*
wait   *feith, feitheamh*
walk   *coisich, coiseachd*
walk   *sgrìob, sgrìoba* (f.)
walking-stick   *bata* (m.)
wall   *balla* (m.)
want   *iarr, iarraidh*
warble   *ceileir, ceilearadh*
warbling   *ceilearadh* (m.)
warm   *blàth*
warmth   *blàths, blàiths* (m.)
was, were   *bha; bu* (assertive form)
wash   *nigh, nighe*
watch   *coimhead, coimhead* (air)
water   *uisge* (m.)
wave   *tonn, tuinn* (m.)
way   *slighe* (f.)
way   (*method*)   *dòigh* (f.)
we   *sinn*
weak   *fann*
wealth   *beartas* (m.)
wealthy   *beartach*
weather   *sìde* (f.); *aimsir* (f.)
wedding   *banais, bainnse* (f.)
week   *seachdain* (f.)
wet   *fliuch*
what   *na; dé*
what?   *ciod; dé*
when?   *cuin*
when   *nuair; cuin*
where?   *càit*
where   *far; càit*

which   *a*
which . . . not   *nach*
while   *greis* (f.)
white   *geal, gile; bàn*
white (of egg)   *gealagan* (m.)
who ?, who   *có*
whoever   *có sam bith; có air bith*
wholly   *uile gu léir*
why ?, why   *carson*
wife   *bean, mnatha* (f.)
wild duck   *lach, lacha*
wind   *gaoth* (f.)
window   *uinneag* (f.)
wine   *fìon, fìona*
wing   *sgiath, sgéithe* (f.)
wisdom   *gliocas* (m.)
wise   *glic*
with (a)   *le; ri* App. D
with (the)   *leis; ris*
without   *gun; as eugmhais* (governs gen. case)
woman   *boireannach* (m.)
wood   *fiodh, fiodha* (m.)
a wood   *coille* (f.)
word   *facal* (m.)
work   *oibrich, obair*
work   *obair, obrach* (f.)
workman   *oibriche* (m.)
world   *saoghal* (m.)
wounded   *leònte*
write   *sgrìobh, sgrìobhadh*
wrong   *ceàrr, ceàrra* and *ciorra*

year   *bliadhna* (f.)
this year   *am bliadhna*
yesterday   *an dé*
yet   *fhathast*
yonder   *ud; sud; siud*
you   *thu, tu* (sing.);   *sibh* (pl.)
young   *òg*
young man   *òganach* (m.)
your   *do* (sing.; aspirates noun);   *bhur, (ur)* (pl.)